Reações ao *Sua Verdad[eira História]*

"Tem um escrito do meu pai que ficou famos[o...] trabalhando. Já o seu trabalho é perceber onde a obra está acontecendo e se juntar a Ele'. Susan Freese viveu essa experiência! Quando ela contou ao meu pai as coisas maravilhosas que Deus estava fazendo em sua vida, ele insistiu que Susan escrevesse a história dela para que muitas outras pessoas pudessem ser abençoadas. O livro que você tem em mãos é o resultado desse esforço. Sei que vai se sentir encorajado. Deus está realizando uma obra à sua volta também. Se você se entregar, Ele te levará numa jornada inesquecível!"

Dr. Richard Blackaby, presidente do Ministério Internacional Blackaby, coautor do livro *Experiencing God (tradução livre: Vivenciando Deus)*.

"Séria, atenciosa, lógica e apropriada essas palavras descrevem a abordagem de Susan Freese, voltada ao preparo de novos seguidores de Cristo para a vida que honra a Deus. Poderíamos agregar outras palavras de louvor: prática, informativa e bem estudada. Como resultado, *Sua Verdadeira História* gentilmente levará todos os crentes a se envolverem na vida cristã e prepará-los para esse esforço. Creio que este manual ajudará aqueles que creem em Cristo, tanto os novos quanto os mais experientes na fé, a cumprirem o mandamento quíntuplo de Deuteronômio 10:12: temer, andar, amar, servir e obedecer... ao Senhor, seu Deus. Por isso, sem nenhuma dúvida, todo discípulo de Jesus deveria ler este livro!"

Dr. Archie England, presidente dos Estudos Bíblicos no Seminário Teológico Batista de Nova Orleans.

"Como uma pastora para mulheres, estou sempre em busca de uma ferramenta de discipulado abrangente, de fácil compreensão e teologicamente correta para usar com novos ou jovens crentes. Este livro é essa ferramenta. Tive o privilégio de trabalhar ao lado de Susan Freese por muitos anos. Por meio de seu forte domínio das Escrituras, sua obediência à orientação do Espírito Santo e sua paixão pelo discipulado voltado para as mulheres, vidas estão sendo transformadas. Susan mantém firme a crença de que nós podemos transformar o mundo preparando pessoas para serem discípulos que fazem discípulos. É isso que este livro nitidamente consegue realizar."

Kelley Hastings, ministra para mulheres na Chets Creek Church.

"*Sua Verdadeira História* é um livro para as gerações futuras e para todas as idades. A habilidade da Dra. Susan Freese de demonstrar sinergia entre o prático e o inspirador é única. *Sua Verdadeira História* vai auxiliar gerações de cristãos, não importando em que passo da jornada espiritual estiverem. Aqueles de nós que gostam de aprender fazendo vão gostar muito deste 'roteiro', que foi cuidadosamente elaborado para nos ajudar a escrever nossa própria verdadeira história. É uma 'leitura obrigatória' para novos conversos, sem deixar de ser estimulante para os cristãos mais experientes."

Mac D. Heavener Jr., presidente da Universidade Trinity Baptist.

"Uma das melhores ferramentas de discipulado que já li. De leitura fácil, porém instigante e objetiva. Este guia prático e diário será de grande valia para o crescimento espiritual de todos, tanto os interessados em conhecer a fé em Jesus como os cristãos maduros. É adaptável para pessoas de qualquer cultura ou região geográfica. Daqui para a frente, vai ser uma ferramenta essencial de discipulado dentre aquelas que utilizo em meu ministério. Este é o tipo de livro que impactará o mundo por gerações!"

Chris Price, pastor da Chets Creek Church em Nocatee, ex-pastor missionário.

"*Sua Verdadeira História* é um excelente recurso para aqueles que querem descobrir seu propósito divino. É um estudo profundo, que vai responder a muitas perguntas que você tem sobre sua vida espiritual. Como líder de ministério de mulheres, sempre me perguntam: 'Por onde posso começar se eu quiser ter um relacionamento com Jesus?', 'Como posso entender a mensagem que a Bíblia tem para mim?'. *Sua Verdadeira História* irá responder a essas perguntas e levá-lo a uma profunda compreensão de sua nova vida em Jesus."

Betzaida Vargas, fundadora e diretora-executiva da organização Samaritana del Pozo.

"A beleza e a força de *Sua Verdadeira História* residem no empenho de Susan em juntar, no mesmo livro, um expressivo estudo teológico do discipulado evangelístico e um manual replicável para discipuladores. Em certo aspecto, este livro é atraente e fácil de ler; em outro, sua clareza incita o olhar para um movimento global de discipulado."

Bob Bumgarner, principal estrategista missionário da Jacksonville Baptist Association.

"Tive oportunidade de ver Susan ensinar e modelar princípios no campo missionário. Ela se dedica de coração para ver Deus glorificado, o crescimento dos novos crentes e a igreja expandindo. Essas paixões vêm à tona em *Sua Verdadeira História*, que reúne, em uma jornada transformadora, os princípios básicos da fé. Você vai conhecer o amor de Deus de uma forma mais profunda e ajudar outras pessoas a descobrirem esse amor."

Scott Ray, diretor de avaliação e implementação do Conselho de Missões Internacionais.

"Há muito tempo Susan Freese tem o anseio implacável de que todas as pessoas conheçam e amem a Deus profundamente. *Susan dedicou-se de coração para elaborar Sua Verdadeira História*, com o desejo de levar as pessoas a aprofundarem sua fé em Deus. Sua escrita é simples e direta o bastante para ser bem recebida universalmente, mas complexa o suficiente para desafiar os leitores à autoanálise e à reflexão sincera. Com foco nas verdades das Escrituras, este livro investiga e explica como Deus iniciou um relacionamento conosco e qual é a forma correta de responder a Ele nesse relacionamento. *Sua Verdadeira História* é uma ferramenta eficaz, extremamente aprazível, e fundamental tanto para pessoas que são novas na fé cristã como para seguidores de Deus de longa data e para todos os demais."

Christy Price, esposa de pastor e líder do ministério de mulheres da Chets Creek Church, em Nocatee.

"Este livro o levará a saber quem você é, como verdadeiro adorador e seguidor de Cristo. Quando você encontra sua verdadeira identidade, uma coisa é certa: tudo muda! Você verá sua própria verdadeira história ganhando vida nesta leitura intimista e inspirada. Aconselho que todos os seguidores de Cristo, novos e maduros, dediquem 50 dias para ler e meditar sobre as palavras deste livro. Uma coisa posso garantir: o poder de Deus será revelado e experimentado de maneiras que impactarão não apenas você, mas também a esfera de influência que Deus colocou ao seu redor, até que não haja mais 'nenhum lugar deixado para trás'."

Dr. Jeffery L. Crick, DO, líder catalítico do Movimento Discipular No Place Left.

"Susan Freese é uma fiel serva de Cristo. Tenho certeza de que a verdade contida neste estudo será usada pelo Espírito Santo para levar muitas pessoas a CONHECEREM Jesus como Salvador, a AMAREM a Jesus como Senhor e a SERVIREM a Jesus em obediência à Bíblia. Glória a Deus!"

Ginger Soud, líder feminina da comissão estadual da Flórida.

"Susan e sua equipe desenvolveram um guia incrível para os novos seguidores de Jesus Cristo, que os prepara para viver a vida como Efésios 2:10. *Sua Verdadeira História* fornece a todos os crentes as informações, os recursos e as ferramentas necessárias para levarem uma vida que cumpra a Grande Comissão, por meio do discipulado."

Bob Shallow, presidente da C12.

"Como cristãos, muitas vezes nos sentimos confortáveis em nossa caminhada de fé e presumimos que os outros automaticamente saberão como aumentar sua fé e administrar sua vida cristã assim que são apresentados a Jesus. Susan Freese sabe que não é assim e, sabiamente, oferece *Sua Verdadeira História* como uma jornada de edificação da fé e obediência a Cristo. Essencial para todos os crentes, a leitura deste livro será útil em qualquer ponto de sua própria história."

Lauren Crews, MDiv, autora do premiado livro *Strength of a Woman: Why You Are Proverbs 31* (tradução livre: A força de uma mulher: por que você é o Provérbio 31).

"É uma honra ser o pastor de Susan e Brett Freese e recomendar a você, de todo o coração, o livro *Sua Verdadeira História*. Tive o privilégio de ver Susan crescer em seu relacionamento com Cristo e de estar presente quando Deus a chamou para o ministério em tempo integral. Desde o momento em que deu esse passo de fé, ao deixar um cargo corporativo de prestígio, até ir para o seminário e preparar mulheres em todo o mundo, Susan optou por fazer tudo com excelência. Deus a usou de forma poderosa, e este livro é mais um passo em sua missão de fazer a diferença na vida das pessoas. Estou ansioso para usar esta ferramenta incrível em nossa igreja e espero que você também a utilize."

Spike Hogan, pastor sênior da Chets Creek Church.

"*Sua Verdadeira História* é um roteiro esclarecedor para qualquer indivíduo, esteja ele no início de sua jornada espiritual ou começando de novo. Se os leitores realmente abraçarem esta jornada de 50 dias imbuída das Escrituras, serão transformados 'pela renovação da sua mente... Para que sejam capazes de experimentar e comprovar a... vontade de Deus' (Rm 12:2)."

Tammie McClafferty, EDD, MAR, MAT, diretor-executivo da Lifework First Coast.

"Depois de ter pastoreado por trinta e cinco anos e liderado o treinamento de pastores na Rússia e na Índia por vinte e dois anos, descobri que existe uma necessidade universal que se destaca em todo o mundo – a de formar discípulos autênticos, que estejam profundamente enraizados em seu relacionamento com Cristo e Sua Palavra, e que anseiem por cumprir Sua comissão nos círculos geográficos, familiares e sociais de sua responsabilidade. Susan Freese, minha amiga e visionária prática, sentiu profundamente essa necessidade e fez algo para supri-la. O manual *Sua Verdadeira História* conduz o participante em uma jornada para alcançar um relacionamento diário e consistente com Cristo, por meio de Sua Palavra e da oração, com o poder do Espírito Santo. Seu objetivo principal é levar todos os crentes a compreenderem quem é Deus e quem eles são em Cristo, como também a crescerem no propósito de Deus para suas vidas. Uma ferramenta desta importância será transformadora em igrejas em todo o mundo. Que Deus permita que ela seja amplamente aceita por muitas nações."

Wes Slough, pastor-treinador do Saturation Church Planting.

"*Sua Verdadeira História* é uma ferramenta inestimável. Cobre uma ampla gama de temas, e na minha opinião, nem uma única palavra é supérflua. Você vai apreciar a forma clara e lógica como o conteúdo está organizado, incluindo explicações gerais, analogias impactantes e etapas práticas. Cada dia está repleto de passagens das Escrituras, e as quatro seções de aplicação diária o ajudarão não apenas a crescer, mas a ser transformado. Creio que a jornada de fé de 50 dias deverá ser experimentada repetidamente, como uma referência para si mesmo e como uma ferramenta para discipular outras pessoas. Nunca encontrei um guia tão completo para guiar os crentes, e dou a ele minha mais alta recomendação. Pegue o livro, convide alguns amigos e se comprometa com os 50 dias. Vai valer MUITO a pena!"

Riann Boyd, discipulador e líder de ministério.

SUA

VERDADEIRA

HISTÓRIA

Este livro é dedicado a Jesus – o Herói de nossa história.

SUA

VERDADEIRA

HISTÓRIA

O GUIA BÁSICO DE 50 DIAS PARA SUA NOVA VIDA COM JESUS

SUSAN FREESE

100% da receita líquida deste livro será usada
para apoiar ministérios que auxiliam mulheres e
crianças marginalizadas em todo o mundo.

Sumário

Bem-vindos

Este livro é destinado àqueles que querem ter um relacionamento mais próximo com Jesus, que desejam aplicar em seu dia a dia uma vida inteira de verdades sagradas sem passar a vida inteira tentando aprendê-las, e àqueles que *não* querem uma fé religiosa comum, obsoleta, que só ocorre um dia por semana.

As páginas deste livro contêm tesouros que dão vida, embrulhados em palavras que estão só esperando para serem abertas. Levei quase cinquenta anos para coletar esses tesouros, viver essas lições e agora quero compartilhar tudo com você. Esteja começando ou recomeçando seu relacionamento com Jesus, eu o convido a fazer esta jornada de fé de 50 dias, para guiá-lo em seus próximos passos com Ele. *Você não* ouvirá histórias pessoais (exceto histórias verdadeiras da Palavra de Deus), pois não se trata da jornada de fé de outras pessoas. Esta é a *sua* jornada de fé.

A cada semana, você aprenderá um pouco mais sobre a narrativa tramada na Bíblia. A Parte 1 começa com uma visão geral da abrangente História de Deus. Depois, vamos estreitar nosso foco para o seu lugar e propósito na História dEle. Esse alicerce transformador firmará os fundamentos da fé que serão abordados na segunda parte da jornada. Nesse ponto, a Parte 2 também se torna um guia de recursos a que você poderá retornar quando as situações inesperadas da vida surgirem em seu caminho. Você descobrirá segredos da vida cristã, como permanecer em Cristo, como lidar com as dúvidas, resistir à tentação e adorar a Deus durante períodos de sofrimento. Também aprenderá maneiras práticas de estudar a Bíblia, compartilhar sua fé com as pessoas e orar. Se ainda não iniciou um relacionamento com Jesus, terá a oportunidade de dar esse passo. Ao compartilhar essas lições de vida, oro para que você encontre o amor de Deus, aceite sua parte na História dEle, e *aprenda com os erros que eu cometi.*

Enquanto crescia, eu confiava em Jesus como aquele que perdoava os meus pecados, mas não sabia segui-Lo como o líder da minha vida. Essa ignorância me foi cobrada − em buscas mundanas, pensamentos prejudiciais e uma vida egoísta. Embora eu amasse a Jesus, meu entendimento limitado de Seu papel em minha vida me deixava inquieta e sem alegria. Minha carreira me manteve distraída e minha fé superficial me deixou espiritualmente faminta.

Mas durante aquele tempo no deserto, Deus me sustentou e revelou o que me faltara durante toda a minha vida: um relacionamento diário com Ele... porém, mais do que isso, uma amizade íntima com o Senhor.

Gostaria de poder dizer que entreguei tudo a Ele e comecei a confiar em Jesus em todas as áreas da minha vida e para minha salvação – mas hesitei. Eu temia o que aconteceria com meus filhos se eu desse a Deus a liderança da minha vida. Meus filhos sofreriam por minha rendição? Eles seriam tirados de mim se eu oferecesse tudo a Deus? Foi aí que uma irmã da igreja gentilmente compartilhou comigo como Deus amava meus filhos mais do que eu jamais poderia amar. Percebi que minha maior responsabilidade como mãe (ou em qualquer outro papel na minha vida) era amar a Deus com todo o meu coração, toda a minha alma, toda a minha mente e todas as minhas forças (Mc 12:30) – dar-Lhe meu tudo porque *Ele me deu tudo de Si*.

Tudo mudou quando convidei Deus para assumir o controle da minha vida. Passei a não ver mais a vida através das lentes escuras da preocupação ou da ambição egoísta, mas pelos olhos da fé. Esses passos de obediência e confiança me aproximaram de Deus. Eu queria mais dEle e queria que *Ele* tivesse mais de *mim*. Nessa jornada, descobri quem é Deus, por que fui criada e como viver bem. Encontrei *minha* história na Verdadeira História de Deus.

Conforme minha história foi se desenrolando, Deus me conduziu ao ministério em tempo integral e ao seminário. Ele me deu oportunidades de compartilhar o que eu estava aprendendo em vários lugares do mundo. Não importava onde eu servia, a necessidade era a mesma: um relacionamento autêntico com Jesus. Pela graça de Deus, os resultados também eram os mesmos: vidas transformadas de forma maravilhosa. Com o incentivo do meu marido e dos pastores, a All In Ministries International nasceu e cresceu. As igrejas locais e os missionários pediram o material por escrito. Mas hesitei novamente. Deus usou uma conversa com o Dr. Henry Blackaby[1] para me encorajar a dar este passo para escrever – colocar em um livro tudo que eu gostaria de saber quando comecei meu relacionamento com Jesus. Minhas orações de súplica por ajuda foram atendidas em cada etapa da criação do *Sua*

---

1 Dr. Blackaby é um pastor que atua internacionalmente, autor e fundador da Blackaby Ministries International. Ele é mais conhecido por seu estudo bíblico *Experiencing God* (em tradução livre, *Vivenciando Deus*).

Verdadeira História. Este livro não pretende ser completo, mas contém verdades vivificantes que mudaram minha vida e a de inúmeras pessoas.

Agora é a sua vez. Eu o convido a me acompanhar nesta jornada através do *Sua Verdadeira História*, nas 50 leituras diárias – um capítulo cuidadosamente selecionado da História de Deus, e oro para que, logo, seja também um capítulo da sua história. Nem sempre será fácil ou descomplicado, mas desenvolver sua verdadeira história vale a pena. A mudança é desconfortável, e você pode escolher como reagirá a ela. Confie em Deus nesses próximos passos ou continue sendo a mesma pessoa de antes.

Ao escolher confiar em Deus por meio destes breves capítulos, você experimentará um amor apaixonado, uma alegria incrível e uma paz sobrenatural. Essa transformação vai ajudá-lo a viver cada dia em união com Ele e prepará-lo para a eternidade. Por fim, você vai conhecer *sua* verdadeira história e ver que ela faz parte da Verdadeira História de Deus.

E quando isso acontecer, oro para que você seja como aquela irmã na igreja que compartilhou a verdade comigo de forma muito amável. Oro para que você, gentilmente, convide outra pessoa, depois outra e mais outra para acompanhá-lo nesta jornada, para descobrir o grande amor de Deus e o plano que Ele tem para a Sua criação. É assim que Deus projetou nossa vida: para *ser* transformada e *levar* transformação para os outros.

A glória de Deus é nossa recompensa.
Susan Freese
João 3:30

Público global

Esta ferramenta de discipulado serve para pessoas de todas as comunidades de fé cristã no mundo. Embora nossos estilos de adoração sejam diversos, estamos unidos em nossas crenças: Jesus Cristo é o Senhor, a Bíblia é totalmente verdadeira e cada crente é uma parte importante na História de Deus. Este estudo complementa as oficinas de discipulado oferecidas pela All In Ministries International. Para obter mais informações e baixar ferramentas gratuitas, visite www.allinmin.org.

Navegando pela Bíblia

Este estudo apresentará um passeio pela Bíblia e a forma de estudá-la na Semana 5. Usamos várias traduções confiáveis da Bíblia para ajudá-lo a ver claramente a verdade de Deus. É bom que você tenha uma Bíblia pronta para o estudo diário.

Quanto às passagens bíblicas, primeiro é citado o capítulo, seguido do número do capítulo e do(s) versículo(s). Por exemplo, João 3:16 se refere ao Evangelho de João no Novo Testamento (não deve ser confundido com 1 João), capítulo 3, versículo 16.

João (livro) 3 (capítulo): 16 (versículo)

Livros e abreviaturas* do Antigo Testamento:

Gênesis (Gn)
Êxodo (Ex)
Levítico (Lv)
Números (Nm)
Deuteronômio (Dt)
Josué (Js)
Juízes (Jz)
Rute (Rt)
1 Samuel (1Sm)
2 Samuel (2Sm)
1 Reis (1Rs)
2 Reis (2Rs)
1 Crônicas (1Cr)
2 Crônicas (2Cr)
Esdras (Esd)
Neemias (Ne)
Ester (Est)
Jó (Jó)
Salmos (Sl)
Provérbios (Pr)
Eclesiastes (Ecl)
Cânticos dos
Cânticos (Ct)

Isaías (Is)
Jeremias (Jr)
Lamentações (Lm)
Ezequiel (Ez)
Daniel (Dn)
Oseias (Os)
Joel (Jl)
Amós (Am)
Obadias (Ob)
Jonas (Jn)
Miqueias (Mq)
Naum (Na)
Habacuque (Hab)
Sofonias (Sf)
Ageu (Ag)
Zacarias (Zc)
Malaquias (Ml)

Livros e abreviaturas* do Novo Testamento:

Mateus (Mt)
Marcos (Mc)
Lucas (Lc)
João (Jo)
Atos (At)
Romanos (Rm)
1 Coríntios (1Cor)
2 Coríntios (2Cor)
Gálatas (Gl)
Efésios (Ef)
Filipenses (Fl)
Colossenses (Cl)
1 Tessalonicenses (1Ts)
2 Tessalonicenses (2Ts)
1 Timóteo (1Tm)

2 Timóteo (2Tm)
Tito (Tt)
Filemom (Fm)
Hebreus (Hb)
Tiago (Tg)
1 Pedro (1Pd)
2 Pedro (2Pd)
1 João (1Jo)
2 João (2Jo)
3 João (3Jo)
Judas (Jd)
Apocalipse (Ap)

*As abreviaturas dos livros bíblicos entre parênteses baseiam-se nos padrões do Manual de redação e estilo da Companhia das Letras.

Compromisso

Sua vida pode mudar em 50 dias, se você se empenhar nesta jornada. Antes de começar, gostaria de desafiá-lo a não perder um único dia de leitura. Marque as datas no calendário para se preparar melhor. Ao assinar seu nome e estabelecer um horário, você demonstra a seriedade do seu compromisso e seus resultados serão drasticamente melhores.

Com a ajuda de Deus, eu comprometo os próximos 50 dias da minha vida para descobrir minha história na Verdadeira História de Deus.

_____

Seu nome

Defina um horário (recomendamos um tempo de trinta minutos) e local para ler e responder a um capítulo por dia:

_____

Convide seus amigos

As viagens são mais agradáveis quando estamos com amigos. Você aproveitará ao máximo esta jornada de fé e fortalecerá amizades se outras pessoas se juntarem à jornada. O fato é que seguimos melhor a Deus quando estamos unidos a outros. Deus nos dá uma família de fé – a igreja – para andar conosco enquanto caminhamos com Ele. Cristo nunca quis que ficássemos sozinhos (Gn 2:18). Um homem sábio disse certa vez: "É melhor ter companhia do que estar sozinho, porque maior é a recompensa do trabalho de duas pessoas. Se um cair, o amigo pode ajudá-lo a levantar-se. Mas pobre do homem que cai e não tem quem o ajude a levantar-se!" (Ecl 4:9-10). Não vamos cair sozinhos.

Ore e peça a Deus para conduzi-lo até aqueles que podem acompanhá-lo neste estudo e depois dele. Sugiro que o grupo se reúna uma vez por semana para discutir o que aprenderam. Vocês podem usar as perguntas para discussão em grupo que estão no final de cada semana, para servir de guia durante o encontro. Liste abaixo o nome das pessoas que Deus o inspirou a convidar para sua jornada:

_____   _____

Defina um dia, um horário e um local para a sua reunião semanal, presencial ou on-line:

_____

PARTE I:

DESCOBRINDO SUA HISTÓRIA COM DEUS

Os teus olhos viram o meu embrião;
todos os dias determinados para mim foram escritos
no teu livro antes de qualquer deles existir.
Como são preciosos para mim os teus pensamentos,
ó Deus! Como é grande a soma deles!
Salmos 139:16-17

E se eu dissesse: "Você é a razão pela qual este livro foi escrito"? E se eu dissesse que você tem um encontro com Deus neste exato momento? Você pode questionar se isso é verdade ou se perguntar por que Deus tem você no calendário dEle. Mas olhe à sua volta — tem mais alguém lendo este livro? Provavelmente não. Então por que você está lendo o livro? Porque Deus quer que você saiba que Ele o escreveu na História dEle. Talvez você tenha que participar de uma jornada extraordinária para vivenciá-Lo. Ou quem sabe outra pessoa esteja procurando por respostas em você. De qualquer forma, Ele planejou este momento — neste tempo, neste lugar — para você descobrir sua verdadeira história, que faz parte da Verdadeira História de Deus.

Não importa quem você é ou onde mora, **o único Deus verdadeiro ama você agora. Ele tem um propósito importante para a sua vida**. Você pode perguntar: Como é que Ele me ama? Por que minha vida é importante? Como devo reagir a isso? Todas essas são boas perguntas. Nós o convidamos a fazer esta jornada de fé de 50 dias para começar a respondê-las. Por que 50 dias? Deus separou 50 dias na Bíblia para um propósito especial. Assim que o povo hebreu começou a celebrar a Páscoa (estudaremos isso na Semana 7), Deus deu a eles outro festival, chamado Festa das Semanas, mais tarde conhecida como Pentecostes.[1] A festa, que durava um dia, acontecia sete semanas e um dia (50 dias) após a Páscoa. O Pentecostes era um dia de celebração e revelação. Nesse dia, comemora-se a entrega da Torá (os primeiros cinco livros da Bíblia) a Moisés no Monte Sinai. Depois do tempo de Jesus na terra, Ele concedeu o dom do Espírito Santo aos discípulos em Jerusalém, no Pentecostes. Há algo significativo sobre o fato de Deus ter escolhido o quinquagésimo dia, tanto no Antigo Testamento quanto no Novo Testamento, para dar os dons da Palavra e do Espírito. Palavra e Espírito se combinam para nos trazer uma revelação maior.

Deus pode usar esses 50 dias em sua vida de uma maneira especial também. E por que fazer esse esforço? Porque **sua vida é importante e sua história de vida faz a diferença**. Nosso Criador fez você de propósito, para um propósito. Ele escreveu uma história para você – uma história cheia de significado, que impacta a eternidade. Mas para entender seu propósito – sua verdadeira história – você precisa conhecer o Autor. Precisa encontrar o único Deus verdadeiro.

Como é Deus? Por que Ele me criou? Como posso conhecê-Lo?

Muitos fazem esses questionamentos. Não os ignore por ter medo de não descobrir as respostas, ou de não gostar delas. Deus plantou essas perguntas em seu coração para levá-lo a uma jornada de fé e aproximá-lo do coração dEle. Portanto, questione.

Você encontrará respostas na Bíblia – também conhecida como Palavra de Deus ou Escritura (2Tm 3:16).[2] Porém, mais do que isso, encontrará o próprio Deus. Oro para que, nos próximos 50 dias, você sinta como **Deus é real e a Bíblia é verdadeira**. Juntos, responderemos a algumas de suas perguntas com a verdade de Sua Palavra. Quer você a esteja lendo pela primeira vez ou já a tenha estudado por anos, a Palavra de Deus é sempre perfeita e renovada.

---

1 Pentecostes vem de uma palavra grega que significa "quinquagésimo". A data festiva é chamada de *Shavuot* em hebraico, que significa "semanas", e também é conhecida como o Festival da Colheita.
2 A Bíblia está disponível em muitos sites diferentes, dentre eles: Bíblia OnLine (bibliaonline.com.br), Bíbliaon (bibliaon.com), Bíblia de Aparecida (a12.com/biblia), BibliaTodo (bibliatodo.com/pt/a-biblia).

Este estudo cita as Escrituras a todo momento e o remete aos versículos bíblicos (incluindo mais de 1.400 referências), para que a Palavra de Deus fale por si mesma. Sugiro que você reserve trinta minutos todos os dias, com uma Bíblia aberta, para se encontrar com Deus durante a leitura dos curtos capítulos. Ore antes de ler, e peça a Deus que se revele a você. Interaja com o que descobrir. Marque as páginas como desejar e escreva suas ideias nas margens das folhas. **Leia um único capítulo por dia, para poder refletir e agir de acordo com o que lê.**

Conforme aprendemos a amar a Deus de todo nosso coração, mente, alma e força (Mc 12:30), seguiremos esta jornada de fé, tendo em mente o mandamento de Jesus. Você terá quatro etapas para concluir no final de cada dia:

1. Leia as Escrituras relacionadas ao tópico do dia em "Deixe a Bíblia falar".
2. Responda às perguntas para processar o que leu em "Deixe sua mente refletir".
3. Comece sua conversa com Deus em "Deixe sua alma orar".
4. Registre os passos que Deus pode estar levando você a seguir em "Deixe seu coração obedecer".[1]

Siga essas quatro etapas para absorver e aplicar a lição de cada dia. Isso é importante. **Obter novas informações não transformará nossa vida, mas sim colocar em prática a verdade bíblica, com a ajuda de Deus.**

Vamos visualizar a jornada da Parte 1:

Primeiro, na Semana 1, você vai aprender sobre Deus e Sua abrangente história verdadeira. A História de Deus afeta todas as outras histórias. É impossível cobrir todos os assuntos que você queira saber sobre Deus em uma semana. Ainda assim, este resumo o ajudará a entender o contexto de sua existência, sua eternidade e sua história dentro da História de Deus. Mesmo que você já seja crente há algum tempo, talvez descubra aspectos da História dEle

---

[1] A Bíblia às vezes se refere à obediência ou à decisão como uma expressão do coração (Js 24:23; Jl 2:13; Rm 10:9-10).

que não são amplamente ensinados e, ao terminar a semana, terá uma compreensão melhor de toda ela.

Nas Semanas 2 e 3, você vai conhecer a sua parte na História de Deus. Na Semana 2, descobrirá sua identidade em Cristo (quem você é), e na Semana 3, encontrará o seu propósito em Cristo (o que você faz).

Pronto para começar? Primeiro, faça uma pausa para examinar seu coração. Você está buscando a Deus com sinceridade? Em Jeremias 29:13, Deus diz: "Vocês me procurarão e me acharão quando me buscarem de todo o coração". Reserve alguns momentos de oração e:

- decida agora buscar a Deus de todo coração e alma (Dt 4:29).
- decida aceitar o que descobrir sobre Ele, sobre a História dEle e como você se encaixa nela, mesmo que algumas dessas descobertas o surpreendam ou o incomodem de certa forma.
- ore e peça a Deus que prepare seu coração para esta jornada e lhe conceda amigos para caminhar com você.[1]

Juntos, busquem a verdade – busquem a Deus – de coração aberto. Ao procurá-Lo, você vai descobrir que Ele sempre, sempre procurou você.

---

1 Veja o Compromisso na página XV.

SEMANA UM

A HISTÓRIA DE DEUS

Você foi convidado

Porque Deus tanto amou o mundo que deu o
seu Filho Unigênito, para que todo o que nele
crer não pereça, mas tenha a vida eterna.
João 3:16

Como você se sente ao receber um convite especial? Algo profundo acontece em seu íntimo. Saber que alguém está pensando em nós muda a maneira como nos vemos. Alguém pensou em você e sua presença é desejada. A realidade é que Deus está pensando em você e a Bíblia é Seu convite por escrito. Por meio das páginas das Escrituras, Deus o convida a confiar nEle com toda a sua vida. O convite dEle atravessa todos os continentes, todas as culturas, todas as épocas. E nossa capacidade de ouvir e responder é a única limitação.[1]

Apesar de ter sido escrita há muito tempo, a história da Bíblia continua relevante *nos dias de hoje*. Ela define e explora nosso mundo, explica por que sofremos dor e injustiça, e promete que um dia Deus vai consertar todas as coisas. A Bíblia descreve o povo de Israel em todo o Antigo Testamento e seu relacionamento com Deus. Mas essa história não é só para eles. Essa história de redenção e relacionamento é para todo mundo – incluindo você. **Ouça atentamente o que Deus está dizendo, porque Ele está falando para *você*.**

Lendo com atenção, você descobrirá sua verdadeira história. Sim, **sua história está escrita na Bíblia.** Deus o criou para você conhecê-Lo e ser transformado por Ele como parte de Seu grande plano (Jr

---

1 HAUER, Cheryl. God's invitations. *Bridges for Peace*, [s. l.], 21 Nov. 2017. Disponível em: https://www.bridgesforpeace.com/letter/gods-invitations/.

9:23-24). Ele tem um propósito divino para a sua vida. Mas você só descobrirá o chamado único de Deus para a sua vida se estudar e vivenciar Sua Palavra − com a ajuda dEle. Na História de Deus, você encontrará o significado da *sua* história e de todas as histórias do mundo − passado, presente e futuro.

Embora a Bíblia esteja completa, a História de Deus ainda está acontecendo ao nosso redor. O último livro da Bíblia, o Apocalipse, nos mostra o que acontecerá no final dos tempos. Mas também revela que a História de Deus não tem fim. Deus nos convida para a vida eterna por meio de Jesus − desde agora e para sempre (Jo 3:16). A vida eterna é uma amizade perpétua com Deus e significa a confiança nEle para escrever nossa história como parte de Sua Verdadeira História (Jo 17:3; Hb 12:2).

Escreva abaixo como tem sido sua história até agora. De que maneira você conhece Deus?

Assim como um livro é composto de muitos capítulos que contam uma história, a Bíblia é uma coleção de livros que nos revelam a História de Deus. Cada livro − e os capítulos e versículos dentro deles − atua em conjunto com todos os demais para revelar a Deus e Seu relacionamento conosco. A História de Deus nos leva até Aquele que nos criou, Aquele que veio até nós na pessoa de Jesus Cristo. A história toda se baseia nEle. A Bíblia inteira aponta para Ele.

Ao começarmos nossa jornada juntos, você e eu precisamos ter uma visão mais ampla da História de Deus como um todo, a qual pode ser dividida em quatro partes básicas: (1) criação, (2) pecado, (3) Jesus e (4) recriação − a criação de Deus restaurada. O Antigo Testamento (os primeiros trinta e nove livros da Bíblia) nos conta sobre a criação e o pecado (e o Salvador que viria). O Novo Testamento (os últimos vinte e sete livros da Bíblia) fala de Jesus (o Salvador) e da recriação. Essas quatro partes fornecem uma estrutura para entendermos todas as histórias da Bíblia − e o significado de nossa vida.

PARTE UM: CRIAÇÃO
Deus nos criou e quer ter um relacionamento íntimo conosco.

O Antigo Testamento começa com a história da criação. Deus criou tudo do nada e achou tudo "bom", com uma exceção (Gn 1). Quando Deus fez as pessoas, Ele nos fez à Sua imagem e achou "muito bom". O Senhor teve um cuidado especial ao nos criar porque queria ter um relacionamento íntimo conosco. A verdade é que Deus não precisava nos criar. Ele já vivia numa comunidade perfeita. A Bíblia revela que **há apenas um Deus, que existe em três pessoas: Pai, Filho (Jesus) e Espírito Santo.** Deus teve prazer em nos criar. E o melhor de tudo é que nós temos o prazer de conhecê-Lo (Cl 1:10). Nossos primeiros antepassados, Adão e Eva, viveram, trabalharam e caminharam com Deus no perfeito Jardim do Éden. Alegria e paz enchiam suas vidas, pois eram filhos de Deus.

PARTE DOIS: PECADO
Como o pecado nos separa de Deus, precisamos de um Salvador.

Tudo mudou quando a serpente (Satanás, o inimigo) entrou na história. Ele distorceu as palavras de Deus para enganar Adão e Eva. O engano os levou ao descontentamento, que os levou à desobediência. Em vez de confiarem em Deus, eles acreditaram na mentira de Satanás e se voltaram contra o Senhor. Os dois comeram o fruto que Deus havia proibido. O **pecado** é isso – afastar-se da vontade de Deus por meio de atitudes ou ações. O pecado estragou a boa criação de Deus e tudo se corrompeu. A rebelião de Adão e Eva os separou de Deus e introduziu as consequências do pecado: morte, cobiça, doença, violência e dor no mundo. Eles se tornaram inimigos de Deus e as trevas preencheram a vida deles (Rm 5:10). O restante do Velho Testamento conta a história de pessoas em conflito por causa do pecado, da desobediência aos mandamentos de Deus e do desprezo por Sua presença – apesar do chamado dos profetas para que se arrependessem e voltassem ao Pai. Mais importante ainda, prediz a história do plano de resgate de Deus. O mundo precisava de um Salvador, um Libertador.

> **Pecado:**
> Afastar-se da vontade de Deus com nossas atitudes ou ações.

PARTE TRÊS: JESUS
Jesus nos livra de nossos pecados e restaura nosso relacionamento com Deus.

O Novo Testamento nos revela nosso Salvador: Jesus Cristo, o Filho de Deus. Ele veio para nos libertar das garras do inimigo e restaurar nosso relacionamento com o Pai celestial. Sua missão: buscar e salvar os perdidos (Lc 19:10). O início do Novo Testamento nos ensina sobre a vida de Jesus e conta como Ele nos resgatou. Deus é justo, e nosso pecado merece Seu julgamento e Sua pena de morte. Pelo grande amor de Deus, Jesus carregou o peso de nossa punição, tomando nosso lugar – morrendo na cruz por nós. Isso não foi o fim, mas o começo de uma nova vida. Jesus derrotou a morte e ressuscitou da sepultura para garantir que o pecado nunca mais nos separasse dEle. Ele venceu o pecado e a morte de uma vez por todas!

PARTE QUATRO: RECRIAÇÃO — CRIAÇÃO DE DEUS RESTAURADA
Deus fará novas todas as coisas, começando por nós.

Um novo capítulo da História de Deus começou com o túmulo vazio de Jesus. É neste capítulo que nos encontramos hoje: Jesus está preparando um lugar no céu para aqueles que confiam nEle. Ele deu aos crentes um novo propósito na terra e prometeu voltar para nos buscar. O restante do Novo Testamento nos ensina sobre o plano de resgate sendo transmitido a todas as nações e transformando o coração e a vida das pessoas para toda a eternidade. Neste exato momento, a criação se prepara para o retorno de Jesus. Quando Ele voltar, fará novas todas as coisas. Não haverá mais debilidade. Jesus criará um novo céu e uma nova terra, perfeita e intocada pelo pecado. Então, os crentes irão adorar a Deus e desfrutar dEle para sempre em Sua nova criação.

Deus estende Seu convite para que confiemos nEle em cada parte de Sua História e, até o final desta semana, examinaremos todas elas mais detalhadamente. Vamos descobrir como Deus demonstra Seu amor por cada nação e cada pessoa (Jo 3:16). **Você, eu e todos os outros — todos nós fomos criados por Seu amor, para Seu amor e para compartilhar Seu amor.** O convite de Deus está aguardando sua resposta.

Deixe a Bíblia falar:

Leia Gênesis 1 (opcional: Romanos 5:12-21)

Deixe sua mente refletir:

1. O que Gênesis 1 lhe diz sobre Deus?

2. Como se sente sabendo que sua história faz parte da História de Deus?

3. Saber que Deus ama a todos muda a maneira como você vê a Deus, a si mesmo e aos outros? De que forma?

Deixe sua alma orar:

Senhor, Te dou graças por revelar Tua história por meio da Bíblia e por me convidares a confiar em Ti. Ajuda-me enquanto Te busco. Abranda meu coração e abre meus olhos para a Tua verdade ao iniciar esta jornada de fé. Quero conhecer-Te e saber meu lugar na Tua história... Em nome de Jesus eu oro. Amém.

Deixe seu coração obedecer:

(O que Deus está levando você a compreender, valorizar ou fazer?)

A perfeita criação de Deus ostenta Sua glória

No princípio, Deus criou os céus e a terra... E Deus viu
tudo o que havia feito e tudo havia ficado muito bom!
Gênesis 1:1, 31

Considerando o tamanho da Bíblia, suas línguas e culturas antigas, ler suas palavras pode parecer intimidante para muitas pessoas. Alguns acham que a Bíblia é muito grande para ser lida durante uma vida. Mas, na verdade, se a lermos uma hora por dia, é possível finalizar a leitura em cerca de oitenta dias. Outros pensam que a Bíblia é muito complicada e requer treinamento avançado para compreendê-la. Mas a revelação de Deus é apenas isto: Sua revelação. Ele quer ser conhecido. Podemos não entender tudo, mas Deus nos ajuda a aprender muitas de Suas verdades eternas. Às vezes, as pessoas presumem que a Palavra de Deus é um livro de regras que nos dá uma lista do que devemos e não devemos fazer. Mas quando a lemos, descobrimos a narrativa mais magnífica de salvação e liberdade da história do mundo. É a História de Deus.

Como estudamos ontem, a Bíblia começa com a criação de todas as coisas e termina com a recriação. Ela é para o mundo todo, mas também é pessoal. A História de Deus celebra o milagre da formação de cada pessoa, inclusive a sua (Sl 139). Você não escolheu sua origem, mas a Bíblia revela que Deus a escolheu, e ela é o ponto de partida no caminho que Ele traçou para o seu destino (At 17:26-27). Porém, para entender a História de Deus e o seu lugar dentro dela, primeiro você precisa saber que **a História de Deus não gira em torno de nós, e sim de Deus e Sua glória.** Todas as coisas existem para louvar *Sua* grandeza. Você logo descobrirá o porquê, mas, por enquanto, vamos começar pelo início dos tempos.

Deus criou tudo — cada uma das coisas — para Sua glória, inclusive você e eu. Com Seu verbo poderoso, toda a criação veio à existência: luz, terra, mar, plantas e animais. Toda a criação glorifica a Deus, exibindo "seu eterno poder e sua natureza divina" (Rm 1:20). Até mesmo os "céus declaram a glória de Deus; o firmamento proclama a obra das suas mãos" (Sl 19:1). Das estrelas no céu às partes mais ocultas de nosso corpo, toda a criação fala da genialidade e da bondade dEle. Homens, mulheres e crianças declaram Sua glória. Assim como a lua que reflete a luz do Sol, nós refletimos Deus para o mundo. A razão de nossa existência é a glória de Deus (Is 43:7).

Glória:

Uma das palavras hebraicas para *glória (kabod)* é literalmente traduzida como "denso" e "pesado", indicando dignidade. Nossa resposta natural a alguém cuja presença é fortemente sentida é de honra e respeito.

Glorificar a Deus significa pensar, agir, falar e servir de maneiras que reflitam Sua grandeza. Esse é o nosso propósito de vida.

Fonte: KOEHIER, Ludwig *et al. The Hebrew and Aramaic lexicon of the Old Testament.* Leiden: EJ Brill, 2000. p. 456.

Deus exibe Sua glória, em toda Sua beleza, através de Seu grande amor por nós. Deus desejava manter um relacionamento íntimo com a humanidade, por isso nos criou, com cuidado especial, à Sua imagem e com Seu fôlego. "Então disse Deus: 'Façamos o homem à nossa imagem, conforme a nossa semelhança.'... Então o Senhor Deus formou o homem do pó da terra, e soprou em suas narinas o fôlego de vida, e o homem se tornou um ser vivente" (Gn 1:26; 2:7). O Deus do universo formou os seres humanos do pó da terra. Como um oleiro que molda o barro, Ele tomou cuidado pessoal e íntimo em nossa feitura. Deus não manteve distância quando criou Adão e Eva no princípio, e não mantém distância de você agora. **Ele quer estar perto de você.**

Deus também nos criou para termos relacionamentos uns com os outros. Desde o início, o Senhor disse: "Não é bom que o homem esteja só" (Gn 2:18). Assim, Ele criou Eva para ser a parceira de Adão.[1] Nesse papel, Deus designou Eva como a companheira igual e essencial de Adão a fim de cumprir Seus propósitos para a humanidade. Esse primeiro casamento é um exemplo das relações humanas mais próximas e, ainda mais importante, serve como uma imagem de nosso relacionamento com Deus. Como deve ser o casamento? Amor abnegado. Amizade íntima. Trabalho compartilhado. Propósito divino. Presença fiel. É assim que devemos encarar nosso relacionamento com Deus porque Ele Se agrada de nós. "Assim como o noivo se regozija por sua noiva, assim o seu Deus se regozija por você" (Is 62:5). Independentemente de seu estado civil, lembre-se de que sua conexão profunda com seu Criador é muito mais valiosa do que qualquer casamento humano. "O seu Criador é o seu marido" (Is 54:5). **Deus conhece você intimamente e é fiel.** Ele chama Seu povo de "noiva" de Cristo, totalmente conhecida e totalmente amada (Ap 19:7-9; ver também Ef 5:25-27). Mesmo o melhor casamento terreno é uma sombra perto da profundidade do amor que Deus verte em seu relacionamento com Ele.

Podemos compreender melhor o amor abundante e altruísta de Deus se tivermos filhos. Pode ser por isso que **Deus nos criou para ter um relacionamento íntimo com nossos filhos.** Ele ordenou a Adão e Eva: "Sejam férteis e multipliquem-se" (Gn 1:28), para que pudessem compartilhar as bênçãos de Deus e Seus ensinamentos com seus descendentes (Dt 6:5-7). A paternidade pode nos ajudar a entender melhor como nós, sendo filhos de Deus, podemos nos relacionar com Ele, nosso Pai celestial. Considere como uma criança engatinha para o colo da mãe e descansa em seus braços. Segura. Amada. Conectada. Vamos ter essa mesma postura em nosso

---

1 De acordo com o *The Hebrew Aramaic lexicon of the Old Testament*, de L. Koehler *et al.*, há mais exemplos no Antigo Testamento dessa palavra com o significado de "companheira (parceira) que nos ajuda" do que com o significado de "força". À luz disso, o Dr. Archie England, professor de Antigo Testamento e Hebraico no Seminário Teológico Batista de Nova Orleans, sugeriu que a palavra hebraica original para "parceira", *ezer kenegdo*, é melhor traduzida nesse contexto como "sua companheira", que significa "aquela ao lado dele e o ajudando". England também sugeriu que o papel de Eva como companheira não significa que haja uma hierarquia. O papel dela não é de serva, mas de parceira. Estando ao lado do marido, Eva o ajuda a ter êxito.

relacionamento com Deus. Descansando na fé. Compartilhando nosso dia. Ouvindo Sua voz. Confiando nEle. Obedecendo a Ele. Quer você tenha ou não filhos biológicos, Deus o criou para se reproduzir. Quando passa sua fé para a próxima geração, você tem filhos espirituais – relacionamentos abençoados que durarão para sempre. Deus nos fez para educar e para sermos educados por Ele.

Nossos relacionamentos se estendem ao resto da criação. Desde o início de Gênesis, vemos Deus em ação, moldando a terra. Ele então confia ao homem o Jardim do Éden (a terra) "para o cultivar e o guardar" (Gn 2:15 NAA). Deus trabalhou para criar o mundo e nós trabalhamos para mantê-lo. Logo no início dos tempos, descobrimos os conceitos bíblicos de profissão, vocação e trabalho. Aprendemos que Deus deseja que desfrutemos do mundo natural e nos permite administrá-lo para Ele por meio de nosso trabalho. Existem muitas vocações e todos temos diferentes paixões e habilidades. Podemos não gostar do trabalho que fazemos o tempo todo, mas podemos escolher ser gratos. Não importa o que façamos, podemos glorificar a Deus por meio de nosso trabalho, porque Ele nos designou para isso (1Cor 10:31).

Os primeiros dois capítulos da Bíblia revelam muito sobre a História de Deus. Hoje, vimos que (1) a História de Deus está centrada nEle e em Sua glória e que (2) Ele criou todas as coisas, incluindo o trabalho, para demonstrar Sua glória. Deus nos ama e quer ter um relacionamento íntimo conosco. Ele também nos abençoa com a criação, nos ajuda a criar e nos convida a administrar Sua criação. Somos criados para refletir nosso Deus criativo.

DIA 2

Deixe a Bíblia falar:
Leia Gênesis 2 (opcional: Salmo 148)

Deixe sua mente refletir:

1. O que a criação pode lhe ensinar sobre o seu Criador?

2. O único Deus verdadeiro nos criou para conhecê-Lo. Nenhuma outra religião vê seu(s) deus(es) dessa maneira. Por que é importante conhecer Deus pessoalmente?

3. Pensar em Deus como seu cônjuge e pai modifica a maneira como você O vê? De que forma?

Deixe sua alma orar:
Senhor, Tu és digno "de receber a glória, a honra e o poder, porque criaste todas as coisas, e por tua vontade elas existem e foram criadas" (Ap 4:11). Obrigado por Tua criação perfeita. Enquanto aprecio Tua glória, manifestada no belo mundo ao meu redor, faz-me recordar que ela se manifesta com ainda mais beleza em Teu amor por mim. Por favor, faz crescer meu relacionamento Contigo... Em nome de Jesus eu oro. Amém.

Deixe seu coração obedecer:
(O que Deus está levando você a compreender, valorizar ou fazer?)

O pecado destrói tudo

Pois todos pecaram e estão destituídos da glória de Deus.
Romanos 3:23

Quando o vento soprou, um som familiar no Jardim do Éden causou uma sensação desconhecida. O coração de Adão e Eva batia forte, com um estranho aperto de medo. Deus estava lá para passar tempo com os preciosos portadores de Sua imagem. Mas em vez de andarem com Deus, eles se esconderam dEle nas árvores. Esse foi o dia em que o pecado destruiu tudo.

Essa história se desenrola em apenas três capítulos de Gênesis. Deus olhou para toda a criação, visível e invisível, e achou tudo "muito bom" (Gn 1:31). Pessoas e anjos tinham um relacionamento perfeito com Deus. Ele atendia abundantemente a todas as necessidades e anseios de Suas criaturas, mas elas também tinham uma decisão a tomar: amar e confiar em Deus ou se rebelar. E escolheram a rebelião.

Mas esses não foram os primeiros rebeldes. Havia um "ungido... querubim guardião", que era "inculpável", *até que* se achou maldade nele (Ez 28:14-15). Satanás, conhecido até então como Lúcifer, era lindo e luminoso, e ele sabia disso. Mas seu coração estava repleto de tanto orgulho que ele quis ser igual a Deus (Is 14:12-14), e convenceu um terço dos anjos a se juntarem a ele em sua rebelião (Ap 12:4-9).

Em resposta a esse mal, Deus – que é amoroso *e justo* – puniu Satanás, enviando-o para longe do céu em desgraça (Ez 28:14-18). Satanás odiava Deus, por isso pretendia destruir o que Deus mais amava: os preciosos **portadores de Sua imagem**. Isto é, você e eu.

O que começou como uma rebelião no mundo invisível induziu ao engano o nosso mundo visível. Satanás entrou no jardim como uma serpente, tentando Adão e Eva a se rebelarem contra Deus. Ele os enganou questionando as palavras que Deus lhes dissera. Satanás perguntou: "Foi isto mesmo que Deus disse...?" (Gn 3:1). Em seguida, sugeriu que a ordem de Deus de não comer do fruto da árvore no meio do jardim tinha privado Adão e Eva de algo bom: "Certamente não morrerão...

> **Portadores de Sua imagem:**
> Ao contrário dos anjos ou animais, as pessoas – homens e mulheres – foram feitas à imagem de Deus (Gn 1:27). Pensamos, inventamos, planejamos, sentimos, criamos, distinguimos o certo do errado, temos memórias e ideias e damos à luz novas vidas. E ainda mais importante, podemos adorar, conhecer e amar a Deus.

Vocês serão como Deus" (Gn 3:4-5). Em vez de acreditarem no amor, na bondade e na abundante provisão de Deus para eles, Adão e Eva começaram a questionar os mandamentos e as promessas do Senhor.

Satanás criou a dúvida, e essa dúvida levou à desobediência. Ele nos engana até hoje, assim como fez com Adão e Eva. E faz isso para nos levar a questionar a Palavra de Deus e Sua bondade. Ele gera descontentamento em nosso coração e nos tenta a desobedecer a Deus, como fez ao plantar sementes de dúvida no coração de Adão e Eva. Como resultado, *os dois* desobedeceram a Deus e o pecado entrou em nosso mundo (Gn 3:6).

O pecado arruinou tudo. Por causa do pecado, toda a criação geme (Rm 8:22). Junto com o pecado veio a morte, a dor, a vergonha, a doença, a violência, o medo, a depressão e todo tipo de mal. A presença do pecado corrompeu até mesmo o funcionamento de nosso corpo. O parto tornou-se mais doloroso; o trabalho, mais árduo. A terra passou a sofrer com desastres naturais, animais peçonhentos e espinhos que dificultaram o cultivo da terra. O pecado afetou os mínimos detalhes da criação, e afeta os mínimos detalhes de nossa vida. **Os relacionamentos perfeitos que Deus formou – por meio do casamento, da paternidade e do trabalho – todos foram destruídos.** E o pior de tudo: destruiu o relacionamento mais importante: nosso relacionamento com o Pai celestial.

Criamos uma danosa separação de Deus quando fazemos as coisas do nosso jeito e não do jeito dEle. Como você deve se lembrar, essa é a definição de **pecado: afastar-se da vontade de Deus através de atitudes e ações**. O pecado de Adão e Eva os fez sofrer a morte espiritual de imediato e, por fim, enfrentar a morte física.

Depois de comerem o fruto proibido, Adão e Eva perceberam que estavam nus, porque **a vergonha vem logo depois do pecado**. Quando pecamos, nós nos sentimos imundos e expostos, porque traímos nosso Criador e nos rebelamos contra Aquele cuja imagem carregamos. Ficamos confusos sobre nossa identidade. Desorientados e envergonhados, muitas vezes fazemos o mesmo que Adão e Eva: nós nos escondemos de Deus (Jo 3:20).

O primeiro casal costurou folhas de figueira para cobrir sua vergonha (Gn 3:7). Também tentamos encobrir nosso pecado e nossa vergonha, mas não usamos folhas de figueira. Em vez disso, podemos mentir para encobrir nossos erros ou realizamos boas ações para compensar nossas falhas. Nenhum desses esforços dura muito, porque **nossas tentativas de encobrir os pecados que cometemos são tão frágeis quanto roupas feitas de folha de figueira**. Adão e Eva sabiam que as folhas não cobriam seu pecado, mas ainda assim se esconderam de Deus quando O ouviram chamando por eles no jardim.

Antes de descobrirmos como Deus respondeu ao pecado de Adão e Eva, vamos lembrar que não podemos culpá-los pelos *nossos* pecados. *Todos* nós quebramos as regras de Deus. "Não há nenhum justo, nem um sequer" (Rm 3:10). Os Dez Mandamentos (Ex 20:2-17) nos ensinam a amar e servir apenas a Deus, respeitar Seu nome, honrar nossos pais e descansar em Deus. Também nos ensinam a não matar, cometer adultério, roubar, mentir ou desejar o que outras pessoas têm. Jesus tornou essas regras ainda mais difíceis de seguir. Ele ensinou que a raiva duradoura é tão ruim quanto o assassinato e que a lascívia é tão ruim quanto o adultério (Mt 5:21-22, 28). **Deus Se preocupa com nosso coração e com nossas ações**. Isso significa que, mesmo quando fazemos coisas boas pelos motivos errados, estamos pecando. Ele nos ordena: "sejam santos, porque eu sou santo" (Lv 11:44-45). É *impossível*, pensamos. E assim pecamos, sentimos vergonha e nos escondemos dEle, como Adão e Eva fizeram.

Mas Deus não abandonou Adão e Eva, e também não nos abandona. Deus veio procurá-los, assim como vem à nossa procura.

"Onde está você?", Ele perguntou (Gn 3:9). Essa pergunta não era sobre a localização física, mas sobre o lugar deles em relação a Deus.[1] Todos nós precisamos nos fazer essa mesma pergunta. Adão e Eva admitiram sua desobediência, mas usaram desculpas e acusações para racionalizar seu comportamento. Quando pecamos, muitas vezes também inventamos desculpas e culpamos os outros. Mas não há desculpas para o pecado. O engano e a decepção não são justificativa para o pecado. **Nossas feridas não nos dão o direito de ferir os outros.** Adão e Eva poderiam ter retornado a Deus com suas dúvidas, e podemos buscá-Lo com as nossas também. Como os padrões de Deus são perfeitos e Ele olha para o coração, Deus não aceitou a confissão de Adão e Eva, pois só tentaram transferir a culpa um para o outro. O pecado é sempre uma ofensa grave. O estrago estava feito. Na justiça perfeita de Deus, uma pena de morte por esse pecado precisava ser paga. A vida está no sangue (Lv 17:11), e o sangue deles estava agora espiritualmente poluído com o pecado.

Nunca foi plano de Deus que os amados portadores de Sua imagem fossem punidos por seus pecados. Então, Ele imediatamente revelou Seu plano de resgate, um plano que tiraria o peso do pecado das nossas costas e o colocaria sobre Seu filho unigênito, Jesus Cristo. Deus Se afastou de Adão e Eva e disse ao verdadeiro inimigo, Satanás: "Porei inimizade entre você e a mulher, entre a sua descendência e o descendente dela; este lhe ferirá a cabeça, e você lhe ferirá o calcanhar" (Gn 3:15). Satanás teria permissão para golpear o Salvador e causar-Lhe dor. Mas, no final, o Libertador conseguiria *esmagar* o inimigo que busca "roubar, matar e destruir", para que as pessoas "tenham vida e a tenham em abundância" (Jo 10:10, NAA).

Antes de banir Adão e Eva do jardim, Deus matou um animal e trocou as folhas murchas de figueira por resistentes roupas de couro. Isso foi o prenúncio dos muitos sacrifícios que seriam feitos para cobrir o pecado da humanidade até o momento do sacrifício completo e definitivo de Jesus (Lv 1-7).[2]

---

1 JONES, Ian. *The Counsel of Heaven on Earth*: foundations for biblical Christian counseling. Nashville: Broadman & Holman Publishers, 2006. p. 31-32.
2 GRUDEM, Wayne. *Systematic theology*: an introduction to biblical doctrine. Grand Rapids: Zondervan, 2007. p. 626-627.

Sim, Jesus morreria para pagar nossa dívida. Inconcebível, mas é verdade. Deus nos deu uma maneira de *cobrir* − *expiar* − nosso pecado e restaurar nossa vida espiritual. Por meio dos sacrifícios de sangue − primeiro de alguns animais e, finalmente, de Jesus, o Cordeiro de Deus − nosso relacionamento com Ele foi restaurado (Hb 9:26; 10:4). Sangue puro para cobrir sangue impuro. A morte de Jesus em nosso lugar foi um sacrifício final e completo, que nunca mais se repetirá.[1]

Mesmo nesse momento sombrio, quando o pecado entrou no mundo, o terno amor de Deus reluziu ainda mais intensamente. **Ele veio nos procurar. Ele nos cobriu e prometeu nos resgatar.** Ah, como Ele nos ama com paixão!

---

1 GEISLER, Norman L. *Systematic theology*: in one volume. Bloomington: Bethany House Publishers, 2011. p. 801.

Deixe a Bíblia falar:
Leia Gênesis 3 (opcional: Salmo 51)

Deixe sua mente refletir:
1. Se Deus perguntasse: "Onde está você?", qual seria sua resposta?

2. Você está se escondendo de Deus de alguma forma? Se está, explique por quê.

3. Como se sente ao saber que Deus está procurando por você (Ez 34:11-16; Lc 19:10)?

Deixe sua alma orar:
Senhor, *"Tu és o meu abrigo; tu me protegerás das angústias"* (Sl 32:7). *Que eu nunca me esconda de Ti, mas me guarde em Ti, sabendo que me perdoarás e me protegerás... Em nome de Jesus. Amém.*

Deixe seu coração obedecer:
(O que Deus está levando você a compreender, valorizar ou fazer?)

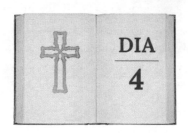

DIA
4

Jesus nos resgata, nos perdoa e nos conduz

Pois também Cristo padeceu, uma única vez, pelos pecados,
o justo pelos injustos, para conduzir vocês a Deus.
1 Pedro 3:18 NAA

Dentre todos os gêneros literários presentes na História de Deus –
narração, poesia, profecia, cartas – o mistério não é um deles. Mas,
por milhares de anos, o povo de Deus parece ter tido a impressão
de que havia muitas coisas desconhecidas. Deus prometeu enviar
um Salvador – a "semente" que esmagaria o inimigo (Gn 3:15). E as
Escrituras apresentavam centenas de profecias, para que as pessoas
pudessem reconhecer o Salvador e crer nEle. Houve guerras e
perambulações no deserto para proteger a semente de Deus. Mas
os detalhes do plano de resgate divino permaneceram ocultos, o
que levantou muitas questões: Quem poderia nos salvar de nossas
fraquezas e deste mundo contaminado pelo pecado? Como poderia
ser satisfeita a ira de Deus contra o pecado? Como iríamos escapar
da punição merecida?

A Bíblia nos adverte que a consequência de nossos pecados –
nossas atitudes ou ações que violam os mandamentos de Deus – é a
separação total dEle. Para sempre. Mas nunca foi a intenção de Deus
que nossa história terminasse assim. **A separação de Deus significa
separação de tudo que é bom, amável, sábio, puro, belo, heroico e
verdadeiro.** Todas as coisas boas, que refletem Deus, desaparecem
de nossa existência.

Durante muito tempo, parecia que as palavras de Deus também haviam desaparecido. O Antigo Testamento falava do Salvador que estava por vir – o Messias, o prometido Libertador divino. Por centenas de anos, os profetas avisaram ao povo de Deus que se preparassem para a vinda do Salvador, **arrependendo-se** (afastando-se de seus pecados e voltando-se para Deus). Mas, ao que tudo indicava, Deus parara de falar. O Velho Testamento chegava ao fim.

Arrependimento: Afastar-se do pecado e voltar-se para Deus.

Veio o silêncio... e a espera.

Até que um dia, no momento perfeito e da maneira perfeita, *veio um Salvador perfeito* (Gl 4:4). Deus rompeu o silêncio, revelou o mistério de Sua vontade (Ef 1:9) e falou diretamente a nós por meio de Seu Filho Jesus (Hb 1:2). Aquele que deu vida à criação com Seu fôlego apareceu *na criação* para falar conosco. Ele era inteiramente humano e perfeitamente Deus. Jesus foi chamado de Emanuel, que significa "Deus está conosco" (Is 7:14; Mt 1:23). A Palavra de Deus veio, não escrita, mas em forma humana (Jo 1:14). O que a Palavra de Deus vinha dizer?

Nada, a princípio, pois nasceu como um bebê – um bebê frágil, cujo nascimento comemoramos no dia que hoje chamamos de Natal. Em vez de escolher uma parteira e preparar com cuidado as provisões para o bebê, a mãe de Jesus, Maria, passou os últimos e exaustivos estágios de sua gravidez viajando por estradas empoeiradas e difíceis. Quando ela e o marido José finalmente chegaram a Belém para serem contados em um censo romano, a pequena cidade estava tão lotada que eles não conseguiram encontrar um lugar para ficar. Então, Maria deu à luz o filho em um estábulo e o colocou numa manjedoura para dormir (Lc 2).

Inimaginável. Mas Jesus, o Rei do universo, nasceu pobre por um motivo.

O grande amor de Jesus pela criação fez com que Ele deixasse de lado os privilégios reais que eram Seus por direito. "Embora sendo Deus... mas esvaziou-se a si mesmo... tornando-se semelhante aos homens" (Fl 2:6-7). **Jesus nasceu pobre para que pudéssemos nos tornar ricos na graça e na misericórdia de Deus (2Cor 8:9).**

Cristo:
O "ungido de Deus". É a tradução grega para a palavra hebraica *Messias*.

No lugar do anúncio de um nascimento real e da presença de visitantes ricos, os anjos anunciaram a chegada do menino Jesus aos pastores – os mais pobres entre os pobres. Até a criação exaltou a glória de Deus, quando uma nova estrela revelou o Rei dos reis aos magos – os mais sábios entre os sábios. O sobrenatural e o natural proclamavam Sua chegada para o mundo inteiro, grandes e pequenos, ricos e pobres. **A Palavra de Deus veio para todos**.

Por que o Salvador veio dessa forma? Jesus Se humilhou e Se tornou um de nós para fazer por nós o que nunca poderíamos fazer sozinhos. **"Aquele que não conheceu pecado, Deus o fez pecado por nós, para que, nele, fôssemos feitos justiça de Deus"** (2Cor 5:21, NAA). Essa é a mensagem do **Evangelho** – boas-novas – em um versículo. Reserve um momento para lê-lo novamente.

Evangelho:
"Boas-novas." Refere-se às boas-novas de que a morte de Jesus providenciou o pagamento integral pela penalidade do pecado e qualquer um que se voltar para o Jesus vivo e confiar somente nEle para sua salvação será perdoado, renovado e terá vida eterna.

Na expressão máxima do amor, Deus enviou Seu único Filho, Jesus, para viver uma vida perfeita e sofrer a punição por nossos pecados. Ele foi falsamente acusado, brutalmente espancado e pregado numa cruz. Na verdade, **nós deveríamos estar naquela cruz**, mas "Ele foi transpassado por causa das nossas transgressões, foi esmagado por causa de nossas iniquidades; o castigo que nos trouxe paz estava sobre ele, e pelas suas feridas fomos curados... e o SENHOR fez cair sobre ele a iniquidade de todos nós" (Is 53:5-6). Jesus sofreu todo o castigo por todos os nossos pecados, "e não somente pelos nossos, mas também pelos de todo o mundo" (1Jo 2:2, ARC). **Ele tomou *nosso* lugar naquela cruz**. Nós relembramos o sacrifício final de Jesus na Sexta-feira Santa todos os anos. Até hoje falamos sobre esse acontecimento – e pessoas ainda são martirizadas por falarem sobre o assunto – mais de dois mil anos depois. Mas, graças a Deus, a história de Jesus não terminou aí.

Três dias depois, tudo mudou. A tragédia se transformou em vitória! A morte foi derrotada e Jesus Cristo ressuscitou dos mortos! Ele apareceu para mais de quinhentas pessoas, instruiu e capacitou Seus seguidores, e ascendeu ao céu. Ele não apenas reconciliou Seus relacionamentos na terra, mas também abriu um caminho para que estejamos para sempre com Ele no céu. Podemos perder nosso corpo físico para a morte e a decomposição, como resultado de viver em um mundo decaído, mas nosso espírito/alma viverá para sempre, porque Jesus venceu a morte e nos dá vida eterna pela fé que temos nEle.

A vitória de Jesus sobre a morte nos dá vitória sobre o pecado. Sua vitória é o que celebramos na Páscoa – Domingo da Ressurreição. Deus também comemora! Nossa **reconciliação** traz a Ele grande alegria, por causa de Seu grande amor por nós. "Nisto consiste o amor: não em que nós tenhamos amado a Deus, mas em que ele nos amou e enviou seu Filho como propiciação pelos nossos pecados" (1Jo 4:10).

Reconciliação: Relacionamento reparado ou restaurado.

Deus nos oferece um presente inestimável em Jesus Cristo. "Pois o salário do pecado é a morte, mas o dom gratuito de Deus é a vida eterna em Cristo Jesus, nosso Senhor" (Rm 6:23). Assim como qualquer presente só pode ser desfrutado se for recebido e aberto, **precisamos *receber* o dom gratuito de um relacionamento restaurado com Deus**. Como? Voltando-nos para Jesus e abandonando nossos pecados. Pedimos perdão a Deus e seguimos Jesus como nosso Líder.

E por incrível que pareça, muitas pessoas recusam esse presente. Alguns não acreditam que seus pecados mereçam punição. Outros se esforçam para se tornarem **justos** por conta própria. Mas a Bíblia é clara: "Não há nenhum justo, nem um sequer" (Rm 3:10). Ninguém é bom o suficiente, "pois todos pecaram e estão destituídos da glória de Deus" (Rm 3:23). Outros rejeitam Jesus porque acreditam que existem muitos caminhos para o céu. Novamente, a Bíblia é clara: "Não há salvação em nenhum

Justo: Virtuoso, reto, inocente, sem defeito, sem culpa.

outro, pois, debaixo do céu não há nenhum outro nome dado aos homens pelo qual devamos ser salvos" (At 4:12). O próprio Jesus disse: "Eu sou o caminho, a verdade e a vida. Ninguém vem ao Pai, a não ser por mim" (Jo 14:6). Até mesmo Jesus perguntou ao Pai se havia alguma outra forma de nos resgatar senão por Sua morte na cruz (Mt 26:39-42). **Mas não havia outra maneira**. Jesus tinha que morrer. Somente por meio de Jesus podemos encontrar perdão e reconciliação com Deus.

Quando pedimos perdão a Jesus, o pecado que nos separa de Deus se extingue. O Espírito de Deus passa a viver em nós, ajudando-nos a viver para Jesus todos os dias. Começamos a mudar! O pecado não nos controla mais. Deus nos adota em Sua família e nós somos Seus. Não há mais separação, nem condenação (Rm 8). Somos amados. Para sempre.

E este é apenas o *começo* de nossa verdadeira história com Deus. Amanhã, descobriremos o que acontece quando somos renovados.

Deixe a Bíblia falar:
Isaías 53 (opcional: João 19-20)

Deixe sua mente refletir:
1. Isaías 53 foi escrito séculos antes de Jesus. Você conhece outra pessoa na história que cumpriu essas profecias?

2. Você já recebeu o presente de perdão e vida eterna de Jesus? Em caso afirmativo, com quem pode compartilhar esse presente hoje? Se não, está preparado para receber o presente dEle agora? **Para saber mais sobre essa importante decisão, leia "Receba Jesus hoje" no final do Dia 7.**

Deixe sua alma orar:
Senhor, a Tua palavra diz que vieste buscar e resgatar todos os perdidos, inclusive eu (Lc 19:10). Obrigado por este presente inestimável e ajuda-me a compartilhá-lo com outras pessoas... Em nome de Jesus eu oro. Amém.

Deixe seu coração obedecer:
(O que Deus está levando você a compreender, valorizar ou fazer?)

Deus torna novas todas as coisas: recriação

Assim que, se alguém está em Cristo, nova criatura é: as coisas velhas já passaram; eis que tudo se fez novo. E tudo isso provém de Deus, que nos reconciliou consigo mesmo por Jesus Cristo e nos deu o ministério da reconciliação.
2 Coríntios 5:17-18, ARC

Se pararmos para pensar, a maioria de nós gostaria de poder voltar no tempo e refazer alguns momentos vividos (para muitas pessoas, essa lista é grande). Pode ser algo que dissemos que envergonhou a nós mesmos ou a outra pessoa. Ou algo que fizemos ou deixamos de fazer e nos arrependemos. Se pudéssemos reviver esses momentos, teríamos o prazer de fazer escolhas diferentes. Gostaríamos de ter um novo começo.

Logo nos primeiros capítulos da Bíblia, vemos surgir o tema de um "novo começo". A história épica de Deus começa com a criação. Mas quando o pecado destrói tudo, Deus concede infinita misericórdia e graça, oferecendo a recriação – Sua criação restaurada. Sim, *na recriação*, Deus conserta tudo que foi arruinado pelo pecado, começando com os portadores de Sua imagem – você e eu. Ele nos transforma e restaura a vítima mais significativa do pecado – nosso relacionamento com Ele.

Chega de se esconder de Deus como fizeram Adão e Eva. **Agora corremos para Deus.**

Chega de viver nas trevas, aprisionado pelo pecado.
Agora vivemos na luz, livres da escravidão do pecado.

Chega de refletir a maldade do mundo.
Agora refletimos a bondade de Deus para o mundo.

Essa mudança só é possível por meio de Jesus. Deus nos restaura como portadores de Sua imagem, tornando-nos semelhantes a Seu Filho, que é "a imagem do Deus invisível" (Cl 1:15), "o resplendor da glória de Deus e a expressão exata do seu ser" (Hb 1:3). Graças a esse processo de recriação, "teremos também a imagem do homem celestial" (1Cor 15:49).

A recriação espelha a criação. Assim como a criação veio através do Jesus como Deus criador, a recriação vem por meio de Jesus (Jo 1:3; Cl 1:16). "Somos criação de Deus realizada em Cristo Jesus" (Ef 2:10). Na criação, Deus trouxe à existência primeiro a luz. E começará a recriação da mesma maneira, com luz – luz espiritual. "Pois Deus, que disse: 'Das trevas resplandeça a luz' ele mesmo brilhou em nossos corações, para iluminação do conhecimento da glória de Deus na face de Cristo" (2Cor 4:6). Nós, então, refletimos Sua luz em um mundo escuro.

Deus é consistente. Ele disse a Adão e Eva: "Sejam férteis e multipliquem-se!" (Gn 1:28) e, na recriação, nós também damos frutos e nos multiplicamos – espiritualmente. Crescemos no fruto espiritual de "amor, alegria, paz, paciência, amabilidade, bondade, fidelidade, mansidão e domínio próprio" (Gl 5:22-23). Nosso fruto atrai outras pessoas a Jesus, e nos multiplicamos espiritualmente quando obedecemos ao mandamento de Cristo de ir "fazer discípulos" (Mt 28:19).

No entanto, a recriação difere da criação em alguns aspectos. **Não tivemos que cooperar em nossa criação, mas devemos cooperar em nossa recriação.** Escolhemos confiar em Deus e crer no que Ele diz em Sua Palavra. Mas as pessoas têm uma longa história de resistência a Deus. A ideia de abandonar as coisas deste mundo e confiar nEle inspira medo e ansiedade. Pode ser por isso que Deus nos incentiva repetidas vezes na Bíblia a não termos medo. Quando as coisas na vida não saem como o esperado e as pessoas ferem nosso coração, podemos nos afastar dEle. Podemos resistir a Deus por medo de sermos feridos novamente. No entanto, é o Seu amor que nos cura, nos transforma e nos dá coragem para confiarmos nEle. A escolha de cooperar com Deus leva à nossa recriação e a uma vida muito melhor do que podemos imaginar (Jo 10:10).

Você pode achar esses conceitos difíceis ou questionar como a vida poderia superar a sua imaginação. É isso que esta jornada de fé o ajudará a entender. Aprenderemos mais sobre como sermos feitos novas criaturas na próxima semana. Por ora, saiba que cooperar na recriação significa confiar em Jesus como nosso Salvador e segui-Lo como nosso Senhor – o Líder de nossa vida. Perguntamos a Cristo o que Ele quer fazer em nós e por nosso intermédio, porque vivemos para Cristo, não para nós mesmos (2Cor 5:15).

Confiar em Jesus é a chave para a recriação. Para confiar, precisamos acreditar que Ele sabe o que é melhor. Mas não tomamos essa decisão de uma vez, nem é fácil. **Seguir Jesus é uma escolha diária, que às vezes ocorre de minuto a minuto**. Recebemos Jesus como nosso Salvador em um momento específico, mas precisamos escolher segui-Lo como Senhor daquele ponto em diante – *todos os dias*. Jesus nos diz: "Se alguém quiser acompanhar-me, negue-se a si mesmo, tome diariamente a sua cruz e siga-me" (Lc 9:23).

Mas, como você deve saber, seguir Jesus *diariamente* é difícil. Por quê?

Quando Jesus nos resgata, Deus nos dá um novo começo, com um novo coração. "Darei a vocês um coração novo e porei um espírito novo em vocês; tirarei de vocês o coração de pedra e lhes darei um coração de carne" (Ez 36:26). Mas os novos corações estão dentro de velhos corpos e se opõem às velhas naturezas pecaminosas. O apóstolo Paulo descreve esse conflito interno: "Quando quero fazer o bem, o mal está junto a mim. Pois, no íntimo do meu ser tenho prazer na lei de Deus; mas vejo outra lei atuando nos membros do meu corpo, guerreando contra a lei da minha mente, tornando-me prisioneiro da lei do pecado que atua em meus membros" (Rm 7:21-23). É por causa desse conflito que nos sentimos tão divididos entre seguir nossa natureza pecaminosa e seguir Jesus.

Felizmente, existe uma maneira de superar nossa natureza pecaminosa e seguir Cristo: o amor. Sim, sua verdadeira história começa com o amor de Deus por você (Jo 3:16). Mas sua vida, seu propósito, sua história são transformados pelo *amor* de Jesus por você e pelo *seu amor* por Ele. Quando você experimenta a profundidade e a magnitude do amor de Deus (Ef 3:17-19), isso o transforma e motiva a segui-Lo. "*Pois o amor de Cristo nos constrange,* porque estamos convencidos de que um morreu por todos... [para que] aqueles que vivem já não vivam mais para si mesmos, mas para aquele que por eles morreu e ressuscitou" (2Cor 5:14-15, grifo nosso). Porque Jesus nos amou primeiro, nós O amamos (1Jo 4:19) e queremos demonstrar isso obedecendo a Ele (Jo 14:21). Mas o amor de Deus não se baseia no que fazemos – é o que Ele é. E tornar-se semelhante a Cristo é a essência da recriação. Jesus conhecia o poder do Seu amor. É por isso que Ele nos ordenou: "Amem... Como eu os amei" (Jo 13:34). Mas como podemos amar como Deus?

Esse amor sobrenatural vem de uma fonte sobrenatural: o Espírito Santo (Semana 7). No momento da salvação, somos recriados – nascidos de novo – pelo poder do Espírito (Jo 3:5-8). O Espírito Santo vem viver em nós e por nosso intermédio. O amor é fruto *dEle*. O amor é o maior presente que Ele nos dá (1Cor 13), e não só *vem de* Deus; o amor *é* Deus (1Jo 4:7-8). Quando nos rendemos à liderança de Jesus, o amor flui em nós e nos guia para a verdade.

Para crescer no amor por Deus, devemos conhecê-Lo em Sua Palavra (Semana 5). E esse amor nos leva a amar tudo sobre Ele – incluindo Sua vontade e Seus caminhos. Ao obedecermos ao Senhor, aprendemos que podemos confiar nEle, sabendo que Seus mandamentos são para o nosso bem e a glória dEle. Mas lembre-se, **recriação *não* é sobre seguir regras; é sobre restaurar nosso relacionamento com Deus.** Por meio desse relacionamento íntimo, tornamo-nos semelhantes Àquele cuja imagem carregamos. Simplificando, para refletir Deus com clareza, fazemos o que Ele faz: amamos (Jo 15:12); perdoamos (Cl 3:13); somos compassivos (Lc 6:36); somos santos (Lv 20:26).

Você está apenas começando o processo de recriação? Não se sinta desencorajado. **Deus oferece novos começos e prazer em**

cada pequeno passo de obediência. "Porque quem despreza o dia das coisas pequenas?" (Zc 4:10, ARC). Leia o que o apóstolo Paulo escreveu sobre sua própria experiência de recriação:

> Não que eu já tenha... sido aperfeiçoado, mas prossigo para alcançá-lo, pois para isso também fui alcançado por Cristo Jesus. Irmãos, não penso que eu mesmo já o tenha alcançado, mas uma coisa faço: esquecendo-me das coisas que ficaram para trás e avançando para as que estão adiante, prossigo para o alvo, a fim de ganhar o prêmio do chamado celestial de Deus em Cristo Jesus. (Fl 3:12-14).

Você pode estar na linha de partida, mas continue correndo sua corrida. Amanhã, conheceremos o prêmio celestial que Deus nos promete.

Deixe a Bíblia falar:

Romanos 12 (opcional: 1 João 4:7-21)

Deixe sua mente refletir:

1. Por que nossos velhos hábitos pecaminosos não desaparecem logo que somos renovados?

2. Como você pode refletir Jesus para os outros? Que pequenos passos de obediência você já deu?

3. Ao cooperar com sua recriação, por que seu *relacionamento* com Deus é uma motivação mais eficaz do que *seguir regras*?

Deixe sua alma orar:

Pai, refaz-me em Cristo. No Teu tempo perfeito, conserta tudo que o pecado destruiu em mim. Tua palavra diz que Tu começaste uma boa obra em mim e a completarás quando eu Te encontrar no céu (Fl 1:6). Obrigado pela promessa de me restaurar totalmente como portador de Tua imagem. Ajuda-me a confiar em Ti e obedecer-Te, pois me tornas semelhante a Jesus, o perfeito Portador de Tua Imagem... Em nome de Jesus eu oro. Amém.

Deixe seu coração obedecer:

(O que Deus está levando você a compreender, valorizar ou fazer?)

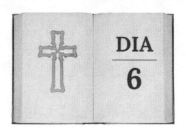

DIA 6

Vida após a morte

Eu vi um novo céu e uma nova terra, pois o primeiro céu e
a primeira terra tinham passado... Ouvi uma forte voz que
vinha do trono e dizia: "Agora o tabernáculo de Deus está
com os homens, com os quais ele viverá. Eles serão os seus
povos; o próprio Deus estará com eles e será o seu Deus.
Ele enxugará dos seus olhos toda lágrima. Não haverá mais
morte, nem tristeza, nem choro, nem dor, pois a antiga
ordem já passou". Aquele que estava assentado no trono
disse: "Estou fazendo novas todas as coisas!... Está feito!"
Apocalipse 21:1, 3-6

Jesus disse uma coisa, e quero te convidar a fazer uma reflexão.
Ele disse: "Eu sou a ressurreição e a vida. Aquele que crê em mim,
ainda que morra, viverá; e quem vive e crê em mim, não morrerá
eternamente" (Jo 11:25-26). O que isso significa para você?

Anime-se, amigo e amiga: o túmulo não é o fim. Jesus falou sobre
o céu como um lugar físico, um reino *concreto*. Um dia, todos nós
que confiamos em Jesus como Senhor e Salvador estaremos juntos.
Mas o que acontece enquanto isso?

Mesmo que o céu esteja em nosso futuro, Deus nos diz para **elevarmos
nossos pensamentos ao céu** *agora* (Cl 3:1-2). Aqui está o porquê:

- Quando sentirmos um profundo anseio em nosso íntimo,
  lembraremos que fomos criados para algo mais. Não somos
  deste mundo, por isso nunca estaremos verdadeiramente
  satisfeitos aqui (Jo 17:16).

- Quando a enfermidade e a morte abalarem nosso coração, vamos recordar que não fomos feitos para morrer. Viver para a eternidade está estabelecido em nosso coração (Ecl 3:11), e a morte é um assunto precioso para Deus (Sl 116:15).
- Quando o mal e a injustiça nos enfurecerem, saberemos que Jesus está no trono. Ele não está preocupado com o futuro. Ele está no controle e a justiça prevalecerá. Cristo está preparando um lugar para aqueles que confiam nEle e promete voltar para nos buscar (Jo 14:1-2).

Sim, Jesus está literalmente preparando um lugar para você – um lugar chamado céu. Às vezes, o céu é mal retratado como um mundo fantasioso cheio de nuvens fofas, anjos tocadores de harpa e serviços religiosos entediantes. Nada poderia estar mais longe da verdade.

Para entender o céu, precisamos buscar novamente a Palavra de Deus. Só no Novo Testamento, o céu é mencionado mais de duzentas vezes. Esse país celestial é descrito como um lugar amplo, com belos jardins e um rio que dá vida; uma cidade enorme com portões de pedras preciosas e ruas de ouro (Hb 11:16; Ap 21). Haverá casas, festas, amizades e risos. Jesus fala do céu como um lugar físico, onde teremos um corpo físico perfeito e a capacidade de reconhecer uns aos outros (Lc 24:39-40). Não vamos nos transformar em anjos (como às vezes dizem), mas viveremos com eles. Nunca ficaremos entediados, pois teremos muita alegria e muitos prazeres eternos (Sl 16:11). Nosso pecado e nosso corpo mortal não mais atrapalharão nosso relacionamento com Deus. Sua presença será a nossa luz: "Não haverá mais noite. Eles não precisarão de luz de candeia nem da luz do sol, pois o Senhor Deus os iluminará" (Ap 22:5).

Para experimentar um pouco de como será o céu, olhe ao redor e imagine nosso mundo sem pecado.[1] A terra é uma sombra do céu (Hb 8:5). Deus nos criou para vivermos na terra e quer morar conosco aqui. Sim, o pecado tornou o mundo temporariamente imperfeito, mas Deus nunca abandonará o plano que fez para o mundo, ou para nós. Um dia, Seu reino virá à terra e será restaurado à sua condição

---

1 ALCORN, Randy C. *Heaven study guide*. Nashville: LifeWay Press, 2006. p. 36-37.

original sem pecado. Então, Deus habitará fisicamente conosco para sempre.[1] Seu plano original será cumprido e Ele dirá: "Pois vejam! Criarei novos céus e nova terra, e as coisas passadas não serão lembradas. Jamais virão à mente!" (Is 65:17).

E não haverá mais morte, nem tristeza, nem choro, nem dor (Ap 21:4), mas também não haverá mais oportunidades de falar aos outros sobre Jesus.

Somente Jesus pode tirar nosso pecado e nos conduzir com segurança para o lar celestial. Deus é perfeito e justo. Ele não pode permitir que o pecado resida no lugar em que Ele habita. É por isso que precisamos compartilhar as boas-novas do resgate de Jesus agora, enquanto há tempo. Todos que conhecemos morrerão e enfrentarão o julgamento (Hb 9:27), mas podemos partilhar Jesus com eles antes que isso aconteça.[2]

A maioria das pessoas desconhece o dia do julgamento – o dia mais importante do nosso futuro. Todo mundo passará por uma revisão de sua vida, mas nem todos passarão pelo mesmo tipo de julgamento.

A Bíblia fala de dois julgamentos – um para os crentes e outro para os incrédulos. O julgamento dos crentes é chamado de tribunal de Cristo (Rm 14:10-12; 2Cor 5:10). Nesse tribunal, a salvação *não* é questionada; os crentes já pertencem a Jesus por causa de sua fé no que Ele realizou em seu favor (Ef 2:8-10). É o momento em que boas obras serão reveladas. Os crentes receberão recompensas ("coroas") por coisas que fizeram na terra que revelam sua perseverança fiel em seguir Jesus (1Cor 3:11-15; 2Tm 4:8; Tg 1:12; 1Pd 5:4).

Nesse julgamento, Deus examinará a vida dos crentes e nos recompensará pelo serviço realizado...

... com amor (1Cor 13; Fl 1:9-11),

... em Sua força (Zc 4:6; Jo 15:5), e

... somente para Sua glória (1Cor 3:11-15; 4:4-5).[3]

A maioria dos crentes não sabe que esse dia de julgamento determinará nossas posses e nossa posição pela eternidade.[4] As

---

1 Is 65:17-25; Mt 19:28; Ap 21.
2 Aprenda a compartilhar Jesus com outras pessoas nas Semanas 3 e 7.
3 KROLL, Woodrow Michael. *Facing your final job review*: the judgment seat of Christ, salvation, and eternal rewards. Wheaton: Crossway Books, 2008. p. 136-137.
4 Mt 6:19-21; Lc 19:12-27; 1Cor 3:11-15; Ap 2:26; 22:12.

recompensas e as atribuições de trabalho celestial que recebermos nesse momento serão baseadas na benevolência e fidelidade que temos por Deus *hoje*. Surpreendente, não é mesmo? O que fazemos agora nos afeta para sempre. Mais uma vez, entenda que esse julgamento *não* é para conquistar a salvação. Não podemos acrescentar nada à obra de Jesus consumada na cruz.[1] Também não é o momento em que o pecado será condenado (Rm 8:1). Nossos pecados já foram mandados para longe, e estão distantes como "o leste é do oeste" (Sl 103:12). O tribunal de Cristo não pune o pecado, mas recompensa o serviço fiel e o sofrimento suportado. Mas a maior recompensa será "a estrela da manhã", o próprio Jesus Cristo (Ap 2:28). Viveremos na presença de nosso Deus *para sempre*.

Desfrutar da companhia de Deus e ver Jesus face a face vai mudar tudo. Por causa do nosso encontro com Ele, "seremos semelhantes a ele, pois o veremos como ele é" (1Jo 3:2). Deus completará nossa recriação e vai nos restaurar por completo à Sua imagem. "Ele transformará os nossos corpos humilhados, para serem semelhantes ao seu corpo glorioso" (Fl 3:21). "Quando, porém, o que é corruptível se revestir de incorruptibilidade, e o que é mortal, de imortalidade, então se cumprirá a palavra que está escrita: 'A morte foi destruída pela vitória'" (1Cor 15:54).

A dolorosa realidade é que nem todos confiarão em Jesus. Nem todos irão para o céu e viverão em uma nova terra. É muito difícil aceitar, mas é fato: aqueles que não confiam somente em Jesus para a salvação morrerão em seus pecados. Se não abandonamos o nosso pecado – recusando-nos a reconhecê-lo ou acreditando na mentira de que podemos expiá-lo nós mesmos –, nós nos prendemos às suas consequências e permanecemos separados de Deus para sempre. **Ou deixamos Jesus receber nosso castigo ou continuamos condenados (Jo 3:17-18).**

Você pode estar se perguntando: "Como é possível fazer essa escolha?"

A possibilidade de amor genuíno e voluntário traz em si, também, a opção de rebelar-se. **Deus nos criou com a capacidade de escolher entre amá-Lo ou rejeitá-Lo.** Todo aquele que rejeita Jesus recusa a

---

1 2Cor 5:21; Hb 10:12; 1Pd 2:24; 1Jo 2:1-2.

única oferta feita por Deus para eliminar o pecado e restaurar nosso relacionamento com Ele. Como já dissemos, as pessoas que negam a Deus acabarão por se separar de tudo que é bom, amável, sábio, puro, belo, heroico e verdadeiro.

Já os descrentes enfrentarão o julgamento chamado juízo do grande trono branco. Esse julgamento não é como o dos crentes, onde as ações pecaminosas são expiadas por Jesus e apenas as boas ações são recompensadas. O juízo do grande trono branco julgará cada ação realizada por todos aqueles que optaram por se manter em pecado:

> Vi um grande trono branco e aquele que está sentado nele. A terra e o céu fugiram da presença dele, e não se achou lugar para eles. Vi também os mortos, os grandes e os pequenos, que estavam em pé diante do trono. Então foram abertos livros. Ainda outro livro, o Livro da Vida, foi aberto. E os mortos foram julgados, segundo as suas obras, conforme o que estava escrito nos livros. O mar entregou os mortos que nele estavam. A morte e o inferno entregaram os mortos que neles havia. E foram julgados, um por um, segundo as suas obras. Então a morte e o inferno foram lançados no lago de fogo. Esta é a segunda morte, o lago de fogo. E, se alguém não foi achado inscrito no Livro da Vida, esse foi lançado no lago de fogo. (Ap 20:11-15, NAA).

O inferno não foi feito para as pessoas. É um "fogo eterno, preparado para o diabo e os seus anjos" (Mt 25:41). **O inferno não é o reino de Satanás; é o seu lugar de tormento. Ele não tem autoridade ali**. Aqueles que renunciam a Jesus Cristo estarão para sempre separados de Deus – de todas as coisas boas – naquele lugar terrível. "Eles sofrerão a pena de destruição eterna, a separação da presença do Senhor e da majestade do seu poder" (2Ts 1:9).

Não gostamos de pensar ou falar sobre o inferno, mas a maior parte dos ensinamentos bíblicos a respeito do tema vem de Jesus. Ele falou claramente sobre os perigos do inferno, pois não queria que ninguém fosse levado para lá. O inferno é um lugar terrível de tormento e sofrimento, um lugar de fogo violento e escuridão, "onde 'o seu verme não morre, e o fogo não se apaga'" (Mc 9:48). Jesus suplica que o evitemos: "Se a sua mão o fizer tropeçar, corte-a. É melhor entrar na vida mutilado do que, tendo as duas mãos, ir para o inferno" (Mc 9:43). Ele não está dizendo para literalmente cortarmos nossas mãos; está dizendo para fazermos tudo para confiar nEle como nosso Salvador e Senhor.

Se você abandonou seus pecados e confiou somente em Jesus para a salvação, irá imediatamente à Sua presença quando seu corpo físico morrer (Lc 23:43; 2Cor 5:6-8).[1] Juntos, com todas as nossas irmãs e irmãos em Cristo, vamos declarar: "Aleluia! pois reina o Senhor, o nosso Deus, o Todo-poderoso. Regozijemo-nos! Vamos nos alegrar e dar-lhe glória!" (Ap 19:6-7).

Enquanto isso, vamos nos preparar, amar da forma correta, na força de Deus, e somente para a Sua glória! Vamos compartilhar Jesus com os outros, para que também estejam com Ele no céu.

---

1 Se quiser saber mais sobre como tomar essa decisão importante, vá para "Receba Jesus hoje" no final do Dia 7.

Deixe a Bíblia falar:
Apocalipse 21:1-22:5 (opcional: Lucas 16:19-31)

Deixe sua mente refletir:
1. De que forma o seu conhecimento sobre o céu e o inferno modifica sua maneira de encarar o presente?

2. De que modo saber que Deus recompensará o serviço fiel muda a maneira como você usa seu tempo na terra?

3. Por que todas as nossas obras devem ser feitas com amor, na força de Deus, e somente para a glória de Deus?

Deixe sua alma orar:
Senhor, Tu virás em breve. Tua Palavra diz para manter meu coração e minha mente focados no céu, não nas coisas seculares (Cl 3:2). Por favor, ajuda-me a ver tudo e todos desde uma perspectiva eterna. Ajuda-me a fazer o melhor uso de minha vida na terra. Ajuda-me a servir com Jesus e partilhá-Lo com outras pessoas... Em nome de Jesus eu oro. Amém.

Deixe seu coração obedecer:
(O que Deus está levando você a compreender, valorizar ou fazer?)

A História de Deus
– Foco em Jesus

Olhando firmemente para o Autor e Consumador da fé,
Jesus, o qual, em troca da alegria que lhe estava proposta,
suportou a cruz, sem se importar com a vergonha, e
agora está sentado à direita do trono de Deus.
Hebreus 12:2, NAA

Você descobriu a verdadeira e triunfante História de Deus em nossa jornada esta semana e conheceu as quatro partes em que ela se divide. A História de Deus é a única que explica como tudo começou (criação), como tudo desmoronou (pecado), como tudo foi resgatado (Jesus) e como tudo vai acabar (recriação).[1] Agora, compreendemos melhor o nosso início e onde estaremos no final. Essas quatro partes nos dão uma perspectiva da eternidade, que molda a forma como definimos nossas prioridades e como enfrentamos os problemas da vida.

Mas dentro da história, você conseguiu notar Jesus em todas as páginas? A História de Deus gira em torno de Jesus, "o Autor e Consumador da fé" (Hb 12:2, NAA). Leia a seguinte passagem das Escrituras – lentamente. Veja como a História de Deus se revela em Cristo:

Ele [o Filho] é a imagem do Deus invisível, o primogênito de toda a criação, pois nele foram criadas todas as coisas nos céus e na terra,

---

1 WHELCHEL, Hugh. The four-chapter gospel: the grand metanarrative told by the Bible. *Institute for Faith, Work & Economics*. Tysons, 14 Feb. 2012. Disponível em: https://tifwe. org/the-four-chapter-gospel-the-grand-metanarrative-told-by-the-bible/.

as visíveis e as invisíveis, sejam tronos ou soberanias, poderes ou autoridades; todas as coisas foram criadas por ele e para ele. Ele é antes de todas as coisas, e nele tudo subsiste. Ele é a cabeça do corpo, que é a igreja; É o princípio e o primogênito dentre os mortos, para que em tudo tenha a supremacia. Pois foi do agrado de Deus que nele habitasse toda a plenitude, e por meio dele reconciliasse consigo todas as coisas, tanto as que estão na terra quanto as que estão no céu, estabelecendo a paz pelo seu sangue derramado na cruz. (Cl 1:15-20).

A História de Deus é sobre Jesus. Pense em como cada parte da Bíblia aponta para **Jesus, o Começo e o Fim** (Ap 22:13):

1. A criação passou a existir por meio de **Jesus, nosso Criador e Autor da vida** (Gn 1:26; Jo 1:3; At 3:15).

2. O pecado nos escravizou, mas Deus prometeu enviar **Jesus, nosso Salvador, para nos libertar** (Gn 3:15; 12:3; Gl 1:4).

3. Jesus veio e morreu por nós. A punição por nossos pecados recaiu sobre Ele, **Jesus, nosso Salvador** (Lc 23:33-34; At 4:12).

4. A recriação restaura totalmente nosso relacionamento com Deus por meio de **Jesus, nosso Médico e nosso Rei** (1Pd 2:24; Ap 19:16), e tudo o que há de errado na natureza, criando um novo céu e uma nova terra.

A História de Deus gira em torno de Jesus. E a sua também. A sua história depende de sua resposta ao que Jesus fez por você na cruz.
Não importa o que *você fez*, Deus vai perdoá-lo.[1]
Não importa o que *fizeram a você*, Deus vai curá-lo.[2]

Você é digno de ser resgatado! E quando Jesus o resgata, não é apenas *do* pecado, mas também *para* que você realize uma boa obra, com uma nova identidade (Ef 2:10). **Deus escreveu sua história. Você é a obra-prima dEle e foi criado para um bom propósito específico.** Mas isso é só o começo. Fique conosco. Na próxima semana, exploraremos mais a fundo sua história.

---

1 Sl 103:12; Mc 3:28; Rm 5:20; Ef 3:20; 2Pd 3:9.
2 Sl 72:12-14; 22:24; 23:3; 34:18; Lc 4:18-19; 2Cor 5:17.

Receba Jesus hoje

Agora que conhece a História de Deus, provavelmente já percebeu que tem uma escolha a fazer. É hora de decidir como vai se encaixar na História dEle. Como você vai responder ao convite de Deus? Neste momento, você pode receber perdão, libertação do pecado e adoção na família eterna de Deus por meio de Jesus. Você está disposto a recebê-Lo (Jo 1:12)? "Por amor a Cristo lhes suplicamos: Reconciliem-se com Deus" (2Cor 5:20). Você não precisa lutar contra sentimentos de vazio, culpa, ou com um medo constante da morte e do julgamento. Você pode se reconciliar com Deus agora mesmo.

Você pode ficar tentado a rejeitar essa decisão por causa do medo ou da dúvida. Mas, ao fazer isso, corre o risco de sofrer uma vida acometida pelo pecado aqui na terra e uma eternidade separado de Deus. Em vez disso, busque a Deus de todo o coração e peça que Ele abra seus olhos para a verdade. Ele abrirá. Deus dá provas mais do que necessárias para sabermos que Ele é real. Mas Ele não vai impor Seu amor.
É você quem precisa decidir receber Jesus.

Você pode tentar consertar as coisas sozinho ou preencher o vazio de outra maneira. Mas, independentemente de tudo o que conquistar ou adquirir, nunca será o suficiente. Não importa o que fizer para entorpecer a dor, ela ainda estará lá quando acabar o prazer. Felizmente, Jesus é maior do que qualquer erro ou pecado que você possa ter cometido. Porque "o salário do pecado é a morte" (Rm 6:23), o próprio Jesus recebeu o castigo que era seu. A morte dEle pagou a pena pelo seu pecado e Sua ressurreição da sepultura lhe confere uma nova vida (Rm 6:4).

> **Fé:**
> Crer na Palavra de Deus e agir de acordo com ela, a despeito dos sentimentos, porque confiamos que Deus é bom.
>
> "Ora, a fé é a certeza daquilo que esperamos e a prova das coisas que não vemos". (Hb 11:1).

Mas você não terá chances infinitas (Mt 24:44; Lc 12:20). Se estiver pronto para receber Jesus como Aquele que nos perdoou e como o Líder da sua vida, ore a Ele. Peça perdão por seus pecados. Coloque sua fé e confiança somente em Cristo para a salvação. Agradeça a Ele por resgatá-lo. Peça a Ele para ajudá-lo a modificar sua vida, transformando-a numa vida que segue o caminho de Deus (2Cor 5:15). A Bíblia ensina: "Se você confessar com a sua boca que Jesus é Senhor e crer em seu coração que Deus o ressuscitou dentre os mortos, será salvo" (Rm 10:9). A crença envolve ação.

Se você recebeu Jesus agora, seja bem-vindo à família! Você tomou a maior decisão da sua vida e agora está pronto para seguir em frente nesta jornada de fé.

DIA 7

Deixe a Bíblia falar:

Efésios 1 (opcional: Apocalipse 19:11-16)

Deixe sua mente refletir:

Responda às perguntas para discussão da Semana 1.

Deixe sua alma orar:

Senhor, obrigado por revelares a Tua História na Bíblia. Tu cumprirás todos os Teus propósitos e serás glorificado em toda a criação. Pai, mostra-me o meu lugar na Tua história. Ajuda-me a cumprir Teus propósitos para minha vida e a glorificar Teu nome... Em nome de Jesus, amém.

Deixe seu coração obedecer:

(O que Deus está levando você a compreender, valorizar ou fazer?)

SEMANA 1 – PERGUNTAS PARA DISCUSSÃO:
**Revise as lições desta semana e responda às
perguntas abaixo. Compartilhe suas respostas com
seus amigos durante a reunião semanal.**

1. Como cada parte da História de Deus (criação, pecado, Jesus, recriação) demonstra Seu amor por nós e Seu desejo de manter um relacionamento íntimo conosco? Como o amor de Deus por você transforma seus sentimentos por Ele?

2. Aprender sobre a História de Deus lhe mostrou qual deve ser seu próximo passo com Deus?

    - Você precisa colocar sua fé em Jesus como o seu Salvador?
    - Você precisa obedecer a Jesus como o Líder de sua vida?
    - Você precisa se lembrar da eternidade enquanto vive sua vida?

3. A realidade da vida após a morte afeta sua disposição de compartilhar as boas-novas sobre Jesus? Quem na sua vida está longe de Deus? Ore pedindo oportunidades de apresentá-los a Jesus.

4. Você encontrou dois ou três amigos para caminhar com você nesta jornada? Se não, a quem você pode convidar para fazer estas lições diárias com você? Se encontrou, como você e seus amigos encorajaram uns aos outros durante a semana?

5. Conhecer a História de Deus do começo ao fim nos ajudará a entender nosso papel em Sua história – esse vai ser nosso enfoque na próxima semana. O que você espera aprender sobre a sua história?

SUA HISTÓRIA,
SUA IDENTIDADE

Você foi escolhido

Porque Deus nos escolheu nele antes da criação do mundo,
para sermos santos e irrepreensíveis em sua presença. Em amor
nos predestinou para sermos adotados como filhos por meio
de Jesus Cristo, conforme o bom propósito da sua vontade.
Efésios 1:4-5

Na semana passada, conhecemos a História de Deus. Agora é hora
de aprender – ou reaprender – a sua própria história. Desde o dia
em que nasceu, a cultura do mundo tem tentado lhe dizer quem
você é. Proferida ou não, a mensagem que nos é transmitida é que
nosso valor está na condição familiar, nas posses, na aparência ou
nas realizações. O inimigo da nossa alma distorce nossa história
para criar inseguranças, dúvidas, isolamento e desespero. Quando
os outros nos decepcionam ou não atendemos às suas expectativas
(verdade seja dita – ambos são inevitáveis, porque ninguém é perfeito
além de Jesus), o inimigo nos diz que não temos valor. Sentimos que
não somos amados, desejados. Achamos que estamos desamparados
e sozinhos. Nossa história parece uma tragédia de fracassos.

Para descobrir sua verdadeira história, você precisa olhar para
o seu Criador, para conhecer Aquele que o criou. Só Ele pode lhe
mostrar por que você foi criado e como a sua história é repleta de
esperança, amor, propósito e vida eterna.

Deus é o Autor da vida e o Autor da sua história. Ele não lhe
dá uma tarefa e o manda embora. Ele lhe dá um relacionamento e
caminha *com você* a cada passo da jornada. Tudo o que você é e tudo
o que faz flui do seu relacionamento com Ele. Sua história acontece

durante sua caminhada *com* o Senhor. "Pois eu sou o Senhor, o seu Deus, que o segura pela mão direita e lhe diz: Não tema; eu o ajudarei" (Is 41:13).

Deus planejou você para o deleite dEle (Ap 4:11). Ele sempre o amou. Você existe para o deleite dEle. Não há nada que você possa fazer para ganhar o amor de Deus e nada que possa fazer para perder esse amor.[1] Leia a última frase novamente. Lembre-se dessa verdade todas as manhãs, antes de começar o dia. A escolha que você tem a fazer é se deseja receber o amor de Jesus.

Deus escolheu você antes mesmo de criá-lo (Ef 1:4). Quando o criou, Ele escolheu cuidadosamente cada detalhe: "Pois tu formaste o meu interior, tu me teceste no ventre de minha mãe... Os teus olhos viram a minha substância ainda informe, e no teu livro foram escritos todos os meus dias, cada um deles escrito e determinado, quando nem um deles ainda existia" (Sl 139:13, 16, NAA). Deus o criou e planejou seus dias com esmero.

Você é tão importante para Deus que Ele deseja viver com você pela eternidade.

Leia abaixo a carta de seu Pai celestial. Cada uma das linhas vem de Sua Palavra. Ouça com atenção e você vai começar a descobrir sua história nEle.

Meu precioso filho,

Sei tudo sobre você. Conheço todos os seus caminhos.[2] Até mesmo todos os fios de cabelo da sua cabeça estão contados.[3] **Você é Meu filho**. Eu o criei à Minha própria imagem[4] – você foi feito de maneira tão incrível e maravilhosa![5] Eu o conheci antes de você ser concebido[6] e o escolhi antes de criar o mundo.[7] Você não é um erro. Todos os seus dias já estão escritos no Meu livro, planejados com cuidado.[8] Eu mesmo escolhi o seu aniversário e decidi exatamente onde você iria morar.[9]

Pessoas que não Me conhecem têm Me representado mal. Não estou distante e com raiva, mas sou compassivo e demoro a ficar com raiva.[10]

---

1 Jo 15:9-11; Rm 5:6-8; 8:38; Ef 1:4-5; 1Jo 3:16a; 4:8-10.
2 Sl 139:3.
3 Lc 12:7.
4 Gn 1:26.
5 Sl 139:14.
6 Jr 1:5.
7 Ef 1:4.
8 Sl 139:16.
9 At 17:26.
10 Ex 34:6.

Eu sou a expressão completa do amor[11] e esbanjo este amor em você simplesmente porque você é Meu filho,[12] e Eu sou seu Pai – seu perfeito Pai.[13] Eu lhe ofereço mais do que seu pai terreno jamais poderia oferecer.[14] Sou seu Provedor.[15] Também sou o Pai compassivo, que o conforta em todos os seus problemas.[16] **Quando está com o coração devastado, Eu me achego ainda mais perto de você.**[17] Um dia, enxugarei todas as suas lágrimas e tirarei toda a sua dor.[18]

Meu plano para o seu futuro transborda de esperança[19] porque o amo com um amor abundante e eterno.[20] Você não pode escapar do Meu amor.[21] Meus pensamentos amorosos para você são tão incontáveis quanto os grãos de areia na praia.[22] Penso em você o tempo todo e me regozijo em você com cânticos.[23] **Você é Meu tesouro mais precioso;**[24] **faça-Me seu**. Procure-Me como um tesouro.[25] Se você Me buscar de todo o coração, vai Me encontrar.[26] Eu prometo. Deleite-se em Mim e lhe darei os desejos do seu coração[27] – afinal, eu lhe dei esses desejos e só Eu posso satisfazê-los por completo. Posso fazer mais por você do que pode imaginar.[28] Confie em Mim.[29]

Sabe que amo você tanto quanto amo Meu Filho Jesus? É verdade. Eu O enviei para provar que estou do seu lado, não contra você.[30] Não estou contando seus pecados.[31] Nem esperando para apontar seus erros. Eu não sou assim. Foi por isso que enviei Jesus para receber sua punição e apagar seus pecados.[32] Eles se foram! E não precisam mais separar você de Mim. A morte de Jesus foi a expressão máxima do Meu amor por você.[33] Se receber o presente do Meu Filho, Jesus, você Me recebe e nada mais o separará do Meu amor.[34]

Volte para casa, e todo o céu celebrará sua chegada![35] Eu sempre fui seu Pai. Sempre serei seu Pai. Minha pergunta é: você será Meu filho?[36]

Com amor,

Seu Pai, Deus Todo-Poderoso

11 1Jo 4:8.
12 Rm 8:15.
13 Mt 5:48.
14 Mt 6:9-15.
15 Fl 4:19.
16 2Cor 1:3-4.
17 Sl 34:18.
18 Ap 21:4.

19 1Pd 1:3.
20 Jr 31:3.
21 Rm 8:38-39.
22 Sl 139:17-18.
23 Sf 3:17.
24 Dt 7:6.
25 Mt 6:33; 13:44.
26 Jr 29:13.

27 Sl 37:4.
28 Ef 3:20.
29 Pr 3:5-6.
30 Rm 8:31-32.
31 2Cor 5:19.
32 2Cor 5:21.
33 1Jo 4:10.
34 Mt 10:40;

Rm 6:23; 8:39.
35 Lc 15:7, 24.
36 Adaptado da Carta de Amor do Pai, de Father Heart Communications, 1999. Editado e usado com permissão.

DIA 8

Deixe a Bíblia falar:
Salmo 139 (opcional: 1 João 3:1-3)

Deixe sua mente refletir:

1. Como o mundo ou o inimigo tentam escrever sua história?

2. O que sentiu ao ler a carta que Deus escreveu para você? Pense em duas ou três coisas que chamaram sua atenção sobre o que Ele sente por você. Quais foram elas?

3. Que ideias foram mais encorajadoras? Se você não conhecia ou sentiu dificuldade em aceitar alguma delas, procure as referências bíblicas.

Deixe sua alma orar:
Pai, obrigado por me escolheres. Obrigado por me criares. Obrigado por me incluíres em Tua História. Ajuda-me a ficar mais perto de Ti enquanto caminhamos juntos nesta história que se desenrola... Em nome de Jesus, amém.

Deixe seu coração obedecer:
(O que Deus está levando você a compreender, valorizar ou fazer?)

Você é um adorador

Tudo quanto tem fôlego louve ao SENHOR.
Salmo 150:6, ARC

O momento que todo o céu e a terra esperavam estava se aproximando – o tempo de uma nova ordem de adoração para todas as pessoas, por toda a eternidade. O Messias prometido por Deus, o Ungido, finalmente estava aqui. A família de Jesus O apressava para que Ele que Se revelasse, mas Sua hora ainda não havia chegado (Jo 2:4). Até que chegasse esse momento extraordinário, em um lugar inesperado, Jesus iria transformar pecadores em verdadeiros adoradores de Deus.

Tudo começou como um dia típico de viagem, mas Jesus sabia que estava Se dirigindo para uma conversa que mudaria a eternidade. Ele mandou Seus discípulos buscarem comida e esperou em um poço. A mulher samaritana se aproximou para tirar água, sem saber que tinha um encontro marcado com Jesus. Ela estava cuidando dos seus afazeres de sempre, sentindo-se insignificante. Sua vida tinha sido envenenada por feridas e sofrimentos. Jesus sabia disso, e foi por isso que Se desviou quilômetros do Seu caminho e esperou por ela.

Ele fez perguntas difíceis quando estavam no poço.[1] Suas palavras penetraram no fundo da alma da mulher e fizeram emergir seu coração. A cada pergunta, ela apontava problemas, mas Jesus apontava para a verdade. Por fim, ela revelou a dúvida que tinha no coração: uma questão de adoração. Onde deveríamos adorar? Em qualquer lugar? Jesus sabia que a adoração nada tinha a ver com um local externo ou sistema religioso, mas sim com uma posição e prioridade internas.

---

1 A história da mulher samaritana encontra-se em Jo 4:1-42.

Jesus lhe disse: Mulher, acredite no que digo: vem a hora em que nem neste monte nem em Jerusalém vocês adorarão o Pai. Vocês adoram o que não conhecem; nós adoramos o que conhecemos, porque a salvação vem dos judeus. Mas vem a hora – e já chegou – em que os verdadeiros adoradores adorarão o Pai em espírito e em verdade. Porque são esses que o Pai procura para Seus adoradores. Deus é Espírito, e é necessário que os Seus adoradores O adorem em espírito e em verdade. (Jo 4:21-24, NAA).

Ela respondeu: "Eu sei que virá o Messias, chamado Cristo. Quando Ele vier, nos anunciará todas as coisas" (Jo 4:25, NAA).

Então, em uma declaração indescritivelmente gloriosa e surpreendente, Jesus respondeu de maneira franca: "Eu sou o Messias, eu que estou falando com você" (Jo 4:26, NAA).

O momento da verdadeira adoração havia chegado! Mas por que Jesus revelaria Sua divindade a *essa mulher* dessa *maneira*?

O Pai estava procurando verdadeiros adoradores para louvá-Lo em espírito e verdade. Tratava-se de relacionamento, não de regras. Por meio de Jesus, Deus começou a quebrar as regras criadas pelos homens.

Ao falar com uma samaritana.
Os judeus odiavam os samaritanos.

Ao falar com uma mulher.
Não se falava com mulheres em público.

Ao falar com uma mulher divorciada que morava com um homem que não era o seu marido.[1]

Jesus quebrou todas as regras culturais ao falar com uma mulher rejeitada e diminuída.

---

[1] As circunstâncias históricas exatas da situação doméstica dessa samaritana são desconhecidas. No entanto, naquela época, os homens podiam se divorciar das mulheres por qualquer motivo trivial. A mulher não tinha o mesmo direito. O fato de ela ter tido mais de um marido leva a autora a acreditar que a mulher experimentou vários divórcios e/ou muitas mortes prematuras como viúva. Se tivesse cometido adultério, não seria considerada uma candidata adequada para um novo casamento, nem mesmo permaneceria viva (Jo 8:4-5). As concubinas não eram reconhecidas como casadas pelos judeus ("O homem com quem agora vive não é seu marido" [Jo 4:18]). Considerando a cultura do primeiro século, a ideia de que ela era uma prostituta não é conclusiva. Independentemente de como seus casamentos terminaram, essa mulher passou por muitas dificuldades e sofrimentos.

Mas os caminhos de Deus não são os caminhos do mundo (Is 55:8-9). Com compaixão e respeito, Jesus ensinou à mulher – e a nós – que nenhuma pessoa é invisível ou ignorada. Não importa nosso status, posição, gênero, etnia ou localização, todos fomos feitos para sermos adoradores. **No entanto, como adoramos e o que adoramos é o que melhor nos define.** É por isso que Jesus veio para revelar o Pai (Mt 11:27) – para nos transformar em verdadeiros adoradores. Somente "o sangue de Cristo purificará a nossa consciência de atos que levam à morte, de modo que sirvamos ao Deus vivo!" (Hb 9:14).

Nas próximas semanas, aprenderemos como é a adoração na prática e o que significa adorar em espírito e verdade. Por enquanto, vamos compreender nossa identidade como verdadeiros adoradores.

A adoração vem do coração. Todos nós adoramos, o tempo todo. Adoramos tudo o que governa nosso coração. Mesmo se dissermos que adoramos a Deus, pode ser que nosso coração seja mais leal a um falso deus ou a um ídolo, que muitas vezes somos nós mesmos. O primeiro pecado veio do nosso desejo de "ser como Deus" (Gn 3:5). Quando queremos o controle para viver a vida da nossa maneira, e não da maneira de Deus, adoramos a nós mesmos. Quando nos afligimos com o que os outros pensam de nós, adoramos nossa reputação. Quando nos preocupamos, adoramos o medo. Até Satanás adora, e, quando ele se rebelou contra Deus, passou a adorar a si mesmo.

> **Adoração:**
> Dar valor a alguma coisa. Jesus disse que "é necessário que os seus adoradores o adorem em espírito e em verdade" (Jo 4:24, NAA). Isso significa que a adoração ocorre no íntimo da pessoa – oferecida com um coração humilde e puro.

Examine-se para descobrir quem ou o que você adora:

- *O que eu mais valorizo?*
- *O que mais influencia minhas decisões?*
- *Em quem eu confio para obter ajuda durante uma crise?*
- *Por quem ou pelo que faço sacrifícios?*

Coisas boas muitas vezes se tornam falsos deuses. Essas coisas podem incluir família, trabalho, beleza, saúde ou trabalho voluntário. Se você deseja essas coisas boas mais do que deseja a Deus, ficará aflito. Nada mais satisfaz nosso propósito do que agradar e adorar a Deus. Quando deixamos qualquer coisa governar nosso coração no lugar do Senhor, temos dificuldade em conseguir desfrutar de Deus e até achamos custoso aproveitar as coisas boas que Ele nos dá. Mas quando Jesus é o centro da sua vida – quando **Cristo se torna sua vida** (Cl 3:4) – tudo flui por meio de seu relacionamento íntimo com Ele. Você pode desfrutar dEle e das coisas boas que Ele lhe dá. Por isso, não é surpresa os Dez Mandamentos começarem com foco na adoração:

> Eu sou o Senhor o teu Deus, que te tirou do Egito, da terra da escravidão. Não terás outros deuses além de mim. Não farás para ti nenhum ídolo, nenhuma imagem de qualquer coisa no céu, na terra ou nas águas debaixo da terra. Não te prostrarás diante deles nem lhes prestarás culto, porque eu, o Senhor teu Deus, sou um Deus zeloso que castigo os filhos pelos pecados dos pais até a terceira e quarta geração daqueles que me desprezam, mas trato com bondade até mil gerações aos que me amam e guardam os meus mandamentos. (Ex 20:2-6).

Deus não quer uma parte da sua vida, mesmo que essa parte esteja no topo da sua lista de prioridades. **Ele quer *ser* sua vida**. Juntos, Deus e você vivenciam tudo o que acontece na sua vida. No decorrer do dia, Deus age em você e através de você. Por meio desse relacionamento íntimo, a adoração flui naturalmente como uma expressão de amor, reverência e adoração. Entregamos tudo – coração, alma, mente e força – Àquele que é digno de tudo (Mc 12:29-30). Tudo o que fazemos – exceto o pecado – pode ser feito para agradar a Deus, em um ato de adoração.

O problema é que nosso coração é errante. Precisamos de um plano para permanecermos rendidos a Deus. A Bíblia nos diz como: renovamos a nossa mente (Rm 12:2) – trocando mentiras pela verdade – com a Palavra de Deus. Nossos pensamentos são incrivelmente poderosos. **Aquilo em que colocamos nossa atenção ganha força, se expande**. Quanto mais nos concentramos em Deus, mais iremos adorá-Lo. Mas o inimigo e o mundo nos distraem. Precisamos levar "cativo todo pensamento, para torná-lo obediente a Cristo" (2Cor 10:5).

Como você sabe, os cativos não gostam de ficar presos. Portanto, precisamos escolher focar no "que é verdadeiro, nobre, correto, puro, amável e admirável... excelente e digno de louvor" (Fl 4:8). Filtre todos os seus pensamentos e *palavras em* Filipenses 4:8. Ao fazer isso, você descobrirá que pensamentos piedosos levam a ações piedosas, que é outra forma de adoração. "Portanto... façam tudo para a glória de Deus" (1Cor 10:31, NAA). Mesmo as tarefas mais mundanas se tornam sagradas quando feitas para glorificar a Deus. Adore-O com tudo que você é e tudo que você faz.

Adoramos a Deus porque O amamos, não por obrigação ou porque queremos algo dEle. Não adoramos ao Senhor para ganhar favores ou pressioná-Lo a nos abençoar. Deus não pode ser manipulado. Ele vê através das máscaras religiosas e palavras vazias: "O Senhor diz: 'Esse povo se aproxima de mim com a boca e me honra com os lábios, mas o seu coração está longe de mim. A adoração que me prestam só é feita de regras ensinadas por homens'" (Is 29:13). Deus quer seu coração, não suas palavras. Se sua adoração parecer forçada, peça ao Senhor que revele a Si mesmo. Peça-Lhe para encher o seu coração de admiração. **Lembre-se de quem é Deus e do que Ele fez**.

Quando a mulher samaritana percebeu quem estava falando, ela respondeu com fé: colocou tudo aos pés de Jesus e correu para dizer a todos que o Messias tinha vindo (Jo 4:28-29). A adoração brotou de seu coração e muitos em sua cidade acreditaram (Jo 4:39). Ela não tinha nenhuma formação especial nem diplomas de seminário. Mas teve um encontro com Jesus. E isso foi o suficiente para mudar sua vida e a das pessoas que a ouviram. Era uma verdadeira adoradora. E você também pode ser. Olhe para o Criador *através* da criação. Deleite-se nAquele que é bom, amável, sábio, puro, belo, heroico e verdadeiro. "Nele se alegra o nosso coração" (Sl 33:21).

Deixe a Bíblia falar:
Apocalipse 5 (opcional: Salmo 145)

Deixe sua mente refletir:
1. Hoje você aprendeu que quanto mais se concentra em algo, mais isso influencia todas as áreas da sua vida. De que modo focar em Deus na adoração afeta suas atitudes e ações?

2. Quais são as coisas boas que distraem seu pensamento de Deus?

3. O que você acha que significa adorar "em espírito e verdade"?

Deixe sua alma orar:
Senhor, Tu és o único digno da minha adoração. Enquanto Te busco, enche-me da alegria e satisfação que transbordam em forma de louvor sincero (Sl 40:16). Assume o controle de toda a minha vida – meus desejos, emoções, pensamentos e ações. Tu lideras; eu vou seguir. Ajuda-me a ver tudo o que faço como uma oportunidade de Te adorar... Em nome de Jesus eu oro. Amém.

Deixe seu coração obedecer:
(O que Deus está levando você a compreender, valorizar ou fazer?)

DIA
10

Você foi perdoado e renovado

Se confessarmos os nossos pecados, ele é fiel e justo para perdoar os nossos pecados e nos purificar de toda injustiça.
1 João 1:9

Lágrimas escorreram pelo rosto da mulher e caíram nos pés de Jesus. Ela ficou assolada ao perceber que era indigna perto da dignidade de Jesus. Sua vida pecaminosa era uma pestilência para sua alma e sua presença na sala era asquerosa. Todos olhavam para ela com desprezo. Todos, exceto Jesus. Ela quebrou o frasco de alabastro cheio de um perfume caro e o derramou nos pés dEle. Enquanto o doce aroma se espalhava pela sala, Jesus viu o que as pessoas sentiam em relação à mulher, o que transbordava de seus corações: nojo e desgraça. Mas Ele respondeu com graciosidade. Virou-se para Simão e disse:

Um certo credor tinha dois devedores; um devia-lhe quinhentos dinheiros, e outro, cinquenta. E, não tendo eles com que pagar, perdoou-lhes a ambos. Dize, pois: qual deles o amará mais? E Simão, respondendo, disse: Tenho para mim que é aquele a quem mais perdoou. E ele lhe disse: "Julgaste bem". E, voltando-se para a mulher, disse a Simão: "Vês tu esta mulher? Entrei em tua casa, e não me deste água para os pés; mas esta regou-me os pés com lágrimas e os enxugou com os seus cabelos. Não me deste ósculo, mas esta, desde que entrou, não tem cessado de me beijar os pés. Não me ungiste a cabeça com óleo, mas esta ungiu-me os pés com unguento. Por isso, te digo que os seus muitos pecados lhe são perdoados, porque muito amou; mas aquele a quem pouco é perdoado pouco ama". E disse a ela: "Os teus pecados te são perdoados". E os que estavam à mesa começaram a dizer entre si: "Quem é este, que até perdoa pecados?" E disse à mulher: "A tua fé te salvou; vai-te em paz". (Lc 7:41-50, ARC).

O perdão nos transforma por completo.

Quando deixamos de estar separados de Deus e passamos a ter um relacionamento com Ele, é como ser ressuscitado da morte para a vida. "Vocês estavam mortos em pecados... Deus os vivificou juntamente com Cristo. Ele nos perdoou todas as transgressões" (Cl 2:13). Não podemos comprar ou obter o perdão; ele é um presente inestimável oferecido por meio de Jesus Cristo. Em Cristo, Deus faz de você uma criatura completamente nova.

Nossa fé em Jesus Cristo não nos torna pessoas *melhores*. **Somos feitos novos** (Dia 5). Quando Deus o perdoa, não apenas o torna novo, mas também o reconcilia com Ele (2Cor 5:18) – restaurando seu relacionamento com o Senhor e lhe dando as boas-vindas em Sua presença.

Antes vocês estavam separados de Deus e, em suas mentes, eram inimigos por causa do mau procedimento de vocês. Mas agora ele os reconciliou pelo corpo físico de Cristo, mediante a morte, para apresentá-los diante dele santos, inculpáveis e livres de qualquer acusação. (Cl 1:21-22).

Imagine ser levado à presença de Deus. Você está diante dEle sem uma única falha. Mais ainda, **quando Deus vê você, Ele vê a justiça de Jesus.** Deus não apenas cancela o seu registro de pecados, mas também credita a você a justiça perfeita de Cristo (2Cor 5:21). Isso se chama **justificação**, outro aspecto surpreendente do perdão. Deus creditará justiça... para nós, que cremos" (Rm 4:24). Amigo e amiga, "tendo sido, pois, justificados pela fé, temos paz com Deus, por nosso Senhor Jesus Cristo" (Rm 5:1). Que bondade imerecida! Que graça impressionante! "Regozija-se a minha alma em meu Deus!

Pois ele me vestiu com as vestes da salvação e sobre mim pôs o manto da justiça. (Is 61:10). Você está justificado e coberto com a justiça de Jesus para que possa estar em paz com Deus.

Observe as belas imagens da natureza que a Bíblia usa para ilustrar o perdão:

- "Embora os seus pecados sejam vermelhos como escarlate, eles se tornarão brancos como a neve; embora sejam rubros como púrpura, como a lã se tornarão" (Is 1:18). Quando Deus o perdoa, Ele o purifica não apenas do pecado, mas também da mancha do pecado em sua vida.
- "E como o Oriente está longe do Ocidente, assim ele afasta para longe de nós as nossas transgressões" (Sl 103:12). Quando Deus o perdoa, Ele o separa do pecado que antes o separava dEle.
- "Pisarás as nossas maldades e atirarás todos os nossos pecados nas profundezas do mar!" (Mq 7:19). Quando Deus o perdoa, Ele esmaga e descarta seus pecados para sempre.

Jesus também nos dá um retrato do perdão na história do filho **pródigo**. Esse jovem rebelde insultou seu pai, exigindo sua herança antes do tempo. Pegou o dinheiro, foi para longe de casa e gastou tudo com uma vida pecaminosa. Houve uma fome, e o único ofício que o filho conseguiu encontrar foi trabalhar com porcos imundos. Ele estava faminto, sujo e desesperado. O jovem pensou que seu pai ainda estaria furioso com ele, mas decidiu voltar para casa mesmo assim e pedir para trabalhar como servo. O filho começou sua jornada de volta para casa.

> **Pródigo:** Aquele que desperdiça dinheiro ou recursos.

Estando ainda longe, seu pai o viu e, cheio de compaixão, correu para seu filho, e o abraçou e beijou. O filho lhe disse: "Pai, pequei contra o céu e contra ti. Não sou mais digno de ser chamado teu filho". Mas o pai disse aos seus servos: "Depressa! Tragam a melhor roupa e vistam nele. Coloquem um anel em seu dedo e calçados em seus pés. Tragam o novilho gordo e matem-no. Vamos fazer uma festa e comemorar.

Pois este meu filho estava morto e voltou à vida; estava perdido e foi achado". E começaram a festejar. (Lc 15:20-24).

Deus nos oferece o mesmo tipo de perdão. Quando você se volta para Deus, Ele vai ao seu encontro. Você é perdoado, abraçado e celebrado. O perdão de Deus é realmente uma **graça** impressionante que nunca tem fim.

> *Graça:*
> Benevolência imerecida; favor imerecido.

Porque mesmo como seguidores de Jesus, precisamos ser perdoados com frequência. E Deus é generoso em Seu perdão. Romanos 6:6 diz: "Não mais sejamos escravos do pecado", mas ainda pecamos. "Se afirmarmos que estamos sem pecado, enganamo-nos a nós mesmos, e a verdade não está em nós. Se confessarmos os nossos pecados, ele é fiel e justo para perdoar os nossos pecados e nos purificar de toda injustiça" (1Jo 1:8-9). **Peça a Deus para mostrar a você o seu pecado**. Ore: "Sonda-me, ó Deus, e conhece o meu coração; prova-me, e conhece as minhas inquietações. Vê se em minha conduta algo que te ofende, e dirige-me pelo caminho eterno" (Sl 139:23-24).

Andar na luz – ser honesto sobre o nosso pecado – é a maneira de nos aproximarmos de Deus e dos outros: "Se, porém, andamos na luz, como ele está na luz, temos comunhão uns com os outros, e o sangue de Jesus, seu Filho, nos purifica de todo pecado" (1Jo 1:7). Podemos viver na luz – não porque não temos pecado, mas porque fomos perdoados.

Como responder ao amor e ao perdão de Deus?

Amando e perdoando os outros. **O amor e o perdão não se baseiam em emoções; amar e perdoar é uma escolha**. Às vezes, o processo é longo e desafiador. Por isso, quando vê a fé da mulher derramando óleo em Seus pés, Jesus lembra a Simão – e a nós também – que, para amar muito, precisamos nos recordar o quanto nos foi perdoado (Lc 7:47).

Pense um pouco sobre o perdão de Deus na sua vida. Quantas vezes você pecou e precisou ser perdoado? O perdão é o presente que todos precisamos receber, mas relutamos em dar. Não conceder perdão aos outros, na realidade, fere a nós mesmos.

Ofender-se facilmente e guardar rancor são atitudes que destroem relacionamentos. Sementes de ressentimento crescem e viram raízes amargas que enredam e corrompem a muitos (Hb 12:15). Quando estamos amargurados, queremos machucar os outros, mas acabamos nos maltratando, pois ficamos cativos do pecado (At 8:23). Por esse motivo, Deus nos ordena a nos livrarmos da amargura e a perdoarmos "como o Senhor [nos] perdoou" (Cl 3:13).

O Senhor perdoa você de forma rápida e generosa.

Perdoar não significa esquecer ou desculpar as más ações dos outros. Você não se põe em perigo. Quer dizer apenas que, **quando perdoa os outros, você libera a ofensa e confia que Deus lidará com o pecado deles, à Sua maneira graciosa, assim como Ele lidou com os pecados que você cometeu**. Nesse processo, Deus o libertará da escravidão da falta de perdão, conforme você entrega a Ele sua dor. Você pode achar difícil perdoar, mas o Espírito Santo em você irá ajudá-lo. Como diz o ditado, você se parece mais com Jesus quando perdoa.

Pedro, um dos seguidores mais próximos de Jesus, por três vezes negou que O conhecia. Jesus lhe avisou que ele faria isso, mas Pedro insistiu que isso nunca aconteceria. No entanto, aconteceu, e Pedro chorou amargamente (Mt 26). Com incrível graça, Jesus o perdoou (a Pedro) e o restaurou ao ministério (Jo 21:15-19). Esse mesmo Jesus que perdoou aqueles que O negaram também o perdoa e o ajudará a perdoar os outros. Ele conhece a sua dor porque também a experimentou, mas Seu mandamento ainda permanece: "Amem os seus inimigos e orem pelos que perseguem vocês" (Mt 5:44, NAA).

Se é difícil libertar os outros quando o prejudicam, permita que Deus atue através de você (Fl 2:13). Você pode precisar perdoar a pessoa várias vezes ao dia, conforme ela lhe vier à mente. Perdoe e entregue-a a Deus todas as vezes. No dia seguinte, faça o mesmo... e no dia seguinte... e no próximo dia até que a tenha perdoado por completo. "Se pecar contra você sete vezes no dia, e sete vezes voltar a você e disser: 'Estou arrependido', perdoe-lhe" (Lc 17:4). **Deus não impõe limites ao Seu perdão, e nós devemos fazer o mesmo.**

Assim como Jesus disse à mulher, Ele diz a você: "Sua fé a salvou; vá em paz" (Lc 7:50). Você está perdoado e renovado.

Deixe a Bíblia falar:
Mateus 18:15-35 (opcional: Salmo 32; Lucas 15:11-32)

Deixe sua mente refletir:
1. Quais sentimentos lhe vêm à mente quando pensa sobre como Deus o perdoou?

2. Devemos perdoar os outros como fomos perdoados (Ef 4:32). Quem você precisa perdoar? Perdoe hoje. Quanto mais adiar o perdão, mais vai atrasar sua própria cura. Entregue a Deus. Você consegue – com a força *do Senhor*.

3. Leia Mateus 18:21-35 atentamente. Depois de perdoar alguém, se sentir que seu coração começa a endurecer, perdoe novamente, lembrando que Deus nos perdoa vez após vez.

Deixe sua alma orar:
Pai, a Tua Palavra diz que o céu se alegra com um pecador que retorna ao caminho de Deus (Lc 15:7). Ajuda-me a lembrar disso quando meu pecado me faz querer me esconder de Ti. Ajuda-me a ir até Ti com confiança e andar na luz, sabendo que Tu és rápido em perdoar. Abraça-me como Teu filho. Ajuda-me a perdoar os outros como Tu me perdoaste... Em nome de Jesus, amém.

Deixe seu coração obedecer:
(O que Deus está levando você a compreender, valorizar ou fazer?)

Você foi adotado

Deus enviou seu Filho... para que recebêssemos a adoção
de filhos. E, porque vocês são filhos, Deus enviou o
Espírito de seu Filho aos seus corações, o qual clama:
"Aba, Pai". Assim, você já não é mais escravo, mas filho;
e, por ser filho, Deus também o tornou herdeiro.
Gálatas 4:4-7

Era muito pouco provável que Raabe fizesse parte da História de
Deus, e menos ainda que fosse parte de Sua família. Prostituta da
cidade canaanita de Jericó, Raabe tinha ouvido falar da fuga dos
israelitas do Egito. Ela sabia que o único Deus verdadeiro os havia
resgatado e lutado por eles em sua jornada por Canaã. E agora os
israelitas estavam se aproximando de Jericó. Quando Deus conduziu
os espias israelitas à sua porta, Raabe mostrou grande coragem. Pela
fé, ela os protegeu de seu próprio rei, arriscando a vida pelo povo de
Deus. "Sei que o Senhor lhes deu esta terra", disse aos espias. "Pois
o Senhor, o seu Deus, é Deus em cima nos céus e embaixo na terra"
(Js 2:9, 11). Raabe escondeu os espias israelitas, e eles escaparam da
captura. Logo depois, Deus os liderou numa grande vitória sobre a
cidade, derrubando seus muros. Mas não antes de resgatar Raabe e
sua família e torná-los parte da família dEle.[1]

Na Verdadeira História de Deus, aprendemos que a cidade de
Jericó foi derrotada sem dificuldades. Deus destruiu milagrosamente
suas muralhas *sem qualquer intervenção humana*. Então, seriam os

---

1 Leia a história de Raabe em Josué 2 e 6.

espias necessários? Por que Deus permitiu que eles arriscassem a vida? Será que foi porque Raabe estava lá? Ela era digna de ser resgatada. Descobrimos mais tarde que não apenas a vida de Raabe foi salva fisicamente, mas também espiritualmente. Raabe viria a ser a tataravó do rei Davi e, mais importante, parte da linhagem familiar de Jesus (Mt 1:5), apesar de seu passado pecaminoso, das pessoas pecaminosas com quem convivia, de sua origem étnica ou religiosa. Ela renunciou aos seus laços com os cananeus e entregou sua vida ao Senhor. Ainda hoje, Raabe continua a ser um exemplo de fé em ação: "[Raabe] não foi ela justificada pelas obras, quando acolheu os espias e os fez sair por outro caminho?" (Tg 2:25). Deus a recebeu e lhe deu uma honra especial (Hb 11:31). Ela foi perdoada, renovada e adotada em Sua família eterna. Que graça extraordinária!

De todas as maravilhas que vêm com a salvação, uma das verdades mais reconfortantes, alentadoras e edificantes é saber que nos tornamos filhos de Deus. Como Raabe, podemos encontrar o amor e a aceitação do Pai, e uma nova família aqui e no céu – qualquer que seja a nossa origem, nacionalidade ou mesmo se tivermos um passado pecaminoso. Adoção é ter verdadeira intimidade e um relacionamento genuíno com Deus; é o coração do Evangelho.

Deus quer nos adotar em Sua família para sempre – nascemos de novo como Seus filhos (Jo 3:7). E Ele nos escolhe *antes*, levando-nos até Ele por meio de Jesus Cristo (Ef 1:5). O que isso significa? **Que você é querido e muito amado!** "Vejam como é grande o amor que o Pai nos concedeu: que fôssemos chamados filhos de Deus, o que de fato somos!" (1Jo 3:1).

Em Cristo, todos têm "o direito de se tornarem filhos de Deus" (Jo 1:12). Ele quer ser seu Pai, aquele que você conhece e em quem confia intimamente. Agora nós O chamamos de "Aba, Pai", como Jesus O chamou (Rm 8:15). Seu pecado não impede Deus de querer adotá-lo. Ele não tem vergonha de você. Não importa quais erros cometeu ou o que lhe fizeram, seu **Aba** Pai sempre o recebe e o aceita onde quer que você esteja.

Pense em seu pai aqui na terra. Ele era gentil ou cruel? Participativo ou ausente? Mesmo que você tenha um bom relacionamento com seu pai terreno, o relacionamento com seu Pai celestial é muito melhor.

Jesus quer que experimentemos a conexão íntima que temos com nosso Pai. Ele nos diz: "A ninguém na terra chamem 'pai', porque vocês só têm um Pai, aquele que está nos céus" (Mt 23:9). Jesus não pede para renegarmos nossos pais humanos, mas deseja que valorizemos muito mais nosso relacionamento com o Pai celestial. Como fazemos isso? O primeiro passo é aprender tudo o que podemos sobre este nosso Pai perfeito.

> **Aba:**
> Na língua aramaica falada na época de Jesus, a palavra *aba* significava pai e era usada principalmente em família e em oração.
>
> Fonte: MOUNCE, Robert H. *Romans*: an exegetical and theological exposition of Holy Scripture. Nashville: Broadman & Holman Publishers, 1995. (The New American Commentary, v. 27).

Primeiro, precisamos entender quão profundamente nosso Pai se importa conosco. Ele nos adota como bebês espirituais e nos ajuda a crescer "em tudo... [em] Cristo" (Ef 4:15). "Como crianças recém-nascidas, desejem de coração o leite espiritual puro, para que por meio dele cresçam para a salvação" (1Pd 2:2). Conforme vamos crescendo para sermos como Jesus, ouvimos e imitamos a voz do Pai. Imitamos Suas ações (Ef 5:1). Jesus também fez apenas o que viu o Pai fazer (Jo 5:19) e disse apenas o que O ouviu dizer (Jo 8:28). Não obedeceu por obrigação ou por uma necessidade doentia de aprovação. A obediência de Jesus Cristo fluía do relacionamento de amor que tinha com Seu Pai. Quando você realmente ama alguém, é seu maior prazer agir nesse amor – com honra, respeito e obediência.

Deus nos ama tanto que está disposto a nos disciplinar. Como Seus filhos adotivos, precisamos de Sua disciplina amorosa de vez em quando. Nenhum de nós gosta disso, mas todos precisamos. Porque Deus nos ama, Ele nos corrige quando nos afastamos de Sua vontade em nossos pensamentos, atitudes ou ações: "Pois o Senhor disciplina a quem ama, assim como o pai faz ao filho de quem deseja o bem" (Pr 3:12). Deus nos ama e "nos disciplina para o nosso bem, para que participemos da sua santidade" (Hb 12:10), e para nos proteger das consequências devastadoras do pecado. Tal como um pai se deleita com o crescimento de um filho, Deus se agrada em nos ver prosperar no que Ele planejou para nós (Ef 2:10).

Nosso Pai é nosso perfeito Provedor. Ele "sabe do que vocês precisam, antes mesmo de o pedirem" (Mt 6:8). Portanto, "não busquem ansiosamente o que hão de comer ou beber; não se preocupem com isso. Pois o mundo pagão é que corre atrás dessas coisas; mas o Pai sabe que vocês precisam delas" (Lc 12:29-30). Descanse em saber que "Deus suprirá todas as necessidades de vocês, de acordo com as suas gloriosas riquezas" (Fl 4:19). Se bons pais humanos sabem como dar bons presentes a seus filhos, quanto mais nosso Pai celestial proverá àqueles que Lhe pedirem (Mt 7:9-11)?

Deus também sabe que precisamos de comunidade – um lugar ao qual pertencer. Ele adota a todos que Jesus resgata, por isso temos muitos irmãos e irmãs na nossa família de fé (Rm 8:29). É uma coisa boa que "na casa de meu Pai há muitos aposentos" (Jo 14:2). Mas não há espaço para rivalidade entre irmãos, porque todos os Seus filhos são considerados iguais (Mt 23:8; Gl 3:28). Ele não tem favoritos em Sua família (1Pd 1:17). Não competimos com nossos irmãos nem os discriminamos; nós cuidamos deles. Reconhecemos a participação deles na História de Deus (1Cor 12). "Sejam compassivos, amem-se fraternalmente, sejam misericordiosos e humildes" (1Pd 3:8). Somos encorajados a dar nossa vida por nossos irmãos e irmãs em Cristo, assim como Jesus deu Sua vida por nós (1Jo 3:16). Quando amamos nossos irmãos e irmãs, damos a eles o amor de nosso Pai. **Esse amor abundante é de família!**

Do mesmo modo que as famílias terrenas desejam cuidar das gerações futuras, **nosso Pai dá a Seus filhos, Seus "herdeiros", uma herança** (Rm 8:17). "Ele nos regenerou para uma esperança viva, por meio da ressurreição de Jesus Cristo dentre os mortos, para uma herança que jamais poderá perecer, macular-se ou perder o seu valor. Herança guardada nos céus para vocês" (1Pd 1:3-4). No céu, estaremos na glória de Deus para sempre, celebraremos Sua bondade e descansaremos em Seu amor. E o melhor de tudo é que desfrutaremos de Sua presença com prazer e alegria que vão além da nossa compreensão (Sl 16:11). "Tenho uma bela herança!" (Sl 16:6).

DIA 11

Deixe a Bíblia falar:
João 14 (opcional: Romanos 8:15-17)

Deixe sua mente refletir:

1. Amigo e amiga, você foi adotado e é muito amado. Para sempre. Seu lugar na família de Deus está garantido (Jo 10:29). Existe alguma coisa que o impede de se sentir totalmente seguro e amado por Deus?

2. O que a sua adoção – ser escolhido como foi Raabe – diz sobre o amor de Deus por você?

3. De que modo ver outros crentes como membros da família, igualmente amados e valorizados, afeta seus relacionamentos atuais e futuros (Gl 3:28-29)? Como você pode encorajar uma irmã ou irmão hoje?

Deixe sua alma orar:
Senhor, obrigado por me adotar. Tua Palavra diz: "Como um pai tem compaixão de seus filhos, assim o Senhor tem compaixão dos que o temem" (Sl 103:13). Ajuda-me a Te ver como meu Pai compassivo. Ajuda-me a crescer para ser como Jesus, e a descansar, sabendo que Tu suprirás todas as minhas necessidades. Faz de mim um membro encorajador de minha família eterna... Em nome de Jesus, amém.

Deixe seu coração obedecer:
(O que Deus está levando você a compreender, valorizar ou fazer?)

Você nunca está só

Tu me cercas, por trás e pela frente, e pões a tua mão sobre mim.
Tal conhecimento é maravilhoso demais e está além do meu alcance,
é tão elevado que não o posso atingir.
Para onde poderia eu escapar do teu Espírito? Para onde poderia
fugir da tua presença?
Se eu subir para o céu, você estará lá; se eu descer ao túmulo, você
estará lá.
Se eu subir com as asas da alvorada e morar na extremidade do mar,
mesmo ali a tua mão direita me guiará e me susterá.
Salmos 139:5-10

Um raio de fogo acabara de cair do céu, derrotando os inimigos do profeta
Elias. A primeira nuvem de chuva, após anos de seca, estava se formando
no céu. A nação de Israel estava mudando fisicamente com a chuva e
espiritualmente com o arrependimento (1Rs 18). Elias era um homem
procurado; os homens queriam matá-lo. Embora tivesse testemunhado
a provisão, a proteção e o poder de Deus durante anos de rebelião da
nação, ele estava cansado. Estava acabado – ou foi o que disse para Deus:

> Já tive o bastante, Senhor. Tira a minha vida... Tenho sido muito zeloso pelo
> Senhor, Deus dos Exércitos. Os israelitas rejeitaram a tua aliança, quebraram
> os teus altares, e mataram os teus profetas à espada. Sou o único que
> sobrou, e agora também estão procurando matar-me. (1Rs 19:4, 14).

Mas Elias não estava sozinho. Deus estava com ele. E, na verdade,
não era o único verdadeiro crente que restava, porque Deus preservou

sete mil crentes que não se curvaram aos ídolos (1Rs 19:18). O que Elias precisava era descansar, revigorar-se e recordar. Deus providenciou alimento para seu corpo e descanso para sua alma. Quando chegou a hora certa, Deus deu a ele as próximas instruções.[1]

Às vezes, como crente, você pode ser usado por Deus de maneiras poderosas, e nesse momento o inimigo tentará se vingar. Pode surgir dúvida, desânimo ou desespero. Você pode se sentir sozinho, acreditando na mentira de que Deus o abandonou ou que você não tem mais utilidade para Ele. Como Elias, você precisa ser reabastecido; precisa de um "descanso de Elias". Saiba disto:

Você nunca está só. Deus – Pai, Filho e Espírito Santo – está sempre com você. A cada minuto de cada dia Ele sempre desejou estar perto de você. Foi por isso que Ele o criou com tanto cuidado. Por isso Ele enviou um Salvador para destruir o pecado que o separava dEle, e enviou Seu Espírito para viver em você. Ele nunca o deixa sozinho, sentindo-se abandonado.

Quando procuramos outras pessoas em busca de apoio e elas não estão lá por nós, podemos sentir solidão. Mas isso não é verdadeiro. Deus está *sempre* presente (Sl 46:1; 139:7-10). *Você nunca está só.*

Jesus é Deus com você. Jesus também é chamado de *Emanuel*, "Deus conosco" (Mt 1:23), porque viveu como um ser humano e habitou entre nós. Ele teve fome e se sentiu cansado. Foi tentado a pecar. Foi maltratado e acusado falsamente e, finalmente, foi traído, torturado e morto. Por essa razão, sejam quais forem as dificuldades que enfrentamos, Jesus conhece o nosso sofrimento: "Pois não temos um sumo sacerdote que não possa compadecer-se das nossas fraquezas, mas sim alguém que, como nós, passou por todo tipo de tentação" (Hb 4:15). Ele sofreu tudo que sofremos – e muito mais –, por isso sabe como orar por nós e sempre intercede por nós (Hb 7:25). Como nosso perfeito Sumo Sacerdote, Jesus está na presença de Deus para zelar por nós (Hb 9:24). Não precisamos mais de um templo em Jerusalém ou de um sacerdote especial para ficar entre nós e Deus.[2] Jesus também promete estar "sempre com vocês, até o fim dos tempos" (Mt 28:20). *Você nunca está só.*

---

1 Leia a história das experiências de Elias no topo da montanha em 1 Reis 18 e 19.
2 GRUDEM, Wayne. *Systematic theology*: an introduction to biblical doctrine. Grand Rapids: Zondervan, 2007. p. 626-627.

O Espírito Santo é Deus *em* você. Jesus diz: "E eu pedirei ao Pai, e ele lhes dará outro Consolador, a fim de que esteja com vocês para sempre: é o Espírito da verdade... Vocês o conhecem, porque ele habita com vocês e estará em vocês" (Jo 14:16-17, NAA). Ele está *com você* e *em* você...

- **Quando você lê e medita na Palavra de Deus**: "o Espírito Santo... esse ensinará a vocês todas as coisas e fará com que se lembrem de tudo o que eu lhes disse" (Jo 14:26, NAA).
- **Quando você ora**: "o Espírito nos ajuda em nossa fraqueza, pois não sabemos como orar, mas o próprio Espírito intercede por nós" (Rm 8:26, NAA).
- **Quando você é tentado**: "Quando forem tentados, ele lhes providenciará um escape, para que o possam suportar" (1Cor 10:13).
- **Quando você sofre**: Deus nunca irá simplesmente *enviar* conforto e força em sua hora de necessidade, e sim *mostrar-Se* como a própria *fonte* de conforto e força. Sua presença fornece um bálsamo curativo para seu coração partido. "O Senhor está perto dos que têm o coração quebrantado e salva os de espírito abatido" (Sl 34:18). Ele será nosso auxílio e consolo para sempre (Jo 14:16-17).

Você nunca está só.

Você também nunca está só porque Deus lhe deu um lugar ao qual pertencer: a igreja. (Veja "Como encontrar uma boa igreja" na página seguinte.) Somos todos membros da família eterna de Deus e Ele está nos edificando para vivermos em uma comunidade onde Seu Espírito habita (Ef 2:19-22). Nossa família de crentes – "irmãos" (1Pd 2:17) – está tão intimamente conectada que Deus nos chama de corpo de Cristo (1Cor 12:27). Você pode ser o único crente em sua família ou cidade, mas, em Cristo, faz parte de uma grande família de fé em todo o mundo. Assim como Deus preservou os crentes durante o tempo de Elias, Ele está preservando os crentes hoje. "Ora, assim como o corpo é uma unidade, embora tenha muitos membros, e todos os membros, mesmo sendo muitos, formam um só corpo, assim também com respeito a Cristo... mas, sim, que todos os membros tenham igual cuidado uns pelos outros. Quando um membro sofre, todos os outros sofrem com ele; quando um membro é honrado, todos os outros se alegram com ele" (1Cor 12:12, 25-26). Você nunca está sozinho em sua dor. Não só Jesus conhece sua dor, mas também "os irmãos que vocês têm em todo o mundo estão passando pelos mesmos sofrimentos" (1Pd 5:9). Deus tece sua história junto com a história de todos os seguidores de Jesus e as entrelaça à História dEle. *Você nunca está só.*

Como nunca está só, não precisa ter medo – essa não é a vontade de Deus para nós. "Seja forte e corajoso! Não se apavore, nem se desanime, pois o Senhor, o seu Deus, estará com você por onde você andar" (Js 1:9). Mas quando temos medo, Ele nos consola, como fez com Elias. Não importa que problemas venham, "Deus é o nosso refúgio e fortaleza, socorro bem presente na adversidade. Por isso não temeremos" (Sl 46:1-2). O Senhor estava conosco ontem, está conosco agora e estará conosco em nosso futuro. *Nunca estamos sós.*

Como encontrar uma boa igreja

Se você é um seguidor de Cristo e tem acesso a uma igreja, dê prioridade a ingressar em uma família de fé, para engajar-se em oração, ensino bíblico, companheirismo, comunhão e muito mais. Se não tem como frequentar uma igreja, pode fazer reuniões em sua casa (mais informações sobre isso adiante). A Palavra de Deus nos diz para não deixarmos de nos reunir (Hb 10:25). Precisamos de uma família cristã, e aqui está o que procurar em uma boa congregação:

1. **Liderança servil:** chamado por Deus, o pastor tem um coração terno, e tanto ensina quanto obedece à Bíblia. Não é um ditador ou um bajulador. Ele exalta Jesus, não uma pessoa.

2. **Crescimento espiritual:** a igreja desafia você a crescer espiritualmente, ensinando-lhe como ser um discípulo fiel, que faz discípulos para Jesus.

3. **Ambiente de comunhão:** as pessoas da igreja amam e cuidam umas das outras. Existe um sentimento de unidade familiar.

4. **Serviço ao próximo:** a igreja não olha só para si mesma, mas estende a mão para a comunidade e para o mundo, para espalhar o amor de Deus em palavra e ação.

Não existe igreja perfeita (só Jesus é perfeito). Se você encontrar uma boa igreja, seja fiel à sua família de fé. Seja fiel também com o seu tempo, comparecendo às reuniões de adoração regularmente e cumprindo seus compromissos com excelência. Seja fiel com os seus talentos, envolvendo-se e não procurando outros para fazerem tudo. Seja fiel em suas ofertas, não seja mesquinho. Tome a iniciativa de conhecer pessoas e seja participativo. Você será abençoado.

Deixe a Bíblia falar:
Isaías 41:10-20 (opcional: Deuteronômio 31:6)

Deixe sua mente refletir:
1. Como pode lembrar que Deus está ao seu lado mesmo quando você se sente só ou com medo?

2. Como a presença de Deus pode lhe dar coragem e lhe trazer alegria (Dt 31:6)?

3. Você conhece alguém que se sente solitário? Seja um amigo. Mostre a essa pessoa que ela não está só. Compartilhe a presença de Deus com ela hoje mesmo.

Deixe sua alma orar:
Deus, agradeço por estares sempre comigo, mesmo quando me sinto só. Tu prometes que nunca vais me deixar nem esquecer de mim (Hb 13:5). Concede-me uma maior consciência de Tua presença e que ela me torne valente e me encha de alegria. Mostra-me pessoas solitárias, que precisam experimentar Tua presença e bondade através de mim... Em nome de Jesus, amém.

Deixe seu coração obedecer:
(O que Deus está levando você a compreender, valorizar ou fazer?)

Você é santo

Vocês serão santos para mim, porque eu, o SENHOR, sou
santo, e os separei dentre os povos para serem meus.
Levítico 20:26

Agora mesmo, enquanto você lê as palavras nesta página, incríveis
expressões de adoração estão acontecendo nos céus. O profeta
Isaías deu uma espiada nessa cena, que está registrada para nós em
Isaías 6. Em seu vislumbre da sala do trono de Deus, ele viu seres
angelicais proclamando em alta voz: "Santo, santo, santo é o SENHOR
dos Exércitos, a terra inteira está cheia da Sua glória" (Is 6:3).[1] Mais
de oitocentos anos depois, o apóstolo João relatou uma experiência
semelhante: "Dia e noite repetem sem cessar: 'Santo, santo, santo
é o Senhor Deus todo-poderoso, que era, que é e que há de vir'"
(Ap 4:8). "Quem não te temerá, ó Senhor? Quem não glorificará o
teu nome? Pois tu somente és santo" (Ap 15:4). Eles poderiam ter
descrito Deus como "Amor, amor, amor" ou "Graça, graça, graça",
mas repetiram: "Santo, santo, santo". Não bastou dizer que Deus é
santo, uma vez só, nem que Ele é santo, santo. Não...

Deus é *santo, santo, santo*.

Quando algo é repetido várias vezes na Bíblia, geralmente
significa que a declaração é muito significativa. Deus é *santo, santo,
santo*. Então, o que significa **santo**?

Se você já leu na Bíblia uma palavra importante, mas não
a conhece, procure onde ela aparece pela primeira vez nas

---

1 Leia a história do comissionamento de Isaías em Isaías 6.

Escrituras.[1] Você pode descobrir seu significado no contexto. A palavra *santo* aparece pela primeira vez em Gênesis para descrever o dia que Deus separou para o descanso. "Abençoou Deus o sétimo dia e o santificou, porque nele descansou de toda a obra que realizara na criação" (Gn 2:3). Ser *santo* significa ser separado. Tudo sobre Deus é santo e puro: Seu amor,

> **Santo:**
> Separado ou dedicado a Deus em pureza para uso honroso.

Sua misericórdia, Sua justiça – até mesmo Sua ira. Nada em toda a criação se compara à santidade de Deus, à Sua infinita perfeição. Deus é separado de tudo que é pecaminoso (1Jo 1:5).

Apenas algumas pessoas na Bíblia tiveram visões da santidade de Deus, e todas ficaram apavoradas quando isso aconteceu. Moisés escondeu o rosto (Ex 3:6). Ezequiel prostrou-se, com o rosto em terra, amedrontado (Ez 1:28). João caiu "como morto" (Ap 1:17). Isaías clamou: "Ai de mim! Estou perdido! Porque sou homem de lábios impuros, e habito no meio de um povo de lábios impuros; e os meus olhos viram o Rei, o Senhor dos Exércitos!" (Is 6:5, NAA).

Porque somos pecadores, a pureza de Deus nos arrebata. Ele nos diz: "Você não poderá ver a minha face, porque ninguém poderá ver-me e continuar vivo" (Ex 33:20). A santidade de Deus não pode tolerar nenhum traço de pecado (Hab 1:13). "Quem poderá subir o monte do Senhor? Quem poderá entrar no seu Santo Lugar? Aquele que tem as mãos limpas e o coração puro" (Sl 24:3-4). Somente os puros podem ver a santidade de Deus e sobreviver (Mt 5:8). Isso é um problema para nós, pois todos pecamos; nenhum de nós é justo (Sl 143:2; Rm 3:23).

Mas Jesus nos resgata dessa sentença de morte, tornando-nos santos. Para vermos o Senhor, precisamos ser santos. Deus tornou você santo por meio de Cristo Jesus (1Cor 1:2). Ao receber nossa punição, "Cristo Jesus, nos declarou justos diante de Deus, nos santificou e nos libertou do pecado" (1Cor 1:30).

---

1 Uma concordância bíblica lista todas as palavras-chave encontradas em um texto. Algumas Bíblias incluem uma concordância como ferramenta auxiliar. Se sua Bíblia não tiver uma, você pode encontrar ferramentas bíblicas em diversos sites como Bíblia Online (biblionline.com.br), Bible Study Tools (biblestudytools.com), Bíblia Todo (bibliatodo.com/pt/concordancia), Bíblia do Cristão (bibliadocristao.com/concordancia).

Cristo amou a igreja e entregou-se a si mesmo por ela para santificá-la, tendo-a purificado pelo lavar da água mediante a palavra, e apresentá-la a si mesmo como igreja gloriosa, sem mancha nem ruga ou coisa semelhante, mas santa e inculpável. (Ef 5:25-27).

Só Jesus poderia fazer isso porque Ele é o único "santo, inculpável, puro, separado dos pecadores" (Hb 7:26). Quando colocamos nossa fé em Cristo, somos "purificados e santificados, declarados justos diante de Deus" (1Cor 6:11, NVT). "Como resultado, vocês podem se apresentar diante dele santos, sem culpa e livres de qualquer acusação" (Cl 1:22, NVT). Somente em Cristo podemos obedecer ao mandamento de Deus: "Vocês serão santos para mim, porque eu, o Senhor, sou santo" (Lv 20:26). Somente em Cristo podemos entrar na presença de Deus e viver.

Deus é santo; portanto, em Cristo, você é santo. Santidade é a própria vida de Deus *em* nós. Após o momento da salvação, vem toda uma vida de santificação – o processo de nos tornarmos santos. (Aprenderemos mais sobre a santificação na Semana 7.) Como explica um professor cristão: "Nossa posição como justificados é adquirida em um instante de fé verdadeira, mas nossa justiça – nossa semelhança com Cristo – cresce em profundidade ao longo de uma vida inteira buscando as coisas de Deus".[1] Deus nos ordena que "sejamos santos" em toda a Bíblia, para enfatizar a importância da santidade.

Mas como é viver uma vida santa? Revelamos nossa santidade interior vivendo "uma vida santa, e não impura" (1Ts 4:7, NVT). A Bíblia faz referências frequentes às roupas como um sinal externo de vida interior. Por exemplo, as noivas usam roupas especiais, mas as roupas não as *transformam* em noivas; apenas *mostram* que *são* noivas. Da mesma forma, vestimos nossa santidade. Essa santidade exterior não nos torna santos, mas sinaliza aos outros que vivemos separados em Cristo. "Portanto, como povo escolhido de Deus, santo e amado, revistam-se de profunda compaixão, bondade, humildade, mansidão e paciência" (Cl 3:12). Devemos nos revestir dessas

---

1 CHAN, Francis; CHAN, Lisa. *You and me forever*: marriage in light of eternity. Singapore: Imprint Edition, 2015. p. 34.

virtudes cristãs todos os dias: "livrem-se de sua antiga natureza e de seu velho modo de viver, corrompido pelos desejos impuros e pelo engano. Deixem que o Espírito renove seus pensamentos e atitudes e revistam-se de sua nova natureza, criada para ser verdadeiramente justa e santa como Deus" (Ef 4:22-24, NVT).

Quando você pensa em uma vida santa, isso parece intimidador? Talvez impossível ou legalista? Muitas pessoas pensam em santidade e logo imaginam comportamentos beatos e rituais religiosos. A santidade não se relaciona com regras e rituais. Trata-se de examinar honestamente seu coração e convidar Deus para purificar suas atitudes e ações. É sobre viver livre do pecado. Quando Deus revela o pecado, podemos confessá-lo imediatamente e nos arrepender, afastando-nos dele e voltando para o modo de viver de Deus, que é correto e gratificante.

O Espírito Santo vai tecer santidade em sua vida dia a dia. Depois de semanas, meses e anos confiando em Deus e fazendo o que Ele diz, você notará um padrão crescente de santidade em suas atitudes e ações. Por exemplo, suas escolhas dos livros que lê, das músicas que ouve ou dos filmes que assiste podem mudar à medida que o Espírito Santo lhe mostra como guardar o seu coração (Pr 4:23). Suas ações, palavras e pensamentos serão transformados conforme Ele o ensina a honrar a Deus com a sua vida (Cl 3:17). O Espírito Santo está moldando os detalhes da sua vida. Os pecados que antes o enredavam perdem força. Os frutos espirituais – amor, alegria, paz e muitos outros – tornam-se mais abundantes (Gl 5:22-23). Essas mudanças ocorrem com o tempo, enquanto nos revestimos da santidade diariamente.

Alguns dias, podemos lutar com tentações e frustrações que fazem nossas tentativas de buscar a santidade parecerem a eterna escalada de uma montanha, sem nunca chegarmos ao topo. Quando esses dias difíceis vierem – e eles virão – ainda poderemos escolher colocar um pé na frente do outro com Jesus como nosso guia. Um dia, não teremos que nos revestir de santidade, porque o próprio Deus nos revestirá da santidade permanente e perfeita. No céu, Ele nos dará "'para vestir-se linho fino, brilhante e puro'. O linho fino são os atos justos dos santos" (Ap 19:8).

Sim, amigo e amiga, *em Cristo*, você é santo. Você não está agindo para ser santo com suas próprias forças. Deus o escolheu antes da criação do mundo e o separou para os Seus propósitos (Ef 1:4). Revista-se de santidade para ser "vaso para honra, santificado, útil para o Senhor e preparado para toda boa obra" (2Tm 2:21). Deus deseja sua santidade para que você possa estar em um relacionamento com Ele, repleto com mais dEle e separado para toda a boa obra que Ele planejou para você. Na próxima semana, estudaremos mais sobre esses planos.

Deixe a Bíblia falar:
1 Pedro 1:13-25 (opcional: 1 Pedro 2:1-11)

Deixe sua mente refletir:
1. De que modo pensar na santidade de Deus afeta sua atitude na adoração?

2. O que em sua vida não pode ser separado para Deus?

3. Como você pode se revestir de santidade a cada dia?

Deixe sua alma orar:
Deus, Tu és santo. Obrigado por me tornares santo por meio de Cristo. Tua palavra diz que nos salvaste e nos chamaste para viver uma vida santa – não porque merecemos, mas porque esse era o Teu plano para nos mostrares a Tua graça por meio de Jesus (2Tm 1:9). Sou muito grato por ter sido chamado por Ti. Por favor, ajuda-me a me revestir de santidade todos os dias... Em nome de Jesus, amém.

Deixe seu coração obedecer:
(O que Deus está levando você a compreender, valorizar ou fazer?)

Você pertence a Deus

Levamos cativo todo pensamento, para
torná-lo obediente a Cristo.
2 Coríntios 10:5

Quem é você?

Antes desta semana, você poderia responder a essa pergunta falando sobre a sua família, ocupação, nacionalidade, ou algo assim. Essas descrições podem ser precisas, mas não são a sua nova identidade. Quando se torna um seguidor de Jesus, essas coisas se tornam meras notas de rodapé em sua nova história.

Sua verdadeira história gira em torno de quem você é em Jesus Cristo, portanto guarde sua identidade com cuidado. Vamos lembrar o que o define agora:

- Você foi feito para adorar a Deus.
- Você foi perdoado e renovado.
- Você foi escolhido e adotado na família eterna de Deus.
- Você nunca, jamais está só.
- Você é santo e separado para os propósitos de Deus.

Sua nova vida tem significado e propósito – e esse fato o torna um alvo do inimigo. Satanás sabe que você pertence a Deus e que não pode arrebatá-lo das mãos dEle (Jo 10:28-29). Mas fará tudo o que puder para impedir você de desfrutar de seu relacionamento com Deus e de compartilhá-lo com outras pessoas. Satanás (também chamado de "acusador" nas Escrituras) atacará a sua identidade em Jesus, incutindo pensamentos negativos em sua mente ou criando conflito com pessoas ao seu redor para se oporem a quem você é. Alguma dessas coisas soa familiar?

- Somos feitos para adorar a Deus, mas o inimigo nos diz para adorarmos a nós mesmos ou a falsos ídolos.
- Somos perdoados, mas o inimigo nos diz que somos culpados.
- Somos escolhidos e adotados, mas o inimigo nos diz que não somos desejados.
- Nunca estamos sós, mas o inimigo nos diz que estamos abandonados.
- Somos santos, mas o inimigo nos diz que não temos valor algum.

Se já ouviu alguma dessas mentiras que contradizem a Palavra de Deus, você precisa tomar a decisão de não dar ouvidos e recordar quem você é. Silencie as tentativas do inimigo de afastá-lo dos melhores planos de Deus para você, lembrando-se das verdades de Sua Palavra. Memorize o singelo versículo contido na abertura da lição de hoje: "Levamos cativo todo pensamento, para torná-lo obediente a Cristo" (2Cor 10:5). **O inimigo quer nos fazer duvidar do amor divino. Porque se duvidarmos, nosso relacionamento com Deus vai parecer sem vida e obedecer a Ele será um fardo**. Não vamos deixar o inimigo nos enganar! Nada pode nos separar do amor de Deus (Rm 8:38-39). Voltaremos a falar sobre a guerra espiritual mais adiante. Por enquanto, fique alerta aos ataques do inimigo à sua identidade como filho querido de Deus. "Resistam ao diabo, e ele fugirá de vocês" (Tg 4:7).

Se começar a se sentir inseguro, leia Romanos 8. Nesse capítulo, você verá que não há *condenação* para aqueles que estão em Cristo. **Pense nos sentimentos de insegurança como um convite de Deus para encontrar paz *em quem Ele é e no que Ele fez por você***. Porque tudo o que pensamos afeta o que fazemos. Vamos proteger nossos pensamentos com cuidado. Lembre-se, Deus não só nos salvou *do* pecado; Ele também nos salvou para Seus propósitos. "Porque somos criação de Deus realizada em Cristo Jesus para fazermos boas obras, as quais Deus preparou de antemão para que nós as praticássemos" (Ef 2:10). **Sim, você é obra de Deus, Sua obra-prima.** Ele o escolheu e escreveu uma bela história para a sua vida – uma história que ninguém mais pode viver. Lembre-se de quem você é em Cristo.

Incentive seus irmãos e irmãs em Cristo também. **Somos *todos* portadores da imagem de Deus**. Na família de Deus, não há espaço para preconceito ou classificação. "Não há judeu nem grego, escravo nem livre, homem nem mulher; pois todos são um em Cristo Jesus" (Gl 3:28). Não deixe que etnia, cultura, idade, educação, gênero ou classe social interfiram na forma como você vê ou trata as outras pessoas. "Pois Deus não age com favoritismo" (Rm 2:11, NVT), e nem devemos nós agir assim. **Ame seus irmãos e irmãs como Deus os ama. Veja-os como Deus os vê – todos obras-primas.**

Ainda há muito a aprender sobre a nossa nova identidade em Jesus e mais tesouros a descobrir. Mas podemos resumir tudo em uma frase: *eu sou por causa do Grande Eu* Sou.

Quando Deus Se descreveu para Moisés, Ele disse: "Eu Sou o que Sou. Diga ao povo de Israel: Eu Sou me enviou a vocês" (Ex 3:14, NVT). No Evangelho de João, Jesus diz: "Eu lhes afirmo que antes de Abraão nascer, Eu Sou!" (Jo 8:58).

"Eu Sou" é a declaração final da presença divina toda-suficiente, suprema e onipotente. Deus é, foi e sempre será. Ele é a Causa Primeira.[1] Ele é onisciente, onipresente, onipotente. Ele é o Grande Eu Sou! **Nós somos graças** *a quem Ele é*!

- Você foi escolhido por causa do grande amor de Deus em criá-lo para o Seu deleite.
- Você é um verdadeiro adorador porque Deus é digno de adoração e lhe deu Seu Espírito para revelar a verdade.
- Você está perdoado e renovado porque Deus o perdoou e lhe deu uma vida nova e eterna.
- Você é adotado porque Deus é Pai e o escolheu para ser Seu filho.
- Você nunca está só porque Deus está sempre com você.
- Você é santo porque Deus é santo.

Pense no que aprendeu esta semana sobre seu valor e sua identidade. Você é todas essas coisas e muito mais por causa de quem Deus é. Tenha em mente todos os dias:

Eu sou por causa do Grande Eu sou!

Esta semana, descobrimos quem *somos*. Na próxima semana, vamos entender o que *fazemos*.

---

1 GEISLER, Norman L. *Systematic theology*: in one volume. Bloomington: Bethany House Publishers, 2011. p. 25.

Deixe a Bíblia falar:
Romanos 8 (opcional: Efésios 2:1-10)

Deixe sua mente refletir:
1. Qual é a diferença entre "quem sou" e "quem sou em Cristo"?

2. Responda às perguntas para discussão da Semana 2.

Deixe sua alma orar:
Pai, obrigado por minha nova identidade em Cristo. Ajuda-me a guardá-la. Quando o acusador atacar minha identidade em Ti, lembra-me que sou um escolhido, adorador, perdoado, adotado, abraçado e filho santo de Deus. Obrigado por me amares agora e para sempre... Em nome de Jesus, amém.

Deixe seu coração obedecer:
(O que Deus está levando você a compreender, valorizar ou fazer?)

SEMANA 2 – PERGUNTAS PARA DISCUSSÃO:
**Revise as lições desta semana e responda às
perguntas abaixo. Compartilhe suas respostas com
seus amigos durante a reunião semanal.**

1. Esta semana, aprendemos alguns aspectos da sua identidade em Cristo. Você é (1) escolhido, (2) feito para adorar, (3) perdoado e renovado, (4) adotado, (5) nunca está só e (6) santo. Qual dessas características mais o incentiva? Por quê?

2. Para você, qual dessas características é mais difícil de aceitar? Por quê? Como a Palavra de Deus ou seus amigos podem ajudá-lo a acolher essa parte de sua identidade em Cristo?

3. Somos feitos para adorar. Como nosso perdão, adoção e santidade em Cristo influenciam nossa adoração?

4. Adoradores no céu clamam que Deus é "santo, santo, santo". Essa é a única característica de Deus repetida dessa forma na Bíblia. Na sua opinião, por que a santidade de Deus é tão importante?

5. Satanás, o acusador, ataca cada aspecto da nossa identidade em Cristo. De que modo as mentiras do inimigo impediram você de ter a liberdade e a paz que Cristo deseja lhe dar? Quais verdades contidas na Palavra de Deus o ajudam a silenciar as acusações errôneas do inimigo?

SUA HISTÓRIA,
SEU PROPÓSITO

Aceite seu
novo propósito

Porque somos criação de Deus realizada em Cristo
Jesus para fazermos boas obras, as quais Deus preparou
de antemão para que nós as praticássemos.
Efésios 2:10

Muito antes de você nascer, Deus o conhecia (Jr 1:5). Ele o criou de forma única, para um propósito a ser cumprido em *todas* as fases de sua vida. Na semana passada, vimos quem Deus o criou para ser. Esta semana, você aprenderá o que Ele o criou para fazer. Você tem um propósito divino, que não é ficar sentado, esperando pelo céu. Deus tem trabalho para você fazer *com Ele aqui* – seu propósito afeta o céu e traz verdadeira alegria e sucesso.

Às vezes, somos tentados a confundir propósito com a visão mundana sobre o sucesso.[1] Podemos ser bem-sucedidos em uma carreira ou em um passatempo, mas não cumprir nosso propósito. Sucesso também não significa realizar todo o nosso potencial. Jesus não cumpriu Seu potencial na terra. Afinal, Ele era o Rei do céu e Se tornou um homem pobre e humilde (Fl 2:5-8). Mas Ele alcançou Seu propósito (Jo 17:4). Este é o nosso objetivo: cumprir o propósito de Deus para nossa vida; e no final dela, que possa ser dito de você o que disseram a respeito do Rei Davi: "Tendo, pois, Davi servido ao propósito de Deus em sua geração, adormeceu" (At 13:36).

---

1 Aprenda com o Rei Salomão, o homem mais sábio que já viveu. Ele documentou suas experiências e profundas conclusões sobre o sucesso em um livro do Velho Testamento, intitulado Eclesiastes.

Você pode estar se perguntando: *Qual é o meu propósito e como faço para cumpri-lo?* Daqui em diante, esta jornada de fé foi preparada para ajudá-lo com isso. Por enquanto, apenas saiba **que nosso propósito principal é glorificar a Deus e desfrutar de nosso relacionamento com Ele para sempre.**[1] Vivemos esse propósito todos os dias de três maneiras gratificantes:

1. **Amando e obedecendo a Deus.**
2. **Amando a todos.**
3. **Fazendo discípulos.**

Todos nós temos esse propósito, mas nós o cumprimos de maneira singular. Deus não deu os mesmos relacionamentos, habilidades, recursos e lugares para todos, portanto cumprir esse propósito será diferente na vida de cada um, como foi com os **patriarcas**, de Abraão a Moisés.

> **Patriarca:**
> Um pai espiritual ou chefe de família do sexo masculino.

Em nossa primeira semana juntos, cobrimos a História abrangente de Deus. Hoje, vamos ver mais de perto o início do plano de resgate de Deus para salvar a humanidade. Os eventos em Gênesis 1-11 se sucedem ao longo de muitos anos e atravessam muitas gerações de pessoas, mas em Gênesis 12 a história desacelera de repente e se concentra nos pais de nossa fé: Abraão, Isaque e Jacó. Esse ritmo mais lento nos permite perceber a importância do relacionamento único de Deus com cada pessoa. No decorrer da história desses patriarcas, compreendemos como Ele se relaciona com Seu povo:

- Deus nos ama e nos dá um propósito.
- Mostramos nosso amor a Deus cumprindo Seu propósito para nós.
- Quando cumprimos nosso propósito, Deus abençoa os outros por nosso intermédio.

---

1 WESTMINSTER ASSEMBLY (1643–1652). *The Assembly's shorter catechism, with the Scripture proofs in reference:* with an appendix on the systematick attention of the young to scriptural knowledge, by Hervey Wilbur. Newburyport: Wm. B. Allen & Co., 1816. 24 p. Rare Book (1643–1652).

Para começar, vamos partir de onde paramos no Dia 3, quando Deus baniu Adão e Eva do Jardim do Éden...

Após o exílio, as pessoas se multiplicaram e o pecado também se multiplicou, até chegar um momento em que a maldade humana se tornou intolerável. O Senhor Se entristeceu com isso e inundou a terra para destruir a humanidade ímpia e começar tudo de novo. Apenas uma família foi poupada: a de Noé. Deus colocou Noé, seus parentes e grupos de todo tipo de animal em uma arca (como uma casa-barco gigante) que instruiu Noé a construir (Gn 5-9). Quando os descendentes de Noé começaram a se multiplicar em terra firme, mais uma vez o pecado se multiplicou. Deus confundiu as línguas dos povos para evitar que se unissem em rebelião contra Ele (Gn 10-11).

Ele escolheu um homem, Abraão[1], para iniciar o plano de resgate (Gn 12:1-3). Podemos presumir que Abraão era uma pessoa justa, por lhe ter sido confiada essa missão. Mas, por incrível que pareça, ele não era. Abrão cresceu adorando ídolos (Js 24:2). Ele não merecia ser escolhido mais do que nós. Deus lhe disse:

> Saia da sua terra, do meio dos seus parentes e da casa de seu pai, e vá para a terra que eu lhe mostrarei. Farei de você um grande povo, e o abençoarei... e por meio de você todos os povos da terra serão abençoados. (Gn 12:1-3).

Abraão sabia que deveria viajar para Canaã, mas não foi informado exatamente onde ele e sua família se estabeleceriam. Deus o convidou a confiar nEle um passo de cada vez. Abraão não tinha todas as respostas, mas corajosamente obedeceu a Deus. Por meio dessa relação de confiança, o Senhor abençoou Abraão e a todos nós. A obediência do patriarca levou ao nascimento do nosso Salvador (Mt 1:1).

Deus prometeu enviar o Salvador pela linhagem familiar de Abraão, mas sua esposa idosa, Sara, era estéril. Apesar das

---

1 Naquela época, Abraão (como comumente nos referimos a ele) ainda usava o nome Abrão. Mais tarde, Deus mudou seu nome para "Abraão", proclamando Seu chamado na vida do patriarca: "Não será mais chamado Abrão; seu nome será Abraão, porque eu o constituí pai de muitas nações" (Gn 17:5).

circunstâncias, Abraão escolheu acreditar que Deus permaneceria fiel à Sua promessa. Nem sempre foi fácil e ele lutou para manter a obediência a esse comando de Deus. No final, a grande esperança de Abraão foi confiar em Sua palavra. Sara finalmente engravidou e deu à luz um menino chamado Isaque (Gn 21).

Depois disso, a família de Abraão começou a se multiplicar, exatamente como Deus prometeu. Isaque cresceu e teve filhos gêmeos: Jacó e Esaú (Gn 25). Esses dois irmãos tiveram um relacionamento difícil. Na verdade, todos os membros dessa família lutaram contra o pecado e tiveram momentos de fraqueza. A Bíblia, porém, não faz nenhum esforço para esconder as deficiências deles. Lembre-se, esta é a Verdadeira História de Deus, sobre a Sua fidelidade e para a glória dEle. Deus cumpre Suas promessas mesmo quando nós não cumprimos.

Agora estamos algumas gerações mais perto do Salvador, mas os problemas familiares surgiram outra vez. Jacó, neto de Abraão, que foi mais tarde chamado de Israel, teve doze filhos que se tornaram os fundadores das doze tribos de Israel. O favoritismo pecaminoso de Jacó por um filho, José, gerou um ciúme terrível nos outros filhos. A mágoa e a raiva que sentiam de José levaram os irmãos a vendê-lo como escravo no Egito. Lá, José experimentou imenso sofrimento e foi preso por um crime que não cometeu (Gn 37; 39-40). Mas Deus não parou de executar Seu plano e deu a ele grande sabedoria, que salvou todo o Egito de uma fome terrível (Gn 41). Faraó, o rei do Egito, reconheceu a ligação de José com Deus e o promoveu de prisioneiro a primeiro-ministro.

Durante todo o tempo, **Deus estava agindo em todas as coisas na vida de José para mudar seu coração**. Anos depois, os irmãos de José foram ao Egito em busca de comida. Esse fato deu a José a oportunidade de se vingar, mas em vez de usar seu poder contra os irmãos, ele os *perdoou*. Em uma das expressões de perdão mais repletas de fé, José sabiamente lhes disse: "Vocês planejaram o mal contra mim, mas Deus o tornou em bem, para que hoje fosse preservada a vida de muitos" (Gn 50:20). A fé de José não só abençoou toda a sua família, que passou a ser chamada de israelitas, mas também nos abençoou. Podemos aprender com seu exemplo. Amigo e amiga, **Deus é sempre bom** e age em todas as coisas – mesmo as mais difíceis – para Sua glória e para o nosso bem (Rm 8:28-29).

Por causa da fome e do convite de José, os israelitas se mudaram para o Egito, onde a família de Abraão se tornou uma grande nação. Eles eram tão numerosos que outro faraó – que nada sabia sobre José – sentiu-se ameaçado. Temendo uma revolta, ele escravizou os israelitas. O povo de Deus estava agora acorrentado e clamou ao Senhor por ajuda durante quatrocentos anos.

Quando chegou o momento certo, **Deus escolheu um homem – Moisés – para continuar o plano de salvação.** No início, Moisés resistiu ao convite de Deus, porque se sentiu incapaz – ele não percebeu que ninguém é capacitado por si só para realizar o plano de Deus; só Deus pode fazer isso. Moisés estava com medo, mas confiou no Senhor e confrontou o faraó: "Deixe o meu povo ir" (Ex 9:1). Da mesma forma que fez com Abraão, Isaque, Jacó e José, Deus mudou o coração de Moisés e o testou.

Repetidas vezes o faraó libertava os israelitas e depois voltava a aprisioná-los. Em resposta, Deus mostrou Seu poder e Sua autoridade, enviando pragas terríveis para atormentar o povo egípcio e desgraçar seus falsos deuses. Finalmente, o faraó deixou o povo de Deus partir, mas mudou de ideia e os perseguiu, então Deus os libertou, abrindo milagrosamente um caminho seco no Mar Vermelho, para que os israelitas pudessem atravessar para a liberdade (Ex 1-15).

Cada um desses homens de fé – Abraão, Isaque, Jacó, José e Moisés – recebeu de Deus uma incumbência. Eles cumpriram seu propósito *com* Deus. A obediência deles fluía desse relacionamento de confiança, e da obediência vinham as bênçãos – para eles próprios e para muitas outras pessoas. Por meio de José, Deus salvou todo o Egito da fome. Por meio de Moisés, Deus libertou todo o Seu povo da escravidão. Por meio da descendência de Abraão – Jesus Cristo – Ele nos resgata do pecado.

O mesmo Deus que convocou os patriarcas da nossa fé convoca você. Você está disposto a dizer sim ao convite divino e ao plano dEle para a sua vida?

Deus o escolheu e o colocou exatamente onde você está por um bom motivo – e para cumprir o bom propósito que Ele tem para você. Os patriarcas eram pessoas fracas e imperfeitas, assim como nós. O apóstolo Paulo escreveu: "Irmãos, pensem no que vocês eram quando foram chamados. Poucos eram sábios segundo os padrões humanos; poucos eram poderosos; poucos eram de nobre nascimento. Mas Deus escolheu as coisas loucas do mundo para envergonhar os sábios, e escolheu as coisas fracas do mundo para envergonhar os fortes" (1Cor 1:26-27). Não precisamos de mais dinheiro, educação, tempo livre ou popularidade para atender ao Seu chamado. Se simplesmente confiarmos e obedecermos, Deus cumprirá nosso propósito por nosso intermédio. Você pode começar agora mesmo. **Ame e obedeça a Deus, ame os outros e faça discípulos (comece compartilhando a História de Deus) onde quer que esteja, como só *você* pode fazer.**

Deixe a Bíblia falar:

Isaías 43:1-21 (opcional: Gênesis 12:1-7)

Deixe sua mente refletir:

1. Para onde acha que Deus está levando você hoje? Você está disposto a seguir Deus como Abraão fez? Deus pode guiá-lo por todo o mundo para fazer um trabalho missionário, ou pode levá-lo a atravessar a rua para falar com um vizinho. Você está disposto a ir?

2. Como você pode confiar que Deus transforma tudo – até o mal – em bem? Você já viu Deus extrair algo bom de uma situação ruim na sua vida, como fez com José?

3. Você está disposto a confiar sua fraqueza a Deus, como fez Moisés? Na sua opinião, por que o poder de Deus atua melhor na fraqueza (2Cor 12:9)?

Deixe sua alma orar:

Pai, ajuda-me a cumprir o Teu propósito na minha geração (At 13:36). Ajuda-me a glorificar-Te, completando a obra que me deste para fazer (Jo 17:4). Substitui meu medo por coragem. Substitui minha dúvida pela fé. Substitui minha insegurança pela confiança em Ti. Que Tua vontade seja feita e Teu nome seja glorificado em minha vida... Em nome de Jesus, amém.

Deixe seu coração obedecer:

(O que Deus está levando você a compreender, valorizar ou fazer?)

Seja um embaixador de Jesus Cristo

Portanto, somos embaixadores de Cristo, como se Deus estivesse fazendo o seu apelo por nosso intermédio. Por amor a Cristo lhes suplicamos: Reconciliem-se com Deus.

2 Coríntios 5:20

Há uma armadilha a ser observada em nossa jornada de fé – um perigoso poço de mentiras. O inimigo pode dizer que o que você faz define quem você é, ou que você precisa conquistar o amor de Deus. Nada poderia estar mais longe da verdade. Quando você coloca sua fé em Cristo, você se torna um com Cristo, criado para cumprir seu propósito com Ele. Você age a partir da posição de já ter sido aceito, e não para obter aceitação. Sua identidade em Jesus, como filho perdoado de Deus, está segura (Jo 10:28). E quando abraça a verdade de que a graça do Pai lhe é suficiente (2Cor 12:9), você passa a desejar que outras pessoas também experimentem o amor incondicional de Deus: **sua nova identidade em Jesus o instiga a tornar a identidade de Deus conhecida para o mundo**.

Antes de Jesus voltar ao céu, Ele confiou Sua missão a nós – Seus **discípulos** – para fazermos mais discípulos. Essa missão, chamada de **Grande Comissão**, é tão importante que é

> **Discípulo:**
> Um aluno ou seguidor crente que se apega ao professor, seguindo sua doutrina e conduta de vida.

mencionada cinco vezes em cinco livros diferentes da Bíblia.[1] Na verdade, está ligada à nossa nova identidade:

> Portanto, se alguém está em Cristo, é nova criação. As coisas antigas já passaram; eis que surgiram coisas novas! Tudo isso provém de Deus, que nos reconciliou consigo mesmo por meio de Cristo e nos deu o ministério da reconciliação, ou seja, que Deus em Cristo estava reconciliando consigo o mundo, não lançando em conta os pecados dos homens, e nos confiou a mensagem da reconciliação. Portanto, somos embaixadores de Cristo, como se Deus estivesse fazendo o seu apelo por nosso intermédio. Por amor a Cristo lhes suplicamos: Reconciliem-se com Deus. (2Cor 5:17-20).

A Grande Comissão:
"Então, Jesus aproximou-se deles e disse: Foi-me dada toda a autoridade no céu e na terra. Portanto, vão e façam discípulos de todas as nações, batizando-os em nome do Pai e do Filho e do Espírito Santo, ensinando-os a obedecer a tudo o que eu lhes ordenei. E eu estarei sempre com vocês, até o fim dos tempos.

Mateus 28:18-20

Não importa o que você tenha feito ou sofrido, você se torna nova criatura em Cristo e é enviado ao mundo em uma missão. Você se tornou um cidadão do céu (Fl 3:20) e agora é um embaixador do Reino de Deus aqui na terra. Como José e Moisés, você representa Deus em uma terra estrangeira.

Para representar bem qualquer reino, precisamos conhecê-lo completamente, para podermos fazê-lo com integridade. Primeiro, temos que saber o que o Reino de Deus não é: um reino terreno (Jo 18:36) ou um reino político (Mc 12:13-17) destinado a substituir nossos atuais sistemas de governo. Precisamos ainda obedecer ao império da lei, a menos que ela viole a lei de Deus (Rm 13:1). Jesus disse a Seus discípulos para pagarem impostos (Mt 22:21). Ele nunca perseguiu o poder político. Muito pelo contrário – fugiu quando uma multidão tentou torná-Lo rei à força (Jo 6:15). Mas Jesus exerceu

---

1 Mt 28:19-20; Mc 16:15; Lc 24:47; Jo 20:21; At 1:8. Mais detalhes sobre o cumprimento da Grande Comissão serão incluídos depois.

poder espiritual. Como embaixadores de Jesus, **somos vasos de Seu poder**, para causar um impacto real e positivo no coração espiritual da sociedade. Podemos proteger a vida e promover a justiça, com a ajuda e a orientação do Senhor. Motivados pelo amor, nós O representamos bem.

Como vamos fazer isso? Em primeiro lugar, lembrando que o Deus a quem servimos é incrivelmente gentil, bom e corajoso. Ao longo da história, muitas pessoas morreram para salvar seus reis, mas nosso Rei morreu para nos salvar. Antes de nos chamar para representá-Lo, Ele nos representou, sofrendo a punição por nossos pecados. "Ele levou os nossos pecados em seu corpo na cruz, a fim de que morrêssemos para o pecado e vivêssemos para a justiça" (1Pd 2:24, NVT). Porque Ele nos ama, nós O amamos e queremos representá-Lo bem. Como embaixadores de Jesus, mostramos ao mundo que no Reino de Deus:

- o amor, não o ódio, governa.
- o perdão, não a vingança, cura.
- a humildade, não o orgulho, colhe bênçãos.
- a graça, não o desempenho, reina.

Como embaixadores de Jesus, nós representamos Sua sabedoria. A sabedoria de Deus parece estranha, até mesmo tola, para o mundo (1Cor. 1:20-25). Mas quando O seguimos pela fé, o mundo notará os resultados: "Mas a sabedoria é comprovada pela vida daqueles que a seguem" (Lc 7:35, NVT). Às vezes, até mesmo os incrédulos vivem de acordo com os princípios bíblicos sem perceber: verdade é verdade, independentemente de se acreditar na Palavra de Deus. Sua Palavra nos chama a apontar às pessoas a fonte de toda sabedoria e falar Sua verdade "em amor" (Ef 4:15). As mentes mais brilhantes podem encontrar respostas para suas perguntas mais profundas na Palavra de Deus.[1]

Nós representamos o amor de Jesus. Ao amar e servir os outros de forma prática, espalhamos o amor de Deus a um mundo faminto

---

1 Encontre respostas para as perguntas mais frequentes da Bíblia em respostas.com.br.

de amor. O amor divino flui através de nós para os outros (Jo 15:12). Amamos não "de palavra nem de boca, mas em ação e em verdade" (1Jo 3:18). Não apenas desejamos o bem das pessoas; satisfazemos suas necessidades físicas (Tg 2:16). Jesus enxerga todos esses atos de amor como se fossem oferecidos a Ele próprio. Quando servimos os outros, também O servimos:

> Pois Eu tive fome, e vocês me deram de comer; tive sede, e vocês me deram de beber; fui estrangeiro, e vocês me acolheram; necessitei de roupas, e vocês me vestiram; estive enfermo, e vocês cuidaram de mim; estive preso, e vocês me visitaram.
>
> Então os justos lhe responderão: "Senhor, quando te vimos com fome e te demos de comer, ou com sede e te demos de beber? Quando te vimos como estrangeiro e te acolhemos, ou necessitado de roupas e te vestimos? Quando te vimos enfermo ou preso e fomos te visitar?"
>
> O Rei responderá: "Digo-lhes a verdade: o que vocês fizeram a algum dos meus menores irmãos, a mim o fizeram". (Mt 25:35-40).

Nossas expressões tangíveis de amor tornam visível o Deus que é invisível. "Ninguém jamais viu a Deus; se nos amarmos uns aos outros, Deus permanece em nós, e o seu amor está aperfeiçoado em nós" (1Jo 4:12). O Reino de Deus tem tudo a ver com amor verdadeiro – não apenas em forma de sentimento, mas também de ação. O tipo de amor que existe no Reino de Deus é aquele que se concentra nos outros e depois faz algo a respeito; é um amor com atitude.

O Grande Mandamento:
Respondeu Jesus: O mais importante é este: 'Ouve, ó Israel, o Senhor, o nosso Deus, o Senhor é o único Senhor. Ame o Senhor, o seu Deus de todo o seu coração, de toda a sua alma, de todo o seu entendimento e de todas as suas forças'. O segundo é este: 'Ame o seu próximo como a si mesmo'. Não existe mandamento maior do que estes.

(Mc 12:29-31).

Até mesmo as leis do Reino de Deus fluem de Seu grande amor por nós. No **Grande Mandamento**, nosso Rei ensina que devemos amar a Deus com tudo que temos – coração, alma, mente e força. E devemos amar os outros como amamos a nós mesmos (Mc 12:29-31). Os Dez Mandamentos dão orientações específicas sobre como fazer isso. Os quatro primeiros nos mostram como amar a Deus (Ex 20:1-11) e os seis últimos nos ensinam como amar os outros (Ex 20:12-17). (Toda vez que Deus diz: "Não...", Ele está dizendo: "Não machuque a si mesmo ou aos outros".) Quando começamos a receber o amor genuíno de Deus, podemos, então, derramar esse amor em nossos relacionamentos. É assim que convidamos outras pessoas para o Reino de Deus, para vivenciarem Seu amor *pessoalmente*. "Portanto, somos embaixadores de Cristo, como se Deus estivesse fazendo o Seu apelo por nosso intermédio. Por amor a Cristo lhes suplicamos: 'Reconciliem-se com Deus'" (2Cor 5:20).

Permita que outros experimentem o poder, a sabedoria e o amor de Deus através de você.

Deixe a Bíblia falar:

2 Coríntios 5 (opcional: Êxodos 20:1-17)

Deixe sua mente refletir:

1. De que forma saber que você é um embaixador muda a maneira como enxerga sua vida?

2. Releia a Grande Comissão (Mt 28:18-20). Liste os mandamentos de Jesus. Que promessa Ele deu aos discípulos?

3. Como você pode compartilhar o amor de Deus com alguém hoje? Você pode partilhar comida com um amigo doente, sorrir e cumprimentar uma criança solitária ou encorajar uma alma cansada?

Deixe sua alma orar:

Jesus, obrigado por minha missão como Teu embaixador. Que alegria é compartilhar o amor que derramas sobre mim! Ajuda-me a representar claramente Teu amor neste mundo faminto de amor. Tua Palavra diz que Tu nos atrais a Ti com amor infalível (Jr 31:3). Por favor, atrai as pessoas perdidas para Ti, enquanto compartilho Teu amor com elas... Em nome de Jesus, amém.

Deixe seu coração obedecer:

(O que Deus está levando você a compreender, valorizar ou fazer?)

Olhe para baixo – Discipulando gerações

Uma geração contará à outra a grandiosidade dos teus
feitos; eles anunciarão os teus atos poderosos.
Salmo 145:4

Voltemos à história de Moisés e os israelitas. Depois de uma exibição massiva do poder de Deus, o faraó libertou os israelitas das amarras da escravidão egípcia, mas logo depois que eles partiram, o faraó mudou de ideia e colocou a cavalaria egípcia para persegui-los. Recuados, tendo à frente o Mar Vermelho, os quase dois milhões de israelitas entraram em pânico. Pensaram que não havia saída, até que Deus milagrosamente dividiu o mar e providenciou uma passagem seca. Em seguida, o Senhor fechou as paredes d'água em cima dos cavaleiros e carros de guerra para proteger Seu povo escolhido (Ex 14).

A jornada para a terra prometida por Deus devia ter durado cerca de quatorze dias, porém demorou quarenta anos. Poucos dias após o resgate, eles reclamaram: "Estamos com sede! Estamos com fome!", e chegaram a desejar estar de volta ao Egito (Ex 15-16). Mesmo quando Deus supriu suas necessidades diárias, no surpreendente e inesperado aparecimento de alimento divino (chamado maná), o povo murmurou. Eles se esqueceram de quem era Deus, de Seu amor e Sua bondade. Os israelitas acreditaram na antiga mentira de Satanás, de que Deus estava negando o bem, enganando-os e levando-os ao fracasso (Gn 3:1-5). A dúvida e o medo os paralisaram e eles se recusaram a entrar na Terra Prometida (Nm 13-14). Assim, perderam o privilégio e tiveram que vagar pelo deserto por quatro décadas. **Esquecer é perigoso**.

Quando chegou a hora de Seus filhos entrarem na Terra Prometida, **Deus protegeu os israelitas de seu esquecimento** (Js 3-4). Ele abriu as águas novamente, desta vez do rio Jordão, que estava em sua perigosa fase de inundação. Depois que os israelitas cruzaram o Jordão em terra seca, Deus os instruiu a construírem um memorial de doze pedras escolhidas do meio do rio. Josué explicou o propósito desse memorial:

> Disse ele aos israelitas: "No futuro, quando os filhos perguntarem aos seus pais: 'Que significam essas pedras?', expliquem a eles: 'Aqui Israel atravessou o Jordão em terra seca. Pois o SENHOR, o seu Deus, secou o Jordão perante vocês até que o tivessem atravessado. O Senhor, o seu Deus, fez com o Jordão como fizera com o Mar Vermelho, quando o secou diante de nós até que o tivéssemos atravessado. Ele assim fez para que todos os povos da terra saibam que a mão do SENHOR é poderosa e para que vocês sempre temam o Senhor, o seu Deus". (Js 4:21-24).

Deus sabia que tempos difíceis estavam por vir e que Seu povo poderia se sentir sem esperança. Sua amorosa solução não foi repreendê-los por sua falta de fé, mas lembrá-los por que podiam confiar nEle. As doze pedras empilhadas eram um lembrete visual de Sua fidelidade para todas as pessoas em todos os tempos. Chega de esquecer quem é Deus ou o que Ele fez. Chega de questionar Sua bondade e Seu amor. É hora de nos lembrarmos de Sua total confiabilidade. Por outro lado, esse memorial de pedra nos ajuda hoje a cumprir nosso propósito. Se olharmos para a passagem com atenção, veremos que o memorial foi feito para três grupos de pessoas:

1. **Todas as gerações futuras**.
   "*No futuro, quando os filhos perguntarem aos seus pais... expliquem a eles*" (Js 4:21-22). Cada pessoa decide se ama ou rejeita Deus (Js 24:15). A fé de uma mãe não salva seus filhos. A fé é pessoal, e cada pessoa, em cada geração, enfrenta a mesma escolha. É por isso que Deus instruiu os crentes a ensinarem sua fé à

próxima geração (Dt 6:7). E a maneira mais eficaz de fazer isso é exemplificar a fé autêntica. Jesus nos disse para ensinarmos os Seus mandamentos e a obediência a eles (Mt 28:20).

2. **Todas as nações.**
"Ele assim fez para que todos os povos da terra saibam que a mão do SENHOR *é poderosa"* (Js 4:24). Como Seus embaixadores, compartilhamos o amor de Deus com todas as pessoas, estejam elas do outro lado da rua ou do outro lado do mundo (At 1:8). Deus não coloca limites em Seu amor. Portanto, também não colocamos limites sobre como, onde ou em quem Deus escolhe derramar Seu amor. Amanhã, você verá como alcançamos nossos vizinhos e nações.

3. **Todos os crentes**.
"para que vocês sempre temam o SENHOR, *o seu Deus"* (Js 4:24). Deus deseja que O amemos com afeto genuíno e O respeitemos com íntima reverência e admiração. A partir de um relacionamento saudável e reverente com Deus, "tememos" entristecê-Lo em alguma coisa. Por gratidão sincera, nós O adoramos e obedecemos a Ele. No Dia 19, vamos aprender mais sobre como glorificamos a Deus.

Portanto, ainda hoje, essas pedras memoriais dos antigos israelitas podem nos mostrar *como* viver nosso propósito de amar e obedecer a Deus, amar a todos e fazer discípulos. Uma maneira mais fácil de lembrar nossa mudança *de* posição é mudar *nossa* perspectiva: olhe para baixo, olhe para fora e olhe para cima. Olhamos *para baixo* para discipular a próxima geração, *olhamos para fora* para alcançar nossos vizinhos e nações e *olhamos para cima* para glorificar a Deus.

Hoje, vamos ver como podemos dar passos para discipular a próxima geração. Desde o início, Deus fez disso uma prioridade, porque cada indivíduo tem a escolha de confiar nEle. O Senhor escolheu Abraão especificamente porque ele instruiria a próxima geração (Gn 18:19). Mesmo que você não tenha um filho, Deus vai lhe dar filhos *espirituais* para criar. Discipule-os e ame-os, para que se tornem como seus próprios filhos. O apóstolo Paulo não teve filhos biológicos, mas chamou os muitos crentes que orientou (como Timóteo e Tito) de seus "filhos". Paulo sabia, por experiência própria, que pessoas sem família têm a liberdade de investir em muitas vidas (1Cor 7:32-34).

A maioria das pessoas acha que é complicado discipular os outros, mas veja o exemplo dos apóstolos. Eles discipularam os crentes visitando pessoas, escrevendo cartas e orando por eles. Podemos fazer isso também. A melhor maneira de orientar outras pessoas é devotando seu tempo a elas. Organizar reuniões semanais para promover encorajamento, e para verificar com cuidado se o outro está no caminho certo, é algo poderoso e eficaz – para o seu crescimento também. (Veja "Reuniões semanais" como exemplo.)

Você não precisa ser um especialista antes de começar a discipular outras pessoas. Apenas leiam juntos uma passagem das Escrituras e respondam às perguntas que surgirem. Compartilhe o que está aprendendo, mas faça-o com humildade e gentileza (não com orgulho ou autoritarismo). Se não souber responder a uma pergunta, não há problema em admitir que não sabe. Procure passagens das Escrituras e peça ao Espírito Santo para revelar Sua sabedoria. Embora compartilhar conhecimento seja importante,

---

Encontros semanais

Seja por telefone, on-line ou presenciais, as reuniões semanais são eficazes para o crescimento espiritual. Considere usar este programa simples durante as reuniões:

1. **Passado**: O que fez você se sentir grato desde a semana passada? O que se tornou uma preocupação? Cada um pode compartilhar brevemente. Uma pessoa ora e convida a Deus para liderar esse momento juntos. Em seguida, revejam as metas estabelecidas na semana anterior para verificarem como foi o andamento da semana.

2. **Presente**: O que Deus está ensinando a você hoje? Leiam juntos uma passagem das Escrituras duas vezes e respondam às seguintes perguntas de acordo com a passagem:

   a. O que aprendemos sobre Deus?

   b. O que aprendemos sobre as pessoas? De bom? De mal?

   c. O que Deus quer que saibamos, valorizemos ou façamos?

3. **Futuro**: Como podemos agir a respeito do que aprendemos hoje? Cada pessoa define metas. Termine com uma oração.

(Ver Esboço completo no Apêndice.)

é igualmente importante dar encorajamento. Anime os outros enquanto caminham com Deus. Uma das melhores maneiras de ajudar alguém é compartilhar suas próprias lutas. Fale sobre como Deus curou o seu coração e respondeu às suas orações.

Para compartilhar nossa história, precisamos recordar como Deus atuou em nossa vida e por meio dela. Mas isso pode ser difícil. Temos a tendência de esquecer o amor de Deus derramado sobre nós em Jesus. Em vez disso, podemos focar em necessidades ou orações não atendidas. Deus nos diz repetidamente para lembrar – como fez com os israelitas: "Lembrem-se do que fiz no passado, pois somente eu sou Deus" (Is 46:9, NVT). **Jesus sabia que teríamos dificuldade de lembrar. É por isso que Ele amorosamente nos mandou observar um memorial – a Comunhão, também chamada de Ceia do Senhor.** Quando tomamos a Comunhão, o vinho (ou suco) nos lembra do sangue de Jesus, que foi derramado por nós. O pão nos remete ao corpo de Jesus, que foi partido por nós (Lc 22:17-20; 1Cor 11:23-26). Embora a Comunhão seja apenas para os crentes (1Cor 11:27), quando os incrédulos veem e perguntam sobre essa prática, temos a oportunidade de explicar o sacrifício de Jesus por eles também.

Você pode criar um tesouro familiar para seus filhos, fazendo suas próprias "pedras memoriais". Mantenha um diário de fé ou exponha símbolos que o façam recordar a fidelidade de Deus em sua vida. Esses memoriais o ajudarão a introduzir lições de fé nas conversas cotidianas com a próxima geração. Essas conversas diárias não planejadas – "quando estiver sentado em casa, quando estiver andando pelo caminho, quando se deitar e quando se levantar" (Dt 6:7) – muitas vezes são os momentos em que as maiores lições espirituais são compartilhadas. A fé é transmitida em diálogo contínuo e vivida a cada dia em nossas relações uns com os outros (1Ts 2:8). A próxima geração precisa do conhecimento de Deus mais do que qualquer outra coisa que possamos dar a eles.

O memorial mais convincente do poder de Deus é a transformação de sua própria vida.

Deixe a Bíblia falar:

Deuteronômio 6:1-7 (opcional: Salmo 145)

Deixe sua mente refletir:

1. Devemos ensinar os outros *a obedecerem* a todos os mandamentos de Jesus (Mt 28:20). O que é essencial termos em mente quando ensinamos?

2. Como Deus tem agido em sua vida? Crie uma "lista memorial" de eventos ou orações atendidas que o façam recordar a fidelidade dEle em sua vida.

3. As reuniões semanais são fundamentais para o nosso crescimento, para incentivarmos uns aos outros e verificarmos se estamos no caminho certo com a ajuda dos irmãos e irmãs. Se você não participa de uma reunião semanal, ore para encontrar uma ou comece um grupo. Quem você poderia orientar?

Deixe sua alma orar:

Pai, Tu chamas cada geração (Is 41:4). Tua Palavra diz: "gerações futuras ouvirão falar do Senhor, e a um povo que ainda não nasceu proclamarão seus feitos de justiça, pois ele agiu poderosamente" (Sl 22:30-31). Ao olhar para a próxima geração, mostra-me pessoas a quem eu possa orientar. Ajuda-me a transmitir meu conhecimento sobre Ti e viver a verdadeira fé diante deles... Em nome de Jesus, amém.

Deixe seu coração obedecer:

(O que Deus está levando você a compreender, valorizar ou fazer?)

Olhe para fora – Alcançando vizinhos e nações

Portanto, vão e façam discípulos de todas as nações,
batizando-os em nome do Pai e do Filho e do Espírito Santo,
ensinando-os a obedecer a tudo o que eu lhes ordenei.
Mateus 28:19-20

Deus tinha um plano maior para o memorial de pedra do que fazer apenas os israelitas e seus descendentes recordarem Sua bondade. As pessoas das nações vizinhas também notaram o memorial. Aquela pilha de doze pedras era uma dolorosa lembrança da inferioridade de seus deuses. O Deus de Israel dividiu o Mar Vermelho e o rio Jordão, "para que todas as nações da terra saibam que a mão do Senhor é poderosa" (Js 4:24, NVT). Quando Deus secou o rio Jordão durante a cheia, Ele desgraçou o deus do rio que o povo local adorava. Naquele momento, o Senhor demonstrou às nações: "Eu sou Deus, e não há nenhum outro; eu sou Deus, e não há nenhum como eu" (Is 46:9). "Porque grande é o Senhor, e digno de louvor, mais tremendo do que todos os deuses" (Sl 96:4, ARC). O único Deus verdadeiro envergonhou todos os falsos deuses ao libertar Seu povo.

Como embaixadores do Rei Jesus, proclamamos uma libertação ainda mais surpreendente: a libertação do pecado (Dias 3 e 4). O poder de Deus, agindo na divisão das águas, não era nada, comparado ao poder que Ele "manifestou em Cristo, ressuscitando-o dos mortos" (Ef 1:20, ARC). Abrir caminho para as pessoas cruzarem um rio é um milagre. Criar um caminho para os pecadores retornarem a Ele é ainda mais incrível. Mas Deus fez isso não só para uma nação, mas para *todas* as nações, mesmo aquelas que adoram falsos deuses. Porque Deus sacrificou Seu Filho por todas as nações, devemos contar a todas as nações sobre o sacrifício de Seu Filho.

Dizemos ao mundo até que não haja mais nenhum lugar que não tenha ouvido (Mt 24:14). "Porque Deus *tanto amou o mundo* que deu o seu Filho Unigênito" (Jo 3:16, GRIFO NOSSO). **Jesus veio para o mundo inteiro, não apenas para Israel. Deus disse a Jesus**: "É coisa pequena demais para você ser meu servo para restaurar as tribos de Jacó... Também farei de você uma luz para os gentios, para que Você leve a minha salvação até aos confins da terra" (Is 49:6). Jesus veio para resgatar todas as pessoas, por isso todos nós homens e mulheres nos aproximamos de todas as pessoas, sem nos atentarmos à nacionalidade, ao sexo ou à classe social. Somos todos portadores da imagem de Deus, todos pecadores que precisam da graça. Não podemos permitir que o preconceito, a vergonha ou o desconforto social nos impeçam de falar a alguém sobre Cristo. Pense nas pessoas mais difíceis de amar, nas pessoas mais diferentes de você. Jesus os ama tanto quanto ama você. Ele morreu por elas e deseja resgatá-las. *Então conte a elas.* Como? *Ouvindo, aprendendo* e *amando.*

OUÇA

Ouça o *Espírito Santo* para que Ele o guie. Você pode orar:

- Senhor, dá-me a oportunidade de compartilhar Teu amor com _____. Abre o coração dessa pessoa. Dá-me Tuas palavras (Lc 12:12).
- Senhor, há alguém procurando por Ti perto de mim? Ajuda-me a me conectar com ela..

Ouça as *necessidades.*

- As transições costumam ser momentos na vida das pessoas em que elas buscam orientação e estão prontas para ouvir a Verdadeira História de Deus.

- Durante as provações, elas costumam estar mais conscientes de sua necessidade de Deus. Preste atenção em dificuldades, mágoas, estresse, preocupação, grandes decisões ou ansiedade.

APRENDA

Você ouviu, e o Espírito Santo o inspirou a compartilhar o amor de Jesus. Agora o que você deve fazer? Pergunte. Procure conhecer mais sobre a história da pessoa e peça permissão para compartilhar sua própria história.

1. Conheça a *história da pessoa*, incluindo suas crenças.

A maneira mais eficaz de compreender alguém ou de iniciar conversas espirituais é fazendo perguntas. Não tenha pressa de ouvir as respostas que você recebe. Não corrija o que dizem quando respondem. Ouvir atentamente é uma forma de amar de verdade. Faça uma ou mais das seguintes perguntas:

- Você tem alguma crença espiritual?
- Você acredita em Deus?
  - Se afirmativo, pergunte: "Quem é Deus para você?"
  - Se não, pergunte: "Já houve um tempo em que você pensou que poderia haver um Deus?" (Mesmo se disserem não, você pode fazer a próxima pergunta, para continuar a conversa em uma direção espiritual.)
- Quem você acha que é Jesus? Respostas factuais versus relacionais podem ajudar a compreender a condição espiritual de uma pessoa ("Jesus é o Filho de Deus" é diferente de "Jesus é *meu* Deus".)
- Alguém já compartilhou as boas-novas de Jesus com você antes?
- Você já teve o desejo de ir para o céu? Sabe como chegar lá?

2. Ouça buscando uma conexão e peça para compartilhar *sua história*.

Ouça buscando uma maneira de conectar sua história com a história da pessoa. Seu objetivo não é falar sobre você ou fazer que a conversa seja sobre você, e sim encontrar uma maneira de dizer "Eu entendo" ou

"Eu também já pensei assim". Em seguida, conte como sua vida mudou quando alguém compartilhou a História de Deus com você.

Você pode fazer uma das seguintes perguntas de permissão para decidir se deseja continuar:

- Posso compartilhar as boas-novas que mudaram minha vida?
- Posso compartilhar como formei um relacionamento pessoal com Deus?
- Para alguém passando por dificuldades, pergunte: "Posso compartilhar com você algo que me ajudou a atravessar um momento difícil da minha vida?"

> **Compartilhando sua história em segundos:**
>
> Você sabe como compartilhar sua história com Deus (também chamada de seu testemunho)?
>
> Descreva, em duas palavras, como era sua vida antes de seguir Jesus. Depois, descreva sua vida hoje em dia, em duas palavras ou uma frase. Exemplo:
>
> "Houve um tempo na minha vida em que eu estava [com medo] e a vida parecia [sem esperança].
>
> Então fui perdoado por Jesus e escolhi segui-Lo. Minha vida mudou.
>
> Agora eu tenho [paz] e [propósito] em minha vida. O melhor de tudo é que tenho amizade com Deus. Você tem uma história assim?
>
> Fonte: #NoPlaceleft

Se você não receber permissão para continuar, não force a conversa. Encoraje-a e lhe diga que está disponível, caso queira falar no futuro. Você não falhou; você fez o que Deus o chamou para fazer. Ore silenciosamente por essa pessoa e espere até que suas palavras sejam bem-vindas. Respire fundo e lembre-se de que é responsabilidade de Deus atraí-los para Si (Jo 6:44). Seu dever é ser Sua testemunha.

AME

Compartilhar sua história leva a compartilhar também a História de Deus – a maior de todas as histórias de amor. A maneira mais natural de fazer isso é contando sua história e a de Deus *juntas*. Deus deu a você uma história única que pode ajudar outras pessoas, então não tenha medo de contá-la. Pode ser que sua história envolva a cura de abusos, alegria no sofrimento ou um despertar para os propósitos de Deus em sua vida. Ao compartilhar sua história e a história de salvação de Jesus, lembre-se de incluir quatro componentes essenciais. A mensagem do Evangelho é semelhante às quatro partes da História de Deus que aprendemos na Semana 1. Para recordá-las com facilidade, vamos pensar nelas como se fossem uma receita. O **Pão do Evangelho** requer quatro ingredientes para que o significado completo da mensagem seja transmitido corretamente. Vamos ver quais são eles:

1. **Deus nos ama**: compartilhe como fomos criados por Deus para glorificá-Lo e experimentar Seu amor perfeito. Deus deseja que O conheçamos e tenhamos um relacionamento íntimo com Ele – agora e para sempre. "Porque Deus amou o mundo de tal maneira que deu o seu Filho unigênito, para que todo aquele que nele crê não pereça, mas tenha a vida eterna" (Jo 3:16, NAA).

2. **O pecado nos separa:** compartilhe como o pecado rompeu nosso relacionamento de amor com Deus. Pecar significa abandonar a vontade de Deus em nossas atitudes ou ações. Viver a vida à nossa maneira, e não à maneira de Deus, nos separa dEle, o que resulta em morte (Is 59:2; Rm 6:23). Ninguém está sem pecado. "Porque todos pecaram e destituídos estão da glória de Deus" (Rm 3:23, ARC).

3. **Jesus nos salva:** compartilhe como Deus nos ama tanto que não queria que permanecêssemos separados de Seu amor. Ele enviou Seu único Filho, Jesus, para nos salvar da punição do pecado e nos dar uma vida nova e eterna. "Mas Deus prova o seu amor para conosco, em que Cristo morreu por nós, sendo nós ainda pecadores" (Rm 5:8, ARC). A salvação se dá pela graça de Deus por meio de Jesus Cristo, não por nossos esforços ou boas obras (Ef 2:8-9).

4. **O arrependimento e a fé nos transformam:** compartilhe que, quando abandonamos nossos pecados e confiamos apenas em Jesus como Aquele que nos perdoa e o único Líder de nossa vida, Ele nos torna novas criaturas (2Cor 5:17). Deus restaura nosso relacionamento com Ele nesse momento, e um dia estaremos

com Ele no céu – nosso lar perfeito. "Se você confessar com a sua boca que Jesus é Senhor e crer em seu coração que Deus o ressuscitou dentre os mortos, será salvo. Pois com o coração se crê para justiça, e com a boca se confessa para salvação" (Rm 10:9-10). Fé e arrependimento andam juntos.

É semelhante à estrutura de quatro partes da História de Deus, da Semana 1. A diferença mais significativa que você pode ter notado foi o quarto ingrediente. Arrependimento e fé se referem à escolha de receber a salvação, o dom gratuito de Jesus, que leva a uma nova vida (recriação). Tal como fazer pão sem farinha, o Evangelho sem essas quatro partes "dá errado". (Penseem remover um elemento para ver como isso afeta a mensagem.) O Espírito Santo pode levá-lo a compartilhar a mensagem de Jesus de maneiras diferentes, com pessoas diferentes, em lugares diferentes. Seja como for, sempre inclua todos os ingredientes. (Lembre-se das palavras-chave: *amor, pecado, Jesus, arrependimento e fé.*)

> **Ferramentas para compartilhar sua fé:**
> No Apêndice, você encontrará as ferramentas **Três Círculos** e **Ouça, Aprenda, Ame, Senhor,** para ajudá-lo nessas etapas. Versões semelhantes dessas ferramentas são usadas em todo o mundo. (Baixe as cópias digitais em allinmin.org.)

Compartilhar a mensagem de Jesus exige coragem. As primeiras vezes que temos uma conversa sobre o Evangelho podem parecer um pouco desconfortáveis, mas fica mais fácil a cada vez que apresentamos Jesus a outras pessoas. Se compartilhar sua fé o assusta, lembre-se dos israelitas. Eles entraram em um rio caudaloso para cruzá-lo *antes* de Deus abrir um caminho seco entre as águas. Deus honrou o passo de fé daquele povo, e fará o mesmo por você. Portanto, não acredite na mentira de que as pessoas não querem ouvir sobre Jesus. Numa época em que muitas religiões mundiais são movidas pelo medo, a amorosa mensagem de Jesus é realmente uma boa-nova – a melhor de todas – que você pode partilhar com um mundo ferido.

No céu, veremos uma "grande multidão que ninguém podia contar, de todas as nações, tribos, povos e línguas, de pé, diante do trono e do Cordeiro... clamavam em alta voz: 'A salvação pertence ao nosso Deus, que se assenta no trono, e ao Cordeiro!'" (Ap 7:9-10). Vamos convidar o máximo de pessoas que pudermos para estarem reunidas conosco neste dia!

Deixe a Bíblia falar:

Romanos 10:9-17 (opcional: 1 Pedro 3:15)

Deixe sua mente refletir:

1. Jesus veio para todos. Existe alguém ou algum grupo de pessoas que você considera difícil de amar? Reserve um momento para confessar e se arrepender desse preconceito. Como você pode mostrar a eles o amor de Deus?

2. Complete a ferramenta Ouça, Aprenda, Ame, Senhor, disponível no Apêndice, para se preparar e praticar como compartilhar Jesus com outras pessoas. Revejam essa ferramenta em suas reuniões semanais para verificar o avanço uns dos outros, para praticar e orar.

3. Pratique, com um amigo, compartilhar sua história junto com a História de Deus (pelo menos três vezes).

Deixe sua alma orar:

Pai, Tu és o Criador dos confins da terra. Queres resgatar todas as nações. Tua Palavra diz: "A colheita é grande, mas os trabalhadores são poucos. Portanto, ore ao Senhor que está encarregado da colheita; peça-lhe que envie mais trabalhadores para seus campos" (Mt 9:37-38, NVT). Por favor, envia mais trabalhadores para compartilhar Teu amor, começando por mim. Mostra-me aonde ir e o que dizer... Em nome de Jesus, amém.

Deixe seu coração obedecer:

(O que Deus está levando você a compreender, valorizar ou fazer?)

Olhe para cima – Glorificando a Deus

De todo o meu coração te louvarei, Senhor, meu
Deus; glorificarei o teu nome para sempre.
Salmo 86:12

Hoje vamos descobrir o maior propósito de todos, o propósito final das pedras memoriais dos israelitas, que nos motiva a alcançar gerações, vizinhos e nações,
o propósito de toda a criação,
o propósito de todas as criaturas e
o propósito do próprio Cristo Jesus:
Glorificar a Deus.

Como aprendemos no início desta jornada de fé, **tanto a sua história como a História de Deus são sobre a *glória dEle*.** A devoção de Deus à própria glória pode parecer arrogante, egoísta ou até tirânica – mas não é. Deus não é um de nós. Seus caminhos e Seus pensamentos são mais elevados do que os nossos (Is 55:9). Quando somos devotados primeiro a nós mesmos, somos arrogantes, mas quando Deus é devotado primeiro a Si mesmo, Ele é justo. Deus não se parece em nada com um tirano.

- Um tirano toma, mas Deus dá (At 17:25).
- Um tirano exige trabalho, mas Deus oferece descanso (Mt 11:28).
- Um tirano se apega ao poder, mas Deus desistiu de Seu poder (Fl 2:5-11).

- Um tirano mata seus inimigos, mas Deus (na forma humana de Jesus) morreu para salvar Seus inimigos (Rm 5:10).

Deus não é um tirano. Essa é uma mentira do inimigo que O caluniou desde o princípio. Ele nos conta mentiras semelhantes, mas, por favor, não acredite nelas. Deus não nos engana, não nos manipula, não esconde as coisas boas de nós, nem se aproveita de nós (Nm 23:19).

Quando olhamos para cima, para glorificar a Deus, não nos curvamos diante de um tirano; mas nos deleitamos em um Pai bondoso. Celebramos Seu amor, admiramos Seu poder e descansamos em Sua paz. Ele é tão bom e tão digno de nosso louvor! Vamos parar um momento para pensar profundamente sobre quem é o único Deus verdadeiro. **Leia estes versículos em voz alta** para guiar seu entendimento. Abaixo deles, você encontrará espaço para anotar as descrições bíblicas de Deus que mais lhe agradam.

Meu Deus é...

- o *Alfa e o Ômega, o Primeiro e o Último, o Princípio e o Fim* (Ap 22:13).

- o *Deus compassivo e misericordioso, paciente, cheio de amor e de fidelidade* (Ex 34:6).

- *Deus dos deuses e o Soberano dos soberanos, o grande Deus, poderoso e temível* (Dt 10:17).

- *Maravilhoso Conselheiro, Deus Poderoso, Pai Eterno, Príncipe da Paz* (Is 9:6).

-

-

Você se sente sensibilizado? Grato? Maravilhado? Reserve um momento para se sentar em silêncio e adorar a Deus. Ele é o único digno de todo o nosso louvor (Dt 10:21). Ele é tudo de bom, amável, sábio, puro, belo, heroico e verdadeiro. Como o salmista escreveu: "Tu és o meu Senhor; não tenho bem nenhum além de ti" (Sl 16:2).

Por que glorificamos a Deus? Deus nos criou para Sua própria glória (Is 43:7). Só Ele é digno de nosso louvor (Sl 145:3).

Como glorificamos a Deus? Nós glorificamos a Deus amando, louvando, obedecendo e *temendo a Ele*.

Podemos nos perguntar como glorificamos a Deus ao temê-Lo. A palavra **temor** na Bíblia tem muitos significados, mas, nesse contexto, *temor* significa respeito e admiração pela pessoa, poder e posição de Deus. Como podemos amar alguém que tememos ou temer alguém que amamos? Amar a Deus e temê-Lo acontecem juntos.

Pense em qual é o resultado quando fazemos um sem o outro. O que pode acontecer se temermos a Deus, mas não O amarmos? Manteremos distância. Faremos o que Ele manda, mas poderemos não buscar um relacionamento com Ele. Quando ouvimos que Deus é majestoso em santidade e temeroso em Seus atos (Ex 15:11), podemos nos sentir indignos. Sabemos que a posição de Deus permite que Ele julgue o pecado, diante disso, podemos nos preocupar com o que Ele fará se cometermos um erro.

Vemos nas páginas das Escrituras que Deus não é glorificado no temor sem amor. Um mestre da lei confronta Jesus com a pergunta final: "Qual é o mandamento mais importante?" A lei judaica continha 613 mandamentos[1] que foram acrescentados aos Dez Mandamentos ao longo do tempo, e esse mestre da lei provavelmente estava exausto, tentando guardar todos esses mandamentos. Ele temia a Deus, mas será que O amava? Reflita sobre a resposta de Jesus:

> **Temor a Deus:**
> Respeito e admiração pela pessoa, poder e posição de Deus. Com autêntico afeto por Deus, os crentes "temem" entristecê-Lo.

---

1 "O mandamento 613 foi incluído no terceiro século d.C pelo Rabino Simlai, que dividiu as 613 mitzvot em 248 mandamentos positivos (o que fazer) e 365 mandamentos negativos (o que não fazer). Desde que esse número foi anunciado pela primeira vez, muitos se dedicaram a enumerar os 613 mandamentos. Certamente, a lista de maior importância histórica é a Lista de Maimônides, em seu *O livro dos mandamentos*, do século 12." MITZVOT. *In*: RELIGIONFACTS. COM. [S. l.], 22 June 2017. Disponível em: www.religionfacts. com/mitzvot.

Respondeu Jesus: "O mais importante é este: 'Ouve, ó Israel, o Senhor, o nosso Deus, o Senhor é o único Senhor. Ame o Senhor, o seu Deus de todo o seu coração, de toda a sua alma, de todo o seu entendimento e de todas as suas forças'". (Mc 12:29-30).

Embora esse mestre temente a Deus guardasse a lei, Jesus lhe disse que amar a Deus era o mais importante. Ele disse isso porque o temor sem amor não exprime relacionamento. **Lembre-se de que o propósito de amar e temer a Deus não é entrar no céu, mas entrar em um relacionamento com seu Pai celestial.** O medo de uma eternidade longe de Deus pode ter levado você a seguir Jesus, mas conforme O recebe e O conhece, seu amor cresce e o temor se transforma. Você não tem mais medo de Deus porque o amor perfeito lança fora o medo (1Jo 4:18). E cresce dentro de você um temor reverencial por Ele, fazendo com que O ame e O adore com tudo o que você é.

Vamos ponderar o que acontece se amamos a Deus, mas não O tememos: nós O tratamos de forma casual, com pouca consideração por Sua posição ou Seus mandamentos, e ignoramos as consequências de escolhas pecaminosas. Podemos subestimá-Lo. Com frequência, vemos isso nos relacionamentos humanos. Às vezes, tratamos aqueles a quem mais amamos pior do que tratamos os estranhos.

Isso explica por que o último propósito das pedras memoriais dos israelitas era "que vocês sempre temam o Senhor, o seu Deus" (Js 4:24). Deus queria um relacionamento justo com Seu povo escolhido e com as gerações que viriam depois deles. Grandes bênçãos – tesouros – foram prometidas àqueles que temem a Deus (Is 33:6), tanto naquela época quanto agora:

- **Temer a Deus nos protege de querer agradar aos outros**. Jesus fez que os discípulos temessem a Deus, não a outras pessoas (Mt 10:28). Temer a Deus pode salvá-lo da armadilha perigosa de buscar a aprovação ou o louvor das pessoas em vez da glória de Deus (Pr 29:25; Jo 5:44).
- **Temer a Deus nos torna corajosos**. Outros temores desaparecem quando realmente tememos a Deus (Mt 10:28; Hb 13:6).
- **Temer a Deus nos torna sábios**. "O temor do Senhor é o princípio da sabedoria" (Pr 9:10).

- **Temer a Deus nos protege do pecado**. Se temermos a Deus, odiaremos o pecado, porque ele viola Sua natureza e atrapalha nosso relacionamento com o Senhor. Quando O tememos, fugimos do pecado (Pr 16:6). Temer a Deus e fugir do pecado nos protegerá das consequências perigosas do pecado e pode até prolongar nossa vida (Pr 10:27).

Mas temer a Deus e reverenciá-Lo nem sempre é algo espontâneo em nós. Nossa natureza pecaminosa nos leva a ignorar Sua glória e inflar a nossa. Nesse caso, que passos podemos dar para desenvolver um temor com amor a Deus?

- **Peça-Lhe ajuda**. Peça a Ele para torná-lo reverente, ensinando-o os caminhos dEle (Sl 86:11).
- **Reflita sobre Sua Palavra**, especialmente em versículos como os listados acima, que descrevem Seu caráter. A revelação de Deus em Sua Palavra deve nos fazer tremer (Sl 119:120).
- **Aprecie a beleza e o poder da criação**. Leia o Salmo 19 e observe como a glória de Deus na criação leva nosso coração a temê-Lo.[1]
- **Relembre Suas obras poderosas**. Como os israelitas, lembre-se de tudo o que Ele fez por você. Pense em Suas obras poderosas – na criação, na história humana e em sua própria vida – todos os dias (Sl 77:11-12).

Amar e temer a Deus atuam juntos, de forma poderosa, para glorificarmos e obedecermos a Ele. Jesus disse: "Quem tem os meus mandamentos e lhes obedece, esse é o que me ama. Aquele que me ama será amado por meu Pai, e eu também o amarei e me revelarei a ele" (Jo 14:21). Ao guardarmos Seus mandamentos para alcançar gerações, vizinhos e nações com o amor de Deus...

A glória de Deus é a nossa motivação,
A glória de Deus é a nossa mensagem,
A glória de Deus é nosso objetivo, e
A glória de Deus é nossa recompensa!

---

1 Para ter uma visão humilde da majestade de Deus no universo, leia a resposta de Deus a Jó em que Ele descreve o projeto e a administração da criação (Jó 38-42).

DIA 19

Deixe a Bíblia falar:
Salmo 19 (opcional: Salmo 128)

Deixe sua mente refletir:
1. Leia o Salmo 19 e observe onde e quando a glória de Deus é revelada. Temer a Deus é um ato puro (v. 9) e a resposta certa à Sua glória. Na sua opinião, por que Deus merece glória?

2. Por que é importante amar e temer a Deus?

3. De que forma amar e temer a Deus o motiva a cumprir seus propósitos?

Deixe sua alma orar:
Senhor, Jesus clamou a Ti: "Pai, glorifica o teu nome!" (Jo 12:28). Eu também quero Te glorificar. Ensina-me a Te amar com reverência e a realizar Tua obra... em Tua força... para Tua glória somente. "Exalta-te sobre os céus, ó Deus, e a tua glória sobre toda a terra" (Sl 108:5, ARC)... Em nome de Jesus, amém.

Deixe seu coração obedecer:
(O que Deus está levando você a compreender, valorizar ou fazer?)

Glorifique a Deus em adoração

Todas as nações que tu formaste virão e te adorarão, Senhor, glorificarão o teu nome.
Salmo 86:9

Se você já foi a um culto na igreja, provavelmente já foi chamado para adorar. Alguém anuncia: "Venha, vamos adorar o Senhor". Em reuniões ao redor do mundo, a música começa e todos se levantam para cantar juntos. Embora a adoração musical envolva instrumentos e canto, há muito mais acontecendo. Não é um aquecimento para o sermão. Não é hora de se divertir. Unimos nossos corações e vozes como uma oferta de louvor pelo valor infinito de Deus. Mas adorar é mais do que participar da adoração *musical*. É mais do que cantar uma música. Quando O adoramos, nós nos conduzimos ao Pai celestial. Tudo o que somos, tudo o que fazemos, oferecemos – tudo – a Ele, para glorificá-Lo.

Ontem vimos como amar e temer a Deus atuam juntos para glorificá-Lo. **Esse temor amoroso ao Senhor – nosso temor reverente e profundo amor por Ele – transborda em adoração**. No Dia 9, aprendemos:

- Adoração é a admiração por tudo o que governa nosso coração.
- Adoração é adorar quem é Deus e o que Ele fez.
- Adoração é nos oferecermos a Deus. Todas as coisas – cantar, falar, trabalhar, brincar, servir e até mesmo sofrer – tornam-se atos de adoração quando as fazemos para glorificá-Lo.
- A adoração é reservada apenas a Deus.

Agora que definimos a adoração – *aquela que glorifica a Deus* –, vamos descrever como ela acontece na prática. Como você pode glorificá-Lo em adoração?

Adore com paixão. Nossa adoração flui de nosso relacionamento íntimo com Deus, e abrange tanto a Verdade, o que sabemos sobre Ele, quanto o Espírito – e nos permite ter uma satisfação plena nEle (Jo 4:23-24). A Bíblia nos convida a louvar ao Pai celestial com alegria e ação de graças. Mas *quando a Bíblia fala em adoração*, o tom muda. "Venham! Adoremos prostrados e ajoelhemos diante do Senhor, o nosso Criador, pois ele é o nosso Deus" (Sl 95:6-7). A descrição de adoração quase sempre inclui o ato de ajoelhar-se ou curvar-se; uma postura externa que representa a mudança interna do coração, refletindo humildade e rendição. Nós nos humilhamos ao perceber quem estamos adorando – Aquele cujas estrelas declaram Sua glória. Aquele diante de quem as montanhas e a terra tremem (Na 1:5). Se toda a natureza adora com paixão, nós também podemos. A adoração pessoal e apaixonada é um reconhecimento sincero de Deus como o legítimo Senhor de nossa vida.

Adore com atenção. Podemos glorificar a Deus ignorando ou silenciando as distrações e direcionando toda a nossa atenção para Aquele que adoramos. Feche seus olhos. Baixe a cabeça. Faça o que for necessário para se concentrar nEle. Convide o Espírito Santo para aumentar a consciência que você tem de Sua presença. Aprenda a reconhecer os pensamentos de Deus moldando os seus pensamentos enquanto você adora e lê Sua Palavra. Permita que Ele o convença, encoraje e console, à medida que você cresce em seu relacionamento com Ele. "[Olhe] para Jesus, autor e consumador da fé" (Hb 12:2, ARC), para glorificá-Lo em adoração.

Adore com generosidade. Adoramos tudo aquilo que governa nosso coração, mas podemos influenciar o que governa nosso coração por meio de nossos recursos. "Pois onde estiver o seu tesouro, aí também estará o seu coração" (Mt 6:21). Dar é um privilégio que abraçamos porque amamos ao Senhor e queremos ver Seu reino avançar. "Lembrem-se: aquele que semeia pouco, também colherá pouco, e aquele que semeia com fartura, também colherá fartamente. Cada um dê conforme determinou em seu coração, não com pesar ou por obrigação, pois Deus ama quem dá com alegria" (2Cor 9:6-7).

Deus quer que desfrutemos das coisas boas que Ele nos dá, mas também nos ordena que usemos esses recursos para apoiar aqueles que pregam Sua Palavra.[1] Conforme aprendemos no Dia 16, quando atendemos às necessidades dos outros, servimos ao próprio Jesus (Mt 25:40). Use seu dinheiro para fazer o bem e ajudar os necessitados (2Cor 8-9; 1Tm 6:17-19). Mas quanto dar e com que frequência? "No primeiro dia da semana, cada um de vocês separe uma quantia, de acordo com a sua renda" (1Cor 16:2). Doe de forma individual, regular e proporcional. Lembre-se de que tudo é propriedade divina (Sl 24:1; 50:10).[2] **Devemos ser bons mordomos, responsáveis perante Deus pelo modo como gastamos o que Ele nos confiou**. "Vocês receberam de graça; deem também de graça" (Mt 10:8). Deus entende nossas circunstâncias de vida e enxerga o coração de cada um que oferta.

O dinheiro não é nosso único recurso. **Também temos tempo para doar e talentos para compartilhar**. "Sejam ricos em boas obras... generosos e prontos para repartir" (1Tm 6:18). Como embaixador de Deus, dedique seu tempo investindo em relacionamentos. Quando cuidamos dos enfermos, falamos de esperança às almas cansadas e compartilhamos Jesus com os outros, estamos doando de maneiras que edificam o Reino de Deus.

Adore com sinceridade. Deus nos conhece melhor do que nós mesmos. Ele sabe quando você se sente frio, apático ou até quando está com raiva. Seja honesto com Ele e expresse seus sentimentos

---

1 Mt 10:10; Lc 10:7; 1Cor 9:6-14; e 1Tm 5:17-18.
2 BLUE, Ron; GUESS, Karen. *Never enough?*: three keys to financial contentment. Nashville: B&H Publishing Group, 2017. p. 20.

Dar é um assunto entre você e Deus. Ele entende as circunstâncias de sua vida e enxerga o coração de quem faz a oferta. Jesus reconheceu a generosidade de dois adoradores: um deu pouco e o outro deu muito, mas *ambos* deram de forma sacrificial. A primeira, uma viúva pobre, deu apenas alguns centavos, mas era tudo o que ela tinha para viver. Jesus percebeu e elogiou seu dom de sacrifício (Lc 21:3-4). A segunda mulher derramou um frasco de perfume caro como um ato de adoração ao seu libertador (Jo 12:3-9). Alguns viram sua generosidade como um desperdício absurdo, mas Jesus reconheceu o coração sacrificial por trás de seu presente. **Deus não Se atém ao tamanho da sua oferta; Ele olha para o seu coração.**

em oração. (Leia o livro de Salmos para encontrar exemplos emocionantes.) Em nossa jornada de fé, passaremos por diferentes períodos na vida que afetam nossa adoração. Pense em como você pode adorar a Deus nas três épocas listadas abaixo:[1]

- **A Época da Satisfação: Você se deleita em Deus?** Você está absolutamente satisfeito com Deus e cheio de alegria? Dê graças e regozije-se nEle por isso. "Tu me satisfazes mais que um rico banquete; com cânticos de alegria te louvarei" (Sl 63:5, NVT). "Ainda assim eu exultarei no SENHOR e me alegrarei no Deus da minha salvação" (Hab 3:18).
- **A Época do Anseio: Você deseja Deus?** Você anseia por Ele, mas lhe falta um profundo senso de alegria na presença de Deus, porque as coisas da vida o estão consumindo? "Como a corça anseia por águas correntes, a minha alma anseia por ti, ó Deus. A minha alma tem sede de Deus, do Deus vivo" (Sl 42:1-2). Ore para que Ele o encha de alegria em Sua presença (Sl 16:11), para que você tenha prazer em adorá-Lo (Sl 43:4).
- **A Época do Desânimo: Você se sente frio?** Você se sente espiritualmente estéril, embora esteja arrependido? Admitir suas dificuldades e pedir ajuda a Deus é uma maneira sincera de adorá-Lo: "Quando o meu coração estava amargurado e no íntimo eu sentia inveja, agi como insensato e ignorante; minha atitude para contigo era a de um animal irracional" (Sl 73:21-22). Peça a Deus para reacender seu amor por Ele, revigorar seu relacionamento com Ele, e ajudá-lo a ser

---

1 Adaptado de MICHAEL, Sharp; MILLER, Mike. "Worship Leadership" intensive class notes: three stages of worship. *In*: NEW ORLEANS BAPTIST THEOLOGICAL SEMINARY, 2014, New Orleans. *Anais* [...]. New Orleans, May 2014.

Aquilo em que colocamos nossa atenção ganha força, se expande (Dia 9). Observe o que consome seus pensamentos para não perder tempo, talento e dinheiro com coisas sem importância. Você pode acabar adorando essas coisas e não a Deus. Se você adora algo, você se torna parecido com o seu objeto de adoração (Sl 115:8). Se adorar o dinheiro, vai se tornar ganancioso. Se adorar a beleza, vai se tornar vaidoso. Portanto, fique longe de ídolos (1Jo 5:21). Não adore falsos deuses (tanto coisas como falsos ensinamentos).

obediente: "Devolve-me a alegria da tua salvação e sustenta-me com um espírito pronto a obedecer" (Sl 51:12).

Adorem juntos. Quando nos encontramos na época do desânimo, podemos ser tentados a nos separar dos outros. A solidão e o silêncio são boas formas de adoração. Mas um período de isolamento prolongado nos deixa mais vulneráveis aos ataques do inimigo. A solução é fazer o exato oposto: adore junto com seus irmãos na fé. Deus nos dá o corpo de crentes perto de nós para nos reunirmos em adoração a Ele e para ajudarmos uns aos outros. Ele nos instrui que "consideremo-nos uns aos outros para incentivar-nos ao amor e às boas obras. Não deixemos de reunir-nos como igreja, segundo o costume de alguns, mas procuremos encorajar-nos uns aos outros" (Hb 10:24-25). Ao nos reunirmos para adorá-Lo, nós nos oferecemos a Ele e uns aos outros. A igreja primitiva exemplificou de forma muito bonita a adoração coletiva, e o Senhor aumentou seu número (At 2:42-47). O compromisso ativo com uma igreja local é essencial para nossa saúde espiritual e é considerado uma alta prioridade para Jesus.[1] "Cristo amou a igreja e entregou-se a si mesmo por ela" (Ef 5:25). Fomos feitos para adorar juntos como parte da família de Deus – aqui e no céu.

Amigo e amiga, não importa em que época de adoração você está hoje...
adore a Deus com paixão, sem reservas;
adore-O com atenção, fixando os olhos em Jesus;
adore-O com generosidade, oferecendo tudo o que tem em serviço a Ele;
adore-O com sinceridade, expressando o verdadeiro estado do seu coração;
adore-O com outras pessoas, encorajando uns aos outros a amar a Deus, amar a todos e fazer discípulos.

Essa é a adoração que O glorifica.

---

1 Leia "Como encontrar uma boa igreja" no Dia 12.

Deixe a Bíblia falar:
Salmo 103 (opcional: Salmo 100)

Deixe sua mente refletir:
1. Você adora com paixão, atenção, generosidade e sinceridade? Qual destes é mais fácil para você? Qual é o mais difícil? Reflita sobre as razões de sua facilidade ou dificuldade.

2. Descreva em que época de adoração você está agora: Satisfação, Anseio ou Desânimo?

3. Você está adorando com outros crentes de uma igreja local? Se não, ore pedindo a Deus para conduzi-lo a uma igreja que ensina a Bíblia (Dia 12) ou comece a fazer reuniões semanais (Dia 17).

Deixe sua alma orar:
Pai, enquanto Te adoro, faz com que tudo o mais – todas as pessoas ao meu redor, todos os problemas que enfrento – desapareça. Mantém meus olhos fixos em Ti, meu coração leal a Ti e meus recursos devotados a Ti, somente para Tua glória... Em nome de Jesus, amém.

Deixe seu coração obedecer:
(O que Deus está levando você a compreender, valorizar ou fazer?)

Adore a Deus em meio à dor

Por que você está assim tão triste, ó minha alma? Por que está assim tão perturbada dentro de mim? Ponha a sua esperança em Deus! Pois ainda o louvarei; ele é o meu Salvador e o meu Deus.
Salmos 42:5-6

A adoração pode parecer fácil quando a vida está tranquila e indo bem, mas quando a vida é difícil, adorar também pode ser custoso. Quando sofremos, podemos não sentir a bondade de Deus. Às vezes, tudo o que sentimos é dor. Mas essa mesma dor torna puro o louvor dos corações sofredores, porque mostra uma feroz lealdade a Deus – somente a Ele e não apenas ao que Ele pode fazer por nós. A adoração oferecida apesar do desconforto é quase sempre isenta de motivos egoístas e faz o inimigo fugir.

Satanás luta contra a adoração. Ele foi banido do céu porque tentou roubar a glória de Deus, como se isso fosse possível. Desde então, ele tem se vingado (Dia 3), travando guerra contra a glória de Deus, tentando roubar nossa adoração. O sofrimento nos coloca na linha de frente dessa batalha pela glória, pois o inimigo tenta tirar proveito de nossa fraqueza (1Pd 5:8). Ele nos conta mentiras sobre Deus, para impedir nossa adoração (Jo 8:44). Questiona Sua bondade, calunia Seus motivos e ignora Sua glória (2Cor 4:4). E ele [Satanás] conhece o coração de amor que Deus tem pela raça humana, então quer derrotar Seu propósito de transformá-los em grandes e bons adoradores dEle, cheios de alegria. Ele quer frustrar o grande desejo do coração de Deus.[1]

A adoração derrota as trevas. Quando a escuridão domina você e o mal destrói seu coração, a última coisa que lhe dá vontade de fazer é adorar. Mas adorar a Deus é exatamente o que devemos fazer nessas horas.

Você está dizendo a Deus que crê nEle por quem Ele diz ser:

Seu Protetor (Sl 91).
Seu Consolador (2Cor 1:3-4).
Seu Provedor (Fl 4:19).
Seu Médico (Sl 103:2-4).
Seu Fiel e Verdadeiro Juiz (Ap 19:11).
Seu Bom Pastor (Jo 10:11).
Seu Senhor e Seu Deus (Jo 20:28).

Se o inimigo o sufoca com a ansiedade, adore a Deus em agradecimento, pedindo-Lhe ajuda e confiando a Ele o resultado. Ore: "Jesus, o Senhor decide o que é melhor", e entregue a Ele todos os seus fardos porque Ele cuida de você (1Pd 5:7). "Não vivam preocupados com coisa alguma; em vez disso, *orem a Deus* pedindo aquilo de que precisam e *agradecendo-Lhe por tudo que Ele já fez*" (Fl 4:6, GRIFO NOSSO, NVT). **Esse versículo contém a chave para superar a ansiedade, a preocupação e o estresse: oração de agradecimento**. A gratidão nos faz lembrar quem é Deus e o que Ele fez. O versículo seguinte continua: "Então vocês experimentarão a paz de Deus, que excede todo entendimento" (Fl 4:7, NVT). Quando respondemos com adoração, gratos pela grandeza de Deus, nossos problemas parecem menores.

Se o inimigo o sufoca com a depressão, adore a Deus elevando sua voz a Ele. Seu foco mudará de você mesmo para o Deus Todo-Poderoso e amoroso. Confie nEle para erguê-lo da escuridão e transformar o seu desespero em um "um manto de louvor" (Is 61:3). "Ele me tirou de um poço de destruição, de um atoleiro de lama; pôs os meus pés sobre uma rocha e firmou-me num local seguro" (Sl

---

1 KELLER, Timothy. *Walking with God through pain and suffering*. London: Hodder & Stoughton, 2015. p. 273.

40:2). Quando se sentir deprimido, leia o livro de Salmos. Destaque cada versículo que acalma sua alma com palavras de esperança. Os versos traduzem nossas tristezas em palavras e as envolvem no amor e na fidelidade de Deus. **A adoração declara a bondade inabalável de Deus, a vitória que Ele já conquistou (1Cor 15:57).**

Louvar a Deus em meio à dor não é o mesmo que ignorá-la. Louvar em meio à dor significa que você lida com ela derramando-a nos ouvidos dAquele que o conhece, o ama e Se aproxima de você. Muitos salmos estão repletos de explosões emocionais, tanto negativas quanto positivas, mas são sempre direcionadas a Deus.

Ser sincero com Ele sobre nossa dor também ajuda a nos protegermos contra qualquer amargura que tente se enraizar em nosso coração (Hb 12:15). Há uma grande diferença entre a amargura que amaldiçoa a Deus e àqueles que consideramos responsáveis por nossa dor, e a tristeza segundo Deus, que O honra. A amargura nos *afasta* de Deus; a tristeza segundo Deus nos *aproxima* dEle. É muito melhor clamar a Deus e contar-Lhe tudo do que se afastar dEle. Afastar-se geralmente leva a uma mentalidade egocêntrica e a comportamentos negativos; tratamos dos problemas com nossas próprias mãos e perpetuamos a angústia. Se você se sentir confuso e magoado, não há problema em perguntar a Ele: "Por quê?". Jesus fez perguntas. Na cruz, clamou: "Meu Deus! Meu Deus! Por que me abandonaste?" (Mt 27:46).

Jesus fez perguntas, mas nunca questionou Sua bondade. Ele sabia que a vontade de Seu Pai era o melhor – mesmo que isso Lhe trouxesse sofrimento temporário – e nunca vacilou nessa confiança. Até o último suspiro, Jesus confiou Sua dor a Ele (Lc 23:46).

Se Deus parece estar em silêncio, isso não significa que está ausente. A adoração em meio à dor elevará seu olhar a Deus e o tornará mais consciente de Sua presença. Existe uma intimidade com Deus experimentada por meio do sofrimento. "O Senhor está perto dos que têm o coração quebrantado e salva os de espírito abatido" (Sl 34:18). Louvá-Lo em meio à dor nos aproxima dEle e traz bênçãos que só vêm quando nossa fé é posta à prova. O pecado e o sofrimento que ele causa nunca fizeram parte do plano original de Deus. No entanto, em Seu amor perfeito, Ele se dispôs a vir à terra e experimentar pessoalmente a dor – sofrer em nosso lugar para acabar com o pecado de uma vez por todas. Quando Cristo retornar, Sua vitória sobre o pecado e o sofrimento será totalmente realizada. Até lá, o Senhor nos dá força para perseverar – e até mesmo encontrar alegria (Tg 1:2) – em nossa dor presente, enquanto aguardamos o dia em que Ele vai tirar nossa dor para sempre (Ap 21:4).

Você já experimentou alguma perda? No que se acredita ser o livro mais antigo da Bíblia, um homem chamado Jó perdeu todos os seus bens, seus filhos e sua saúde, mas não deixou de expressar sua tristeza ao se curvar e louvá-Lo: "Então prostrou-se no chão em adoração, e disse: 'Saí nu do ventre da minha mãe, e nu partirei. O Senhor o deu, o Senhor o levou; louvado seja o nome do Senhor'" (Jó 1:20-21). Adorar, mesmo em sua dor, provou a lealdade de Jó a Deus.

Você foi traído? Um dos doze discípulos, Judas, traiu Jesus, entregando-O às pessoas que O crucificariam. Jesus sabia que seria traído, mas ainda assim louvou a Seu Pai (Mt 26:14-30). Quando um amigo querido traiu Davi, ele orou e contou a Deus seus sentimentos. Davi escreveu: "Se um inimigo me insultasse, eu poderia suportar; se um adversário se levantasse contra mim, eu poderia defender-me; mas logo você, meu colega, meu companheiro, meu amigo chegado... Eu, porém, clamo a Deus, e o Senhor me salvará" (Sl 55:12-13, 16). Adorar, apesar da traição, demonstrou a confiança de Davi em Deus.

Você está sendo perseguido? O apóstolo Paulo sofreu perseguição, mas louvou a Deus. Mesmo acorrentado, escreveu: "Alegrem-se sempre no Senhor. Novamente direi: alegrem-se!" (Fl 4:4). Adorar, apesar da perseguição, provou a confiança de Paulo em Deus.

Você é pobre? Deus advertiu Habacuque que a pobreza em breve afligiria seu povo, e o profeta louvou a Deus: "Mesmo não florescendo a figueira, não havendo uvas nas videiras; mesmo falhando a safra de azeitonas, não havendo produção de alimento nas lavouras, nem ovelhas no curral nem bois nos estábulos, ainda assim eu exultarei no Senhor e me alegrarei no Deus da minha salvação" (Hab 3:17-18). A adoração, apesar da pobreza, provou a fé de Habacuque em Deus.

Você não está sozinho em sua dor e sofrimento. Muitas pessoas de gerações passadas louvaram a Deus em meio à dor (Hb 11). Muitos em nossa geração também adoram em meio ao sofrimento. Busque outras pessoas que seguem Jesus. Tenha cuidado para não se isolar; a solidão apenas abre a porta para a tentação e o desânimo. Quando estiver sofrendo, mantenha-se conectado com irmãos e irmãs da sua igreja (Hb 10:25). Quando Deus o restaurar, ofereça o conforto que você recebeu dEle para consolar outros (2Cor 1:3-7).

Adore a Deus em meio à dor e confie nEle para ajudá-lo a atravessar os dias mais difíceis. Ele está agindo, mesmo quando não vemos ou sentimos. Deus sempre é digno de sua adoração.

Deixe a Bíblia falar:

Salmo 42 (opcional: Romanos 8:18-39)

Deixe sua mente refletir:

1. Você está atualmente em uma situação de dor ou sofrimento? Em caso afirmativo, o que significa para você adorar a Deus em meio à dor? Se não, como uma experiência passada de sofrimento poderia ter sido diferente se você tivesse adorado a Deus naquele momento?

2. Responda às perguntas para discussão da Semana 3.

Deixe sua alma orar:

Pai, Tu vês meu sofrimento. Tu pegas minhas lágrimas e as guardas num jarro (Sl 56:8). Trago a Ti a minha dor. Ajuda-me a Te adorar em meio ao sofrimento, sabendo que Tu és meu Médico, meu Consolador e meu Libertador. Aprofunda minha amizade com outros crentes, para que possamos compartilhar o conforto que recebemos de Ti... Em nome de Jesus, amém.

Deixe seu coração obedecer:

(O que Deus está levando você a compreender, valorizar ou fazer?)

SEMANA 3 – PERGUNTAS PARA DISCUSSÃO:

Revise as lições desta semana e responda às perguntas abaixo. Compartilhe suas respostas com seus amigos durante a reunião semanal.

1. Você é um embaixador de Jesus? O que isso significa para você?

2. Os patriarcas bíblicos partilhavam do nosso mesmo propósito, mas cada um o cumpriu de maneira diferente. Que dons, habilidades ou talentos Deus lhe deu? Ele está chamando você para fazer algum trabalho ou alcançar um grupo específico de pessoas? Quais serão seus próximos passos para cumprir esse propósito?

3. Jesus nos manda fazer discípulos. Revise e pratique todas as etapas da ferramenta Ouça, Aprenda, Ame, Senhor, disponível no Apêndice. (Se ainda não a completou, faça-o agora.) Quando você pode compartilhar Jesus com as pessoas em seu mapa de relacionamento? Ore e peça por oportunidades. Pratique contar sua história com Deus.

4. Leia Mateus 6:19-21. Por que você acha que Deus nos diz para acumularmos tesouros no céu? Como você pode deixar de buscar as recompensas terrenas e trabalhar pelas recompensas celestiais?

PARTE II:

VIVENDO SUA HISTÓRIA COM DEUS

As histórias verdadeiras da Bíblia nos inspiram conforme aprendemos sobre a História de Deus. Vemos Seu plano de resgate vivido pelos pais da fé. Lemos como Ele abriu o mar para Moisés (Ex 14) e o rio caudaloso para Josué (Js 3). Descobrimos como Deus vê Agar e a chama pelo nome (Gn 16) e como resgata Daniel da cova dos leões (Dn 6). Essas são apenas algumas das muitas histórias milagrosas que podemos ler com grande admiração ao refletirmos a respeito do poderoso Senhor a quem servimos.

Embora essas histórias sejam inspiradoras, tendemos a nos esquecer dos dias comuns que existem entre os nossos momentos com Deus. Muitas vezes, as pessoas pensam que algo deve estar errado se Ele não Se mostra de maneiras extraordinárias todos os dias, todas as semanas, ou pelo menos todos os meses.

Mas o que fazer com os dias *comuns*, que se transformam em meses comuns, e em anos comuns? O que os homens e mulheres que viviam nos tempos bíblicos faziam? Você já se perguntou como era a vida diária de Moisés durante os quarenta longos anos que ele passou como pastor em Midiã, antes de Deus o chamar de volta ao Egito?[1] Como era a vida da irmã de Moisés, Miriã, durante as décadas que ela passou orando para que Deus libertasse seu povo da escravidão? Moisés e Miriã viveram suas histórias com Deus – um dia normal após outro dia normal. Passaram grande parte da vida esperando – e confiando em Deus. E o mesmo serve para nós. Sarças ardentes e mares divididos podem não acontecer em nossa vida, mas **nossos dias comuns podem glorificar nosso Deus extraordinário quando confiamos nEle**. O rei Davi nos dá um exemplo semelhante.

---

1 At 7:23-30.

Davi foi um jovem pastor escolhido por Deus para se tornar o futuro rei de Israel. Imagine voltar no tempo e conversar com esse jovem que foi ungido como governante muitos anos antes de chegar ao poder. A conversa seria mais ou menos assim:[1]

– *O que você está fazendo, Davi?*

– *Estou pastoreando ovelhas.*

– *Sim, deu para perceber.*

– *Meus pais me deram essa tarefa. É o pior trabalho da casa. Normalmente os escravos cuidam das ovelhas, mas eu sou o caçula de muitos filhos. Deve ser por isso que sou o único que fica aqui fora, todos os dias, cuidando dos animais.*

– *O que você faz para passar o tempo?*

– *Bem, eu converso muito com Deus. Não há mais ninguém com quem conversar aqui. E eu gosto de tocar harpa, por isso tenho trabalhado em algumas orações cantadas.*

– *Orações cantadas?*

– *Sim, minhas conversas com Deus transformadas em música. Tenho escrito essas orações porque parecem ser especiais. Parece que Deus me concede as palavras para responder a Ele.*

– *Sério?*

– *Sério, mas não faço só isso. Tenho que ficar atento, porque temos por aqui muitos animais selvagens que adorariam almoçar uma dessas ovelhas. Tenho praticado com a minha funda. Estou ficando cada dia melhor em acertar os alvos.*

– *Então, você canta, pratica a sua funda e cuida das ovelhas ao mesmo tempo?*

– *Bem, sim. Essa é minha vida. É meio normal, mas não vou ser um pastor para sempre. Na verdade, eu sou um rei.*

– *Você é um rei? De verdade?*

– *Sim, fui ungido como o futuro rei de Israel.*

– *Onde está seu manto? E os seus servos? E o seu trono?*

– *Ainda não tenho nenhum privilégio de rei.*

– *Quando vai receber esses privilégios e onde vai consegui-los?*

---

1 Adaptado da ilustração de um sermão de James MacDonald em Walk in the Word Radio, AM 550, Jacksonville (FL), 2009.

– *Eu não sei.*

– *Você não sabe?*

– *Não.*

– *E o que você vai fazer nesse meio tempo?*

– *Bem, acho que vou ficar cantando minhas orações, praticando minha funda e cuidando de ovelhas.*

Você acha que Davi sabia que suas habilidades com a funda um dia derrotariam o guerreiro gigante chamado Golias (1Sm 17)? Acha que ele sabia que suas orações cantadas (muitas das quais estão no livro dos Salmos) confortariam milhões de pessoas por milhares de anos? Até o rei Davi, que foi chamado de "homem segundo o coração [de Deus]" (1Sm 13:14, NVT), tinha dias normais – muitos deles.

Você pode não ser um rei ou rainha terreno, mas por meio do Rei Jesus, você faz parte da família real de Deus. **Ele deseja fazer coisas extraordinárias por seu intermédio, conforme você entrega a Ele seus dias normais**.

Mas como glorificamos a Deus, dia após dia, por toda a vida?

Começamos desenvolvendo hábitos diários que nos ajudam a aprofundar nosso relacionamento com Ele e a continuarmos focados em Seus propósitos. Precisamos aprender a prestar atenção em Deus ao longo do dia, como fazia Davi, e confiar no Espírito Santo para nos ajudar a manter nossos olhos nEle. Obedecer a Deus, dia normal após dia normal, durante anos, produz resultados extraordinários.

Nas Semanas 4 a 7, você conhecerá disciplinas espirituais diárias que o ajudarão a se conectar com o Autor da sua verdadeira história. Você entenderá o que significa viver sua história com Deus, em Sua força e para Sua glória, dia a dia.

Não é suficiente ter conhecimento *sobre* Deus. Devemos conhecê-Lo *pessoalmente*. As lições das próximas semanas vão ensiná-lo a se aproximar de Deus permanecendo nEle e reservando tempo para estar em comunhão com Ele. Você vai aprender e praticar o que está na Bíblia e vai se comunicar com Deus por meio da oração. Vai entender também o seu relacionamento com o Espírito Santo e como Ele o prepara para servir os outros e compartilhar o amor de Jesus. O final desta jornada será o início de uma nova, em que

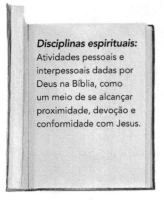

Disciplinas espirituais:
Atividades pessoais e interpessoais dadas por Deus na Bíblia, como um meio de se alcançar proximidade, devoção e conformidade com Jesus.

você sairá pelo mundo, em sua comunidade, e talvez até além dela, para convidar outras pessoas para a Verdadeira História de Deus.

Como seguidor de Jesus, você não precisa praticar essas disciplinas espirituais para estabelecer sua própria justiça. Lembre-se de que sua posição correta diante de Deus resulta de sua salvação somente *por meio de* Jesus Cristo. Você não pode agregar nada à obra de Jesus consumada na cruz.

Você também não precisa praticar essas disciplinas espirituais a fim de conquistar o amor de Deus. Ele *já* ama você. Na verdade, Deus o está amando neste exato momento. Ele não pode amá-lo mais do que já ama.

Pense nessas disciplinas como ritmos diários para andar com Deus enquanto Ele age em você e por seu intermédio. **Elas não têm a ver com esforço; têm a ver com permanência**. Pratique-as para fortalecer seu relacionamento com Deus. Use-as para reconhecer Sua voz, seguir Sua liderança, confiar nEle durante as provações e desfrutar dEle, ao passo que aprende a viver sua história com a força de Deus.

Vamos dar mais um passo juntos em nossa jornada de fé...

SEMANA QUATRO

CONSTÂNCIA –
PERMANECENDO
CONECTADO A DEUS

Conheça a Deus como seu amigo

Ninguém tem maior amor do que aquele que dá a sua vida pelos seus amigos. Vocês serão meus amigos, se fizerem o que eu lhes ordeno. Já não os chamo servos, porque o servo não sabe o que o seu Senhor faz. Em vez disso, eu os tenho chamado amigos, porque tudo o que ouvi de meu Pai eu lhes tornei conhecido.
João 15:13-15

Jesus sabia que só Lhe restava alguns momentos a sós com Seus discípulos antes de ser preso. As temidas profecias sobre Sua traição e execução brutal se acercavam dEle. O Salvador sabia que Seus seguidores e amigos mais próximos estavam prestes a vê-Lo acusado, espancado e pendurado na cruz para morrer, e que Ele mesmo não faria nada para impedir isso. Jesus vinha tentando prepará-los para esse momento (Lc 22:31-37). Lembrou aos discípulos que eles foram escolhidos para uma missão, e que Deus Pai atenderia às suas orações para que a missão fosse cumprida (Jo 15:7-8). Mas não era só isso. Era preciso ocorrer uma mudança no relacionamento deles com Jesus, de seguidores a amigos, e que deixassem de apenas obedecer a ordens e compreendessem Seu verdadeiro propósito e a parte deles nesse propósito. Jesus explicou como essa união íntima com Ele seria *a única perspectiva eficaz para o ministério – e para a vida*. À medida que as horas se reduziam aos derradeiros minutos com Seus discípulos, Jesus instruiu-os repetidamente a **permanecerem nEle**.

Nesta semana, vamos compreender o que significa permanecer em Cristo. Por enquanto, pense em permanecer como a união ou a unidade com Jesus. É a ideia de vivermos nEle e habitarmos com Ele por toda a vida. Compartilhamos os pensamentos, emoções, intenções e poder de Jesus.[1]

Assim como a alteração no relacionamento dos discípulos com Jesus, é necessária uma mudança em *seu* relacionamento com Ele. Na Semana 1, aprendemos a História de Deus e que temos a opção de fazer parte dela. Nas Semanas 2 e 3, conhecemos nossa identidade e nosso propósito em Cristo. Agora que sabemos *por que* Deus nos criou, é hora de sabermos como viver de maneira diferente para *cumprir* nosso propósito. Tudo começa com o cultivo de uma *amizade íntima* com Deus.

Sua história com Deus é uma história de amizade. Pare por um momento e pense sobre isso. Deus criou você para ser amigo dEle. Quando Jesus chamou Seus discípulos de "amigos" (Jo 15:15), eles podem ter ficado surpresos.[2] O único exemplo anterior nas Escrituras de uma pessoa sendo chamada de amigo de Deus foi Abraão.[3] Mas Jesus sabia o que estava para acontecer no dia seguinte e nas semanas e anos vindouros, e os convidou – e convida a todos nós – a se achegarem a Ele.

Sim, o Deus do universo, que ao falar criou as galáxias, quer ser seu amigo. Nenhuma outra religião descreve um relacionamento com Deus como uma amizade.

A amizade com Deus não é uma amizade comum. Não tratamos Jesus de maneira casual, como se Ele fosse um de nós. O restante do Novo Testamento se refere a Jesus como Senhor, Deus, Salvador e Rei. Obedecemos a Jesus, não o contrário. O que Ele está nos convidando a experimentar é a intimidade – conhecendo a Ele, Seu coração, Sua missão, Seu companheirismo. Espera-se que os servos obedeçam sem explicação, mas Jesus nos chama de amigos. Ele diz: "porque tudo o que ouvi de meu Pai eu lhes tornei conhecido" (Jo 15:15).

---

1 WHITACRE, Rodney A. *John*. Westmont: IVP Academic, 1999. p. 376. (The IVP New Testament Commentary Series, v. 4).
2 GANGEL, Kenneth O.; MAX, E. Anders. *John*. Nashville: Holman Reference, 2000. p. 285. (Holman New Testament Commentary, v. 4).
3 2Cr 20:7; Is 41:8; Tg 2:23.

Ele partilha não apenas Sua mente e Sua vontade, mas também Sua própria vida: "Ninguém tem maior amor do que aquele que dá a sua vida pelos seus amigos. Vocês serão meus amigos, se fizerem o que eu lhes ordeno" (Jo 15:13-14). Obedecer aos Seus mandamentos prova nossa amizade com Deus, e essa amizade começa quando permanecemos nEle.

O segredo dessa intimidade é o tempo de qualidade – quanto mais tempo passamos nos relacionando com Jesus, mais conhecemos a Ele, Seus caminhos, Seus pensamentos. Do mesmo modo que o tempo que dedicamos aos amigos fortalece os relacionamentos humanos, o tempo de qualidade com Deus também estreita o seu relacionamento com Ele. Reserve um tempo todos os dias para ficar quieto diante dEle, como fez Jesus.

Jesus muitas vezes Se isolava de Sua vida agitada para passar um tempo a sós com Seu Pai, geralmente pela manhã, enquanto ainda estava escuro (Mc 1:35). Podemos seguir o exemplo dEle. Como músicos que afinam seus instrumentos antes de um concerto, precisamos sintonizar – nosso coração, alma, mente e força – para sermos guiados pelo Espírito e estarmos centrados em Cristo antes de começar nossas atividades diárias.

Você descobrirá que quanto mais tempo passar a sós com Jesus, mais tempo desejará estar com Ele. **Para tornar o devocional diário uma realidade, é bom ter um plano**. Defina um horário (cedo, se possível) e um local (tranquilo, se possível). Se acordar cedo for difícil, tente ir para a cama mais cedo ou encontre um horário antes ou depois da agitação matinal. Comece dedicando quinze minutos e vá aumentando esse tempo aos poucos. Aqui estão alguns lembretes do que fazer no seu momento com Ele:

Você tem uma Bíblia de estudo?

Se sua Bíblia tiver uma concordância (ver p. 74) ou índice de tópicos, procure um atributo divino que se relacione com uma necessidade sua, ou uma palavra-chave que diga respeito a uma preocupação em sua vida. Leia a passagem lentamente. Se uma palavra ou frase parecer importante, escreva o versículo. Caso sua Bíblia contenha referências cruzadas, leia as passagens sugeridas. Anote o que estiver aprendendo. Siga as indicações em sua Bíblia para outros versículos que exploram a mesma ideia. Ore sobre o que está aprendendo e ouça os sussurros dEle. O Espírito Santo nunca o levará a fazer nada contrário à Palavra de Deus.

1. **Aquiete-se.** A Bíblia descreve que aquietar-se é esperar no Senhor, com esperança e descanso (Sl 62:1, 5). Convide-O para Se encontrar com você e conduzir seu tempo juntos como Ele desejar. "Abre os meus olhos para que eu veja as maravilhas da tua lei" (Sl 119:18). Enquanto permanece com Deus, peça-Lhe para aumentar sua consciência da voz dEle.

2. **Ouça a Palavra de Deus.** Leia as passagens da Bíblia lentamente para assimilar o que está lendo. Experimente o método 10-1-1: comece lendo apenas *dez versos*, e concentre-se no que Deus está lhe dizendo através deles. Diminua a velocidade e continue lendo até que *um verso ou uma frase* chame sua atenção. Escolha *uma palavra* desse versículo para lembrar-se durante o dia. É assim que começa sua conversa com Deus. Ele revelará Sua vontade por meio de Sua Palavra. (Embora Deus raramente fale de maneira audível, Ele muitas vezes nos fala ao coração por Sua Palavra.) O que você está lendo pode lhe trazer à memória uma situação ou relacionamento em sua vida. Você pode sentir o impulso de agir em obediência a um mandamento bíblico. Quando Deus falar, ouça e responda. Deixe que o versículo ou palavra-chave seja o alimento espiritual para o seu dia. Pense nesse versículo ou palavra ao longo do dia. Cada palavra da Bíblia vem do sopro de Deus, ou "inspirada por Deus" (2Tm 3:16). Até mesmo as genealogias e a história têm significados que podemos explorar e com os quais podemos aprender sobre o Senhor, Sua vontade e Seus propósitos.

3. **Ore.** Responda a Deus por meio da oração. Converse com Ele sobre o que você leu em Sua Palavra e ouça os pensamentos dEle dentro dos seus. A partir do que leu, pergunte a Deus:
- O que o Senhor quer que eu saiba *sobre Ti* hoje?
- O que o Senhor quer que *façamos* juntos hoje?

Essas perguntas vão ajudá-lo a absorver e aplicar o que está lendo. Enquanto pensa nas respostas, você pode orar a Palavra de Deus (a palavra ou frase-chave) a Ele. Quando você fala a Palavra de Deus em oração, sua mente é renovada de acordo com a dEle. Ao orar, agradeça ao Senhor e peça Sua ajuda.

4. **Escreva como em um diário.** Anote os principais versículos bíblicos, orações e qualquer ideia que Deus lhe revelar. Escrever o que entendeu das leituras o ajudará a lembrar o que Deus disse para que possa aplicar e compartilhar com outras pessoas. Se um pensamento vier distrair a sua mente (por exemplo, se pensar em algo que precisa fazer mais tarde nesse dia), tome nota e libere-o, para que possa voltar a se concentrar em sua conversa com Deus.

Seu devocional diário (período de reflexão) aumenta sua amizade com o Pai celestial. Como seu amigo mais confiável, Ele está sempre ao seu lado. Ele Se alegra quando você se alegra e o conforta quando você está sofrendo. Jesus caminhou nesta terra como "um homem de tristeza e familiarizado com o sofrimento", por isso Se compadece de sua dor (Is 53:3). Você experimenta a alegria de Deus, mesmo quando a vida é difícil, pois nunca anda só.

Deixe a Bíblia falar:

João 10:11-18 e Salmo 23 (opcional: Salmo 27)

Deixe sua mente refletir:

1. Todos os relacionamentos precisam de tempo para crescer, e guardamos tempo para os relacionamentos que mais valorizamos. Que passos você precisa tomar para reservar um tempo diário com Deus?

2. Jesus descreve a Si mesmo como nosso Bom Pastor, e nós somos as ovelhas dEle, que ouvem Sua voz (Jo 10). Com isso em mente, **leia o Salmo 23 bem devagar**. O quanto você confia nEle para guiá-lo durante o dia de hoje?

3. Como a sua obediência aos mandamentos de Jesus demonstra sua amizade com Ele (Jo 14:21)?

Deixe sua alma orar:

Deus, obrigado por me chamares de amigo. Torna mais profundo o meu relacionamento Contigo à medida que eu aprendo a permanecer em Ti. Ajuda-me a diferenciar os Teus pensamentos dentro dos meus, para que eu possa obedecer aos Teus comandos. Por favor, concede-me tempo de qualidade em Tua presença a cada dia para restaurar minha alma... Em nome de Jesus, amém.

Deixe seu coração obedecer:

(O que Deus está levando você a compreender, valorizar ou fazer?)

Descanse, confie, entregue tudo a Deus

Eu sou a videira; vocês são os ramos. Se alguém
permanecer em mim e eu nele, esse dá muito fruto; pois
sem Mim vocês não podem fazer coisa alguma.
João 15:5

Imagine entrar em um ônibus vazio com Jesus como motorista.
Você pode escolher onde se sentar: pode sentar-se perto de Jesus
e desfrutar de um relacionamento íntimo com Ele enquanto Ele
próprio conduz você pela vida, ou pode se distanciar dEle e sentar-
se na parte de trás do ônibus, onde a viagem é sacolejante e a sua
visão da estrada é limitada. Você não consegue ver o que Jesus está
fazendo nem ouvir a voz dEle de forma clara lá no banco de trás.
Assim que embarcar no ônibus, não importa qual assento escolher,
Jesus o levará para onde Ele quer que você vá. Mas você escolhe o
tipo de relacionamento que deseja ter com Ele durante a jornada.
Você vai escolher permanecer ao lado dEle, ou se sentar no banco
de trás, sem ter uma conexão próxima com o Condutor?

Ontem vimos como aumentar nossa amizade com Jesus com um
devocional diário. Mas como permanecemos nEle durante o resto
do nosso dia?

Permanecer em Jesus é mais do que passar tempo com Ele.
**Permanecer em Jesus é entregar o controle e manter-se conectado
para descansar e receber**. Como o passageiro de um ônibus, não
estamos no controle de nossa vida. Mas permanecer significa que

não estamos mais sozinhos – estamos com Jesus. A palavra *permanecer* é traduzida como "manter-se", "ficar", "viver" ou "habitar".[1] Permanecer em Jesus conjuga fé, obediência, confiança, descanso, graça e uma vida guiada pelo Espírito. Essa união – comunhão – com Jesus é uma unidade misteriosa com Deus e o único caminho para uma vida abundante (Jo 10:10).

> *Permanecer* também pode ser traduzido como "morar" ou "habitar". Neste estudo, permanecer em Jesus significa:
>
> • descansar em Deus.
> • confiar em Deus.
> • entregar tudo a Deus.
> • receber tudo o que precisamos de Deus.

Jesus diz: "Permaneçam em mim, e eu permanecerei em vocês" (Jo 15:4). Ele dá o exemplo da videira: "Eu sou a videira; vocês são os ramos" (Jo 15:5). Jesus é a Videira, a fonte de vida abundante, que está enraizada na terra e alimenta toda a planta. Nós somos os ramos frágeis e dependentes, incapazes de produzir frutos por conta própria. No entanto, ao recebermos nutrição plena da graça da Videira, Cristo produz frutos capazes de transformar a vida por nosso intermédio.

Pense no quanto um galho pequeno e frágil depende da videira para tudo de que precisa para sobreviver e prosperar. Na verdade, Jesus disse: "pois o meu poder se aperfeiçoa na fraqueza" (2Cor 12:9). **Nossa fraqueza pode nos ajudar a reconhecer nossa dependência de Deus**. Esse é o objetivo. É por isso que Paulo escreveu: "Portanto, eu me gloriarei ainda mais alegremente em minhas fraquezas, para que o poder de Cristo repouse em mim" (2Cor 12:9). Por isso, permanecemos conectados à Videira – crendo em Jesus, confiando nEle e sabendo que tudo o que temos e tudo de que precisamos vem dEle. Se permanecermos conectados a Ele, o Espírito Santo correrá como seiva por nós, e Deus dará muitos frutos em nossa vida.[2] Jesus diz em João 15:5: "Se alguém permanecer em mim e eu nele, esse dá muito fruto". É uma ótima notícia! Mas a segunda parte do versículo menciona a consequência de se perder essa conexão: "Pois sem mim vocês não podem fazer coisa alguma".

Porém, se permanecer em Jesus significa dar bons frutos, não permanecer nEle significa exatamente o oposto: **nada** – não

---

1 DANKER, Frederick W. (ed.) A *Greek-English lexicon of the New Testament and other early christian literature*. Chicago: University of Chicago Press, 2000. p. 630.
2 HUGHES, R. Kent. *John: that you may believe*. Wheaton: Crossway Books, 1999. p. 357.

produzir coisa alguma de significado eterno. Nenhuma boa obra, se feita à parte de Deus, pode ser qualificada como o bom "fruto" de que fala Jesus nessa passagem. Ele nos convida para Sua obra, para cumprirmos – com amor – o que Ele planejou que fizéssemos (Jo 15:9; Ef 2:10). Obras feitas sem amor, para agradar a nós mesmos, ganhar reconhecimento e alimentar nosso orgulho não terão valor duradouro (1Cor 13:1-3).

Devemos ser ramos fortes através dos quais flui a própria vida de Deus. A vida flui dEle, não de nós mesmos. É por isso que **Jesus não nos manda produzir frutos; Ele nos diz para *permanecer* nEle. Produzir frutos é obra do Espírito Santo;** se dependermos de Jesus, a Videira, como fonte de nutrição, o fruto de Deus *vai se formar*, e nós O glorificaremos com esse fruto (Jo 15:8). Mas se voltarmos nosso coração para as coisas mundanas, esperando que nos deem vida, nós nos tornaremos vazios e sem vida, como galhos secos (Jo 15:6).

Deus não quer nos ver murchos e secos, infrutíferos e sem vida, separados de Jesus, nossa fonte de vida. Ele é o Jardineiro que cuida de nós (Jo 15:1). Primeiro, Ele nos limpa e nos conecta à Videira. Em Cristo, somos limpos e temos potencial para dar frutos (Jo 15:3). Mas às vezes precisamos de poda como qualquer boa árvore frutífera. Por exemplo, pecados como fofoca, falta de perdão, preocupação, egoísmo e vícios são como galhos secos, pois bloqueiam o fluxo da nutrição vivificante de Jesus, drenam nossa energia e nos impedem

Cristianismo mundano

Permanecer em Deus separa os cristãos mundanos dos seguidores de Jesus totalmente devotos e guiados pelo Espírito. Os cristãos mundanos pensam e agem como o mundo. O apóstolo Paulo chamou os crentes de Corinto de "mundanos" ou "carnais" (1Cor 3:1-4).

Os cristãos mundanos a todo momento entristecem o Espírito Santo por não fazerem o que a Bíblia diz. Ofendem-se com facilidade, preocupam-se, não perdoam, não oram, irritam-se com qualquer coisa, são egoístas ou se incomodam demais com o que os outros pensam. Não lutam ativamente contra o pecado, assim permitindo que a velha natureza pecaminosa influencie mais sua vida do que o Espírito Santo (Rm 8:5-8, 13). Por causa de sua fé fraca e imaturidade espiritual, são movidos principalmente pelos próprios desejos e pensamentos mundanos, e não pelos desejos de Deus e da verdade bíblica.

Se isso o descreve, confesse a sua fraqueza e coloque Jesus em Sua legítima posição de supremacia na sua vida.

de dar frutos; então o Jardineiro os corta (Jo 15:2). Ele quer nos ver saudáveis, frutíferos e conectados com a Videira, mas precisamos cooperar. **Como podemos permanecer em Deus? Nós *descansamos* nEle. *Confiamos* em Deus. *Entregamos* tudo a Deus. Ao fazermos isso, *recebemos* tudo o que precisamos dEle.**

1. **Descanse em Deus**. Acredite *em* Deus, mas também *creia* nEle para descansar (Hb 4:9-11). Acredite em quem Ele é, no que Ele fez e em quem você é nEle.

- Descanse no amor de Jesus por você. Ele diz: "Como o Pai me amou, assim eu os amei; permaneçam no meu amor" (Jo 15:9).
- Descanse na provisão de Jesus para você. Deus está totalmente ciente das suas necessidades, cuidados e preocupações. "O meu Deus suprirá todas as necessidades de vocês, de acordo com as suas gloriosas riquezas em Cristo Jesus" (Fl 4:19).
- Descanse naquilo que Deus fez por você por meio de Cristo. Não se preocupe com o que fazer por Deus. Em vez disso, sirva a Ele porque O ama, e não por obrigação. Chega de trabalhar para conseguir o favor de Deus. Chega de se definir pelas circunstâncias de sua vida. Não há mais necessidade de controle. Receba o conforto que vem de Cristo. Você está disposto a descansar em Jesus?

2. **Confie em Deus**. Acredite que Ele está dizendo a verdade. Confie em Sua Palavra e dependa do Seu Espírito Santo. A questão não é se a Videira vai fornecer tudo o que precisamos, mas sim se vamos receber dEle. Você vai buscar outras fontes de nutrição do mundo e bloquear a provisão de Cristo? Não se afaste de Deus. Receba tudo o que a Vinha tem para dar a cada dia. Tenha fé e permita que Ele tenha acesso total à sua vida, para que Ele possa fluir através de você. Ele sempre é digno da nossa confiança e está sempre pronto para prover. Você está disposto a confiar em Jesus?

3. **Entregue tudo a Deus**. Acredite que Ele está encarregado de todos os resultados e desfechos. Entregue a Ele seu passado, presente e

futuro. Há liberdade, cura e plenitude quando você se solta. Isso porque Deus transforma corações e vidas – *nós não*. Portanto, renuncie à sua vontade, às suas emoções e às suas circunstâncias, e permita que a graça inunde a sua vida. Dê sua vida por outros como Jesus fez (Jo 15:12-13) e entregue seus planos também. Deus nunca pedirá que você O siga sem lhe dar Sua graça em cada passo do caminho. Jesus promete: "Se vocês obedecerem aos meus mandamentos, permanecerão no meu amor" (Jo 15:10). Para habitar em Jesus, você precisa se render e obedecer. Você está disposto a entregar tudo a Jesus?

Descansar, confiar e entregar tudo a Jesus pode parecer um passo de fé arriscado. Mas olhe para as bênçãos prometidas que recebemos quando permanecemos conectados a Ele. Em João 15, Jesus disse que se você permanecer nEle e as palavras dEle permanecerem em você...

- você dará muito fruto (v. 5).
- suas orações serão respondidas (v. 7, 16).
- você vai obedecer a Ele (v. 10, 14).
- vai experimentar o amor dEle (v. 9-10).
- vai experimentar a alegria dEle (v. 11).
- vai mostrar que é discípulo dEle (v. 8).
- será amigo dEle (v. 14).

Parece bom demais para ser verdade, mas é real. E você tem uma escolha a fazer a cada dia, a cada momento. Amigo e amiga, você vai depender de Jesus?

Deixe a Bíblia falar:
João 15:1-17 (opcional: 1 João 3:11-24)

Deixe sua mente refletir:
1. De que maneira a referência do ônibus ou da videira mudou o modo como você vê o seu relacionamento com Deus?

2. Releia a definição de cristão mundano. Em quais áreas você depende das coisas do mundo e não de Deus? Reserve um tempo para pedir Sua ajuda nessas áreas.

3. Quais são os passos que você pode dar para descansar em Deus, confiar nEle e entregar tudo a Ele? Comece a sua caminhada hoje.

Deixe sua alma orar:
Senhor Jesus, Tu és a minha Fonte de vida. Eu quero habitar em Ti. Ajuda-me a descansar e confiar em Ti, entregar-Te todas as coisas e receber tudo que preciso de Ti. Produze muitos frutos em minha vida para a Tua glória... Em nome de Jesus, amém.

Deixe seu coração obedecer:
(O que Deus está levando você a compreender, valorizar ou fazer?)

Receba de Deus – Desenvolvendo raízes profundas

Mas bendito é o homem cuja confiança está no SENHOR
cuja confiança NELE está. Ele será como uma árvore
plantada junto às águas e que estende as suas raízes
para o ribeiro. Ela não temerá quando chegar o calor,
porque as suas folhas estão sempre verdes; não ficará
ansiosa no ano da seca nem deixará de dar fruto.

Jeremias 17:7-8

Em sua jornada de fé, alguns trechos da Bíblia podem se tornar seus favoritos. Em seus momentos de desânimo, você descobre passagens que constantemente refrescam sua alma. E nos momentos alegres de adoração, encontra versículos que declaram a majestade e o esplendor de Deus. É comum que os crentes retornem a passagens amadas em busca de esperança e encorajamento. Por exemplo, Isaías 55. Citamos o versículo 11 para lembrar que a Palavra de Deus "não voltará para mim [Ele] vazia" (Is 55:11). Mas nós nos esquecemos de continuar lendo. Retiramos nossas partes preferidas do capítulo e acabamos perdendo o contexto. Se você olhar bem, a passagem revela uma transformação incrível: "No lugar do espinheiro crescerá o pinheiro, e em vez de roseiras bravas crescerá a murta" (Is 55:13). A Palavra de Deus cumprirá seu propósito de pegar espinhos e abrolhos, a consequência do pecado (Dia 3), e convertê-los em árvores exuberantes – vida nova. Essa passagem simboliza não apenas a quarta parte da História de Deus, mas também que somos como aqueles espinhos e árvores.

A obra de salvação de Deus nos transforma por completo. Não passamos apenas de um arbusto espinhoso e frágil para um arbusto espinhoso "melhorado". Quando recebemos Jesus, nós nos tornamos fundamentalmente diferentes.[1] Nossa nova vida em Jesus nos transforma em árvores poderosas: fortes e frutíferas, "carvalhos de justiça, plantio do Senhor, para manifestação da sua glória" (Is 61:3). Mas as árvores crescem lentamente, e nós também. Leva tempo para desenvolvermos raízes espirituais profundas em Deus, totalmente arraigadas e prontas para usar o poder que vem dEle enquanto vivemos nossa história com o Pai celestial a cada dia. **A força e a capacidade de dar frutos em nossa vida dependem das nossas raízes**.

As raízes são o mais importante. Galhos partidos podem crescer novamente, mas raízes danificadas podem matar uma árvore inteira. É por isso que "não se pode desarraigar o justo" (Pr 12:3). **Raízes invisíveis geram frutos visíveis**. Os crentes "tornarão a lançar raízes e a dar frutos" (2Rs 19:30, NAA). Da mesma forma, nosso tempo a sós com Deus é invisível, mas dá suporte para nossa fé e fornece evidências externas dela. Assim como as raízes consomem água e nutrientes de forma contínua, precisamos recorrer sempre à força, sabedoria, graça e ao amor de Deus. Não podemos adquirir esses dons. Só Deus pode dá-los gratuitamente, mas precisamos recebê-los.

Permanecer em Jesus significa desenvolver raízes profundas e saudáveis nEle, regadas pela água viva do Espírito Santo (Jo 4:10; 7:38-39). Por meio do momento devocional diário, nós nos enraizamos na Palavra de Deus, na oração, na graça e no amor. Receber tudo o que precisamos de Deus exige fé e confiança para criarmos raízes espirituais prontas para absorver Sua provisão.

Que alimento você precisa receber de Deus hoje?

Crie raízes na Palavra de Deus para receber a SABEDORIA que vem dEle.

---

1 TRIPP, Paul. Why do I need the Bible? *Paul Tripp Ministries*, [s. l.], 13 May 2019. Disponível em: https://www.paultripp.com/app-read-bible-study/posts/001-whydo-i-need-thebible.

A sabedoria é um dom divino de Deus oferecido com generosidade àqueles que o pedem (Tg 1:5). Mas muitas vezes não pedimos, por isso não o recebemos (Tg 4:2). Quando passamos tempo com Deus, quando lemos ou ouvimos Sua Palavra, isso se torna uma oportunidade de receber a sabedoria e a força que vêm dEle. O Senhor guia nossos caminhos, nossas conversas e nossos relacionamentos.

> Como é feliz aquele que... sua satisfação está na lei do Senhor, e nessa lei medita dia e noite. É como árvore plantada à beira de águas correntes: Dá fruto no tempo certo e suas folhas não murcham. Tudo o que ele faz prospera! (Sl 1:1-3).

Ancore-se na Palavra de Deus como as raízes sustentam as árvores firmemente no solo. Comece lendo um versículo a cada dia do livro de Provérbios, um dos livros de sabedoria do Velho Testamento. Ao passar tempo com a Palavra de Deus, aprendemos Sua vontade, e nosso alicerce será firme durante as tempestades mais violentas da vida (Mt 7:24-25). Permaneça na Palavra dEle.

Crie raízes na oração para receber a PAZ que vem do Senhor.

A oração, especialmente a oração privada, cria raízes espirituais profundas. Assim como as raízes das plantas bebem água continuamente, nós oramos "continuamente", bebendo do refrigério e da força (1Ts 5:17) do Espírito Santo. E não importa o que esteja acontecendo no mundo ao nosso redor, quando oferecemos orações *com gratidão*, Deus nos dá Sua paz sobrenatural (Fl 4:6-7). A paz dEle é maior do que qualquer coisa que possamos compreender ou tentar produzir por conta própria. **Nossa paz é alimentada por nossa vida de oração.** A paz de Deus é o motivo por que os crentes que passam por uma perda ou sofrem com uma doença crônica podem dizer: "Estou bem. Deus está comigo". A paz que recebem por meio da oração se torna uma poderosa testemunha da provisão e do cuidado divino. Eles recebem tudo o que precisam de Deus ao depositarem sua confiança nEle através da oração.

> Tu guardarás em perfeita paz aquele cujo propósito está firme, porque em ti confia. (Is 26:3).

Jesus sabia o valor de viver nesse estado de paz contínua e dependência de Seu Pai, por isso nos deu o modelo de como deve ser o momento de oração pessoal. "Jesus retirava-se para lugares solitários, e orava" (Lc 5:16), e nos ensinou com clareza sobre a oração: "Mas quando você orar, vá para seu quarto, feche a porta e ore a seu Pai, que está no secreto. Então seu Pai, que vê no secreto, o recompensará" (Mt 6:6). A oração do Pai Nosso talvez seja o modelo de oração mais detalhado e memorizado com mais frequência.[1] Não importa como seja nossa vida pessoal de oração, saiba que quanto mais tempo passarmos conversando com Deus, mais nossas raízes se aprofundarão na paciência e paz que vêm dEle. Permaneça em oração.

Desenvolva raízes na graça de Deus para receber o AMOR DELE. É difícil dar amor se você não o recebeu. Permanecer em Cristo é absorver de maneira intencional a benevolência incondicional de Deus todos os dias. Quando lembramos que não há nada que possamos fazer para ganhar ou perder Seu amor, criamos raízes na graça de Deus. Deixamos de presumir o pior dos outros, e acreditamos no melhor. Tornamo-nos menos críticos e estendemos o amor com mais rapidez. Por meio da fé, "suas raízes se aprofundarão em amor e os manterão fortes" (Ef 3:17). O apóstolo Paulo conhecia o poder do amor de Deus. Ele orou:

> Possam, juntamente com todos os santos, compreender a largura, o comprimento, a altura e a profundidade, e conhecer o amor de Cristo que excede todo conhecimento, para que vocês sejam cheios de toda a plenitude de Deus. (Ef 3:18-19).

Quando recebemos o amor imensurável de Deus, ficamos mais seguros de quem somos em Cristo. Essa experiência nos transforma e nos tornamos um canal do amor de Deus para os outros. Criar raízes profundas no amor de Cristo é como cumprimos nosso propósito de amar os outros de forma positiva (Dia 16). Você sabe

---

1 Esta oração do Pai Nosso é baseada em Mateus 6:9-13: Pai nosso, que estás nos céus! Santificado seja o teu nome. Venha o teu Reino; seja feita a tua vontade, assim na terra como no céu. Dá-nos hoje o nosso pão de cada dia. Perdoa as nossas dívidas, assim como nós perdoamos aos nossos devedores. E não nos deixes cair em tentação, mas livra-nos do mal.

quem *você* é porque O conhece muito bem. Permaneça no amor dEle (Jo 15:9).

Deus é ilimitado. Quando permanecemos em Cristo, Ele nos dá tudo de que precisamos no momento certo e da maneira certa. "Portanto, assim como vocês receberam a Cristo Jesus o Senhor, continuem a viver nele, enraizados e edificados nele, firmados na fé, como foram ensinados, transbordando de gratidão" (Cl 2:6-7). Nosso tempo com Deus nos faz criar raízes nEle para que possamos absorver Sua força, mesmo enquanto avançamos com os desafios de cada dia. **Nossas raízes vão crescendo para baixo e, ao mesmo tempo, nossos ramos vão crescendo para cima**. Nossos galhos crescerão largos e fortes, abrigando outros, sobrevivendo a tempestades e dando muitos frutos. Descobriremos mais sobre os frutos amanhã, mas, por ora, lembre-se de que seu tempo separado para Deus diariamente fortalece as raízes – e raízes são a chave para permanecer nEle.

DIA 24

Deixe a Bíblia falar:
Salmo 1 (opcional: Isaías 55)

Deixe sua mente refletir:
1. De que forma confiar em Deus para suprir todas as suas necessidades muda a sua maneira de enfrentar as adversidades?

2. Quais são as distrações que o impedem de passar tempo com Deus todos os dias? Que mudanças você pode fazer para manter-se enraizado em Deus e em Sua Palavra?

3. O que você precisa receber de Deus hoje? Alegria? Conforto? Discernimento? Peça a Deus para ajudá-lo; é o que Ele fará.

Deixe sua alma orar:
Pai, quero criar raízes saudáveis em Ti. Ao passar tempo Contigo a cada dia, ajuda-me a crescer na Tua Palavra, em oração e em Teu amor. Ancora-me em Ti para que eu receba tudo o que preciso e seja fortalecido em tempos de angústia... Em nome de Jesus, amém.

Deixe seu coração obedecer:
(O que Deus está levando você a compreender, valorizar ou fazer?)

DIA
25

Frutifique
enquanto espera

Mas o fruto do Espírito é amor, alegria, paz, paciência,
amabilidade, bondade, fidelidade, mansidão e domínio próprio.
Gálatas 5:22-23

Se houvesse uma palavra para descrever o que acontece na vida
de um crente entre agora e o céu, seria *mudança*. Ter fé em Jesus
nos coloca em um processo de transformação que dura a vida toda.
Somos totalmente renovados espiritualmente, mas as evidências
dessa mudança podem levar tempo para se mostrar. É como
uma semente que demora para crescer antes de produzir frutos.
Nossa vida se transforma de modo genuíno com o tempo e, por
fim, produz frutos espirituais. Em ambos os casos, é Deus quem
promove o crescimento. O apóstolo Paulo descreveu essa mudança
da seguinte maneira: "Eu plantei, Apolo regou, mas Deus é quem
fazia crescer" (1Cor 3:6).

A bela realidade é que alguém plantou a semente do Evangelho
em sua vida, quer tenha sido dias ou anos atrás, mas Deus é quem
fará a semente crescer (Mc 4:26-28). Ele quer que você experimente
o amor verdadeiro, a libertação dos vícios, a confiança pacífica, o
entusiasmo pelo futuro e muito mais. Não importa o que você fez ou
o que fizeram a você, Deus completará o que começou em sua vida
(Fl 1:6). Ele vai transformar *cada parte de seu ser:*[1]

---

1 PRATT, Zane. Making disciples in another culture. In: BREAKOUT, SEND CONFERENCE, 2017,
Orlando. *Anais* [...]. Orlando: Diocese of Orlando, 2017.

1. Sua **mente** na mente de Cristo, enquanto lê a Palavra de Deus.
2. Seu **afeto** por Deus, ao receber Seu amor incondicional.
3. Sua **vontade**, ao aprender a permanecer e confiar nEle e a Lhe obedecer.
4. Seus **relacionamentos**, conforme ama os outros, mesmo aqueles que são difíceis ou diferentes de você.
5. Seu **propósito**, ao aprender a viver para a glória de Deus, não a sua própria.

Você está começando a ver algumas dessas mudanças? Sinta-se encorajado e grato pela boa obra de Deus em sua vida. Saiba que não importa a distância que tem para percorrer, mas o quanto já caminhou. Entenderemos melhor esse processo de mudança (chamado santificação) na Semana 7. Mas, por hoje, saiba que dar frutos evidencia a mudança e resulta da fé permanente.

Produzir frutos é um presente precioso que Deus nos dá para sabermos que pertencemos a Ele. Não temos que esperar até nos encontrarmos com Jesus para saber que temos um relacionamento autêntico com Ele. Lembre-se de que a salvação é somente pela fé, "mas a fé que salva não está sozinha".[1] Jesus disse aos Seus discípulos:

> Eu sou a videira; vocês são os ramos. Se alguém permanecer em mim e eu nele, esse dá muito fruto; pois sem Mim vocês não podem fazer coisa alguma. Se alguém não permanecer em mim, será como o ramo que é jogado fora e seca. Tais ramos são apanhados, lançados ao fogo e queimados. Se vocês permanecerem em mim, e as minhas palavras permanecerem em vocês, pedirão o que quiserem, e lhes será concedido. Meu Pai é glorificado pelo fato de vocês darem muito fruto; e assim serão meus discípulos. (Jo 15:5-8).

Você e eu podemos ler essa passagem e pensar que o mandamento é dar frutos. Mas no idioma grego original do Novo Testamento, descobrimos que o mandamento é permanecer em Jesus. Produzir frutos é a prova de nossa íntima amizade com Ele.

1 GEISLER, Norman L. *Systematic theology:* in one volume. Bloomington: Bethany House Publishers, 2011. p. 801.

Podemos descansar sabendo que somos responsáveis não pela *quantidade* de frutos, mas pela *qualidade* de nosso relacionamento com Deus.

Todos os crentes podem dar frutos de forma abundante. Uma viúva pobre pode dar tantos frutos quanto alguém que foi pastor a vida inteira, se ela permanecer em Cristo e usar o que Deus lhe deu para a Sua glória (Lc 16:10). Deus nos transforma segundo a Sua natureza quando cooperamos (Dia 5): "Quanto à antiga maneira de viver, vocês foram ensinados a despir-se do velho homem, que se corrompe por desejos enganosos, a serem renovados no modo de pensar e

> **Legalismo:**
> Seguir uma regra de forma obsessiva. As pessoas caem no legalismo quando se esforçam para ganhar o favor de Deus, ou impressionar os outros com um bom comportamento exterior e boas obras. Jesus condena o legalismo. Não podemos servi-Lo se ainda estivermos tentando impressionar outras pessoas (Gl 1:10) e não podemos ganhar o favor de Deus com base em nada do que fazemos. Recebemos Seu favor somente por meio do que Jesus fez por nós (Ef 2:8-9). A obediência piedosa não vem do legalismo, mas da gratidão e do amor a Deus e a tudo o que Ele fez por nós.

a revestir-se do novo homem, criado para ser semelhante a Deus em justiça e em santidade provenientes da verdade" (Ef 4:22-24). Cooperar não tem ligação com o aperfeiçoamento de si mesmo e o **legalismo**, mas com vestir o novo que Deus criou. Não importa onde moramos ou quantos anos vivemos, Deus dá frutos abundantes através de nós quando vivemos em Cristo.

Agora que conhecemos o significado de dar frutos, é hora de definir o que são esses frutos. A Bíblia os descreve de diferentes maneiras: ter caráter cristão (Gl 5:22-23), comportamento justo (Fl 1:11), louvor (Hb 13:15), e levar outras pessoas à fé em Cristo (Rm 1: 13-16). Jesus falou sobre dar frutos por *nosso amor* a Deus e uns aos outros (Jo 15:9-17).

Hoje, vamos nos concentrar no fruto de nosso caráter cristão, que brota primeiro em nosso coração e depois desabrocha em nossas ações. Amor, alegria, paz, paciência, bondade, fidelidade, gentileza e autocontrole estão todos conectados – são diferentes aspectos do mesmo fruto, cultivado pelo Espírito, em você. Se tivermos amor, teremos alegria. Se tivermos alegria, teremos paz. O mesmo é verdade quando nos faltam frutos. Sem paz, não podemos ter paciência. Sem paciência, não podemos ter autocontrole e assim por diante. O fruto do Espírito aumentará ou diminuirá à medida que nosso relacionamento com Deus se expande ou se retrai.

Às vezes, somos tentados a pensar que podemos cultivar alguns aspectos desse fruto e outros não. Alguém pode dizer: "Nunca fui uma pessoa paciente, mas posso crescer nos outros aspectos". Ou "meu pai era duro, por isso nunca aprendi a ser gentil". Porém, não podemos parar de crescer em alguns aspectos do caráter piedoso por serem difíceis. Também não devemos limitar a obra de Deus em nossa vida por causa de nossa personalidade, nosso passado ou nossa cultura. *Todos* os aspectos dos frutos espirituais são *essenciais*. Felizmente, se estamos crescendo sinceramente em qualquer um desses aspectos, cresceremos também nos outros.

Se quer saber se a fé é autêntica, olhe para o fruto. Jesus diz: "Da mesma forma, a árvore boa produz frutos bons, e a árvore ruim produz frutos ruins. Portanto, é possível identificar a pessoa por seus frutos" (Mt 7:17, 20, NVT). Peça a Jesus para ajudá-lo a se livrar dos maus frutos, e a cultivar os bons frutos que mostram que você pertence a Ele. "Livrem-se de toda amargura, indignação e ira, gritaria e calúnia, bem como de toda maldade. Sejam bondosos e compassivos uns para com os outros, perdoando-se mutuamente, assim como Deus perdoou vocês em Cristo" (Ef 4:31-32). Sim, perdoem uns aos outros.

O perdão faz parte de todo bom fruto. Como aprendemos no Dia 10, se Deus nos perdoa, podemos perdoar outras pessoas que nos machucaram. Esse é um passo crítico em nossa jornada de fé e por isso queremos mencioná-lo novamente. Porque receber o perdão de Deus e estender o perdão a outros abranda nosso coração e nos permite cultivar o fruto do Espírito. O perdão não tolera nem desculpa as ofensas, mas libera o ressentimento que envenena os bons frutos. Não mais ficamos facilmente ofendidos quando lembramos que *nós* fomos perdoados. Os corações que perdoam são pacientes, bondosos e leais.

Em contraste, a erva daninha da falta de perdão sufoca os bons frutos. Bloqueia o amor, mata a alegria e rouba a paz. Isso pode nos levar a uma amargura que nos transforma em indivíduos impacientes, indelicados e até odiosos. Podemos desistir das pessoas, tornando-nos rudes e descuidados com nossas palavras e ações. Quando recusamos o perdão a outras pessoas, geralmente é porque não entendemos ou nos esquecemos do quanto Deus nos perdoou (Lc 7:47). A dura verdade é que, quando nos recusamos a perdoar, permanecemos em cativeiro e traímos a graça de Deus (Leia Mateus 18:21-35, uma parábola sobre um devedor implacável). Amigo, amiga, o **perdão não liberta o ofensor; ele nos dá um caminho para sairmos de nossa dor**. Esse passo difícil traz cura e saúde, para darmos bons frutos.

O bom fruto revela a verdadeira fé. Produzir frutos não apenas evidencia a mudança interna no coração, mas também se revela em ações externas. Tiago diz que a verdadeira fé produz boas ações – bons frutos (Tg 2:26). "Somos salvos *pela* fé, mas *para* obras" (Ef 2:8-10; Tt 3:3-8, grifo nosso).[1] E Deus também está agindo na sua vida agora, transformando você para produzir frutos espirituais. Não desanime se a mudança não estiver acontecendo com rapidez – isso é parte do trabalho básico necessário para sua história verdadeira (Dia 24). Portanto: "E não nos cansemos de fazer o bem, pois no tempo próprio colheremos, se não desanimarmos" (Gl 6:9). Continue se alimentando da Vinha. Não desista. Deus fará uma colheita através de você quando chegar a hora certa, e será deliciosa.

---

1 GEISLER, Norman L. *Systematic theology*: in one volume. Bloomington: Bethany House Publishers, 2011. p. 1041.

Deixe a Bíblia falar:
Gálatas 5:13-6:10 (opcional: Tiago 2:14-26)

Deixe sua mente refletir:
1. O que os frutos que você vê em sua vida dizem sobre sua fé?

2. Pense em quem plantou as sementes do Evangelho em sua vida e agradeça a Deus por essa pessoa. Quem em sua vida está longe de Deus, em quem você possa, com amor, semear as sementes do Evangelho?

3. Existe alguém que você precisa perdoar? Liste as pessoas ou feridas que precisam de seu perdão. Peça ajuda ao Espírito Santo para perdoar e liberar cada ofensa ou pessoa que lhe vier à mente. **O perdão é um passo necessário em sua jornada de fé**. Se você não consegue perdoar, procure um pastor de confiança ou um amigo cristão que tenha sabedoria para ajudá-lo.

Deixe sua alma orar:
Pai, produze bons frutos em minha vida para a Tua glória. Oro para que, quando outros passarem algum tempo comigo, experimentem a Tua bondade. Mostra-me qualquer fruto da minha vida que não Te agrade; tira esse fruto e limpa meu coração para que eu possa gerar bons frutos — os frutos do amor, alegria, paz, paciência, bondade, mansidão, fidelidade e autocontrole. Ajuda-me a perdoar os outros como Tu me perdoaste... Obrigado por tudo o que estás fazendo em mim e através de mim... Em nome de Jesus, amém.

Deixe seu coração obedecer:
(O que Deus está levando você a compreender, valorizar ou fazer?)

Resista à tentação

Busquem o bem, não o mal, para que tenham vida.
Amós 5:14

Resistir à tentação é mais complicado do que pensamos. A maioria das pessoas não é boa em antecipar o poder dos impulsos e se expõe, de forma involuntária, à tentação. Como o passo de ontem sobre o perdão, por vezes difícil, mas necessário, hoje daremos um passo dramático para nos precavermos contra o pecado – porque o pecado é grave.

Nunca vamos compreender totalmente os efeitos prejudiciais do pecado sobre a criação. Mas podemos perceber sua severidade quando entendemos a rigorosa resposta de Deus à transgressão. Nosso pecado Lhe custou Jesus, Seu único Filho, pregado na cruz. Nu, sangrando, sendo zombado e abandonado, para que pudéssemos ser perdoados, curados, favorecidos e adotados. Jesus não apenas pagou o preço por nosso pecado, mas também quebrou o *poder* do pecado sobre nós. Já fomos escravos do pecado, mas agora somos livres (Rm 6:22). Podemos viver *para* Deus, *com* Deus e *em* Deus. **Nada jamais nos separará de Seu amor (Rm 8:38)**. Nem mesmo o pecado.

Mas o pecado ainda dói. Ainda nos fere e a todos os nossos relacionamentos, especialmente nosso relacionamento com Deus. **O pecado bloqueia nossa conexão com a Videira**. Separados de nossa Fonte de Vida, nossa paz, força e alegria murcharão. Não produziremos frutos bons. Deus parecerá distante – a oração será sem vida e Sua Palavra, enfadonha. O pecado interrompe nossa permanência em Deus e sofremos as consequências dessa separação.

Se ainda estamos tentando sair impunes do pecado, não entendemos o que está acontecendo. O pecado sempre tem consequências terríveis, que bloqueiam a vida abundante – as bênçãos – que Jesus morreu para dar a você.

A preocupação rouba o descanso. O ciúme destrói a paz. A fofoca prejudica amizades. O medo sufoca a fé. A reclamação mata a alegria. A mentira quebra a confiança. A infidelidade destrói os relacionamentos.

Todos nós queremos descanso, paz, amizade, fé e alegria. Todos nós queremos relacionamentos confiáveis. Então, vamos entender os fatos e colocar um plano em ação.

A realidade é que nossos desejos doentios podem nos atrair ao pecado (Tg 1:14), e nosso inimigo conhece nossas fraquezas: "o desejo intenso por prazer físico, o desejo intenso por tudo que vemos e o orgulho de nossas realizações e bens" (1Jo 2:16, NVT). Satanás também tentou Jesus em cada uma dessas áreas, mas Ele permaneceu fiel. Vamos aprender com Seu exemplo perfeito.[1]

Primeiro, Satanás usou a tentação física para instá-Lo a fazer o que parecia certo (Lc 4:3-4). Quando Jesus estava jejuando por quarenta dias, Satanás O tentou a transformar pedras em pão. "Jesus respondeu, 'Está escrito: nem só de pão viverá o homem" (Lc 4:4). Ele confiou em Deus para satisfazer Suas necessidades *no tempo certo*. Amigo e amiga, o inimigo sussurra: "Você está perdendo uma oportunidade. Ninguém vai saber. Será apenas uma vez" ou "Todos pecam e todos os pecados são iguais. E não se esqueça que Deus quer que você seja feliz". Não dê ouvidos a essas mentiras. Além de Deus, não temos nada de bom (Sl 16:2). Confie nEle para satisfazê-lo. "Aquele que não poupou a seu próprio Filho, mas o entregou por todos nós, como não nos dará juntamente com Ele, e de graça, todas as coisas?" (Rm 8:32). Deus proverá da maneira certa.

Em seguida, Satanás usou a tentação emocional para que Jesus questionasse o amor de Deus (Lc 4:5-8). Satanás mostrou a Jesus todos os reinos do mundo e os ofereceu a Ele. Tudo que Jesus tinha que fazer era adorar a Satanás, mas Ele se recusou e confiou em Deus

---

1 Leia em Lucas 4:1-13 o relato completo de como Satanás tentou Jesus no deserto. Observe que, embora Jesus não tenha pecado, Ele ainda experimentou a tentação. Isso demonstra que a tentação de pecar não é o pecado em si.

para Lhe dar o que era Seu por direito *no tempo certo*. Amigo, amiga, o inimigo lhe mostrará riqueza, beleza e poder mundanos. Ele dirá: "Você não é suficiente. Você não é inteligente o suficiente. Você não tem o suficiente. Você não é atraente". Ele vai tentar convencê-lo de que você só estará completo e satisfeito se concentrar a sua atenção nessas coisas. Não dê ouvidos – resista a ele. O inimigo está tentando direcionar sua adoração para longe de Deus e vai fazê-lo girar num constante frenesi. Se não estivermos contentes sem essas coisas, não estaremos contentes com elas. O inimigo quebra promessas e rouba bênçãos. Deus cumpre Suas promessas e concede verdadeiras bênçãos – nem sempre riquezas terrenas e fugazes, mas riquezas celestiais eternas; não efêmera beleza física, mas a beleza interior imperecível; não poder mundano, mas influência divina.[1] "Você foi fiel no pouco; Eu o porei sobre o muito" (Mt 25:23).

Finalmente, Satanás usou a tentação do orgulho para questionar a identidade de Jesus (Lc 4:9-12). Satanás queria que Jesus pulasse do telhado do templo para provar Sua identidade como o Messias, sabendo que os anjos impediriam que Ele caísse. Jesus Se recusou, pois não precisava provar a Si mesmo. Ele confiou em Deus para revelar Sua verdadeira identidade *no tempo certo*. Satanás irá questionar sua identidade em Cristo e tentá-lo a buscar a validação de outros. Ele vai sussurrar: "Você é um filho genuíno de Deus? Ele realmente ama você? Então prove. Trabalhe mais. Execute. Seja mais esforçado". Não dê ouvidos ao inimigo – resista a ele. É claro que você é filho de Deus. Não há necessidade de provar sua identidade para outras pessoas ou para si mesmo.

Satanás nos tenta como tentou Jesus. Ele é o pai de todas as mentiras e tem uma missão: roubar, matar e destruir (Jo 8:44; 10:10). Ele odeia o Senhor e odeia nossa ligação permanente com Ele. Quer que cedamos à tentação para conseguir quebrar essa conexão. **A tentação em si não é pecado; é um chamado para a batalha**. Veja como lutar e vencer:

1. **Confie no Espírito Santo, não na sua força de vontade.**[2] Você nunca está só. Deus está com você, *em* você, e Ele "é poderoso

---

1 Mt 5:13-14; 6:19-20; 1Pd 3:3-4.
2 Na Semana 7, você vai aprender mais sobre o Espírito Santo e como cooperar com Ele.

para vos guardar de tropeçar" (Jd 1:24, ARC). "E Deus é fiel; ele não permitirá que vocês sejam tentados além do que podem suportar. Mas, quando forem tentados, ele lhes providenciará um escape, para que o possam suportar" (1Cor 10:13). Por meio do poder do Espírito Santo, *sempre* podemos fazer a escolha certa. Não somos mais escravos do pecado e agora temos o poder e a autoridade para tomar melhores decisões. Confie no Espírito Santo e acione a promessa: "Resistam ao diabo, e ele fugirá de vocês" (Tg 4:7).

2. **Proclame a Palavra de Deus**. As palavras são poderosas (Pr 18:21; Mt 12:37). Todas as vezes que Satanás tentou Jesus, Ele citou as Escrituras como resposta. Jesus conhecia passagens bíblicas para cada tentação. Ele estava pronto *antes do* ataque; nós também podemos estar. Jesus já lhe deu a vitória, então proclame essa verdade em voz alta: "Eu sou um filho de Deus com vitória sobre _____" (veja 1Cor 15:57). Assuma autoridade sobre a tentação. Podemos não ter controle sobre um primeiro pensamento ímpio, mas temos controle sobre nosso segundo pensamento e sobre ações potencialmente erradas, pelo poder do Espírito Santo.

3. **Remova as tentações.** Jesus orou: "Não nos deixes cair em tentação" (Mt 6:13). Ele também ensinou que devemos livrar-nos de nossos olhos, mãos e pés se nos fizerem pecar (Mc 9:43-48). Ele não estava falando de amputação real, mas *queria* retratar como devemos ser rigorosos para evitar a tentação. Qual é sua tentação? Não olhe para ela, não a toque, não vá até lá. "E não fiquem premeditando como satisfazer os desejos da carne" (Rm 13:14). Os prazeres fugazes do pecado não valem as consequências.

4. **Peça ajuda.** Satanás tenta atingir os solitários como os predadores buscam presas isoladas. Encontre amigos; conecte-se com os crentes locais em uma igreja. Ajudem uns aos outros a se concentrarem em Deus e amorosamente verifiquem se estão no caminho certo, resistindo às tentações que todos enfrentamos.

> Quando **CONFESSA**, você admite seu pecado e concorda com Deus que o pecado é ruim. Quando **SE ARREPENDE**, você se afasta do seu pecado e obedece a Ele, fazendo o que é certo.

Compartilhem suas lutas contra o pecado. Memorizem juntos passagens de encorajamento. Incentivem uns aos outros e encontrem-se com regularidade. "Confessem os seus pecados uns aos outros e orem uns pelos outros para serem curados" (Tg 5:16).

O pecado é perigoso. Não deixe Satanás lhe dizer o contrário. Não vale a pena romper sua comunhão com Deus por nenhum prazer físico, posse ou realização nesta vida.

Mas quando você comete um pecado – e todos nós cometemos – confesse-o e se arrependa de imediato. "Se afirmarmos que estamos sem pecado, enganamo-nos a nós mesmos, e a verdade não está em nós. Se confessarmos os nossos pecados, ele é fiel e justo para perdoar os nossos pecados e nos purificar de toda injustiça" (1Jo 1:8-9).

Jesus não apenas nos salva da punição do pecado, mas também nos liberta da tentação. Permaneça nEle.

Deixe a Bíblia falar:

Colossenses 3:1-17 (opcional: Tiago 4)

Deixe sua mente refletir:

1. Que pessoas, lugares e coisas lhe servem de tentação? Como você pode evitá-los?

2. Identifique, escreva e memorize passagens bíblicas que o ajudem a resistir às tentações que você enfrenta com mais frequência.

Deixe sua alma orar:

Senhor, obrigado por pagares o preço final para me resgatar do pecado. Ó Deus, que eu nunca use a Tua graça como desculpa para pecar. Liberta-me de hábitos pecaminosos e livra-me da tentação para que eu possa desfrutar de uma amizade íntima com o Senhor... Em nome de Jesus, amém.

Deixe seu coração obedecer:

(O que Deus está levando você a compreender, valorizar ou fazer?)

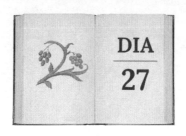

Lute com a armadura de Deus

Conduze-me, S\ENHOR, na tua justiça, por causa dos meus
inimigos; aplaina o teu caminho diante de mim.
Salmo 5:8

Imagine um caminho que leva a Deus, serpenteando por colinas, vales e rios. Ao seguirmos Jesus, precisamos permanecer nesse caminho, mesmo que seja estreito e difícil (Mt 7:14) – estreito porque Jesus é o único Caminho para o Pai (Jo 14:6), e difícil porque nosso corpo é afligido por nossa velha natureza pecaminosa. Vivemos em um mundo cheio de tentações, distrações, religiões falsas e pecado – coisas que o inimigo usa para nos desviar do caminho com Jesus. Felizmente, temos uma maneira de manter o rumo, de seguirmos o bom caminho que nos foi traçado.

Fé permanente.

Como temos estudado a semana toda, permanecer em Jesus nos conecta a Ele, o único Caminho para o Pai. Quando permanecemos nEle, permanecemos em Seu caminho, porque somos um com Ele. Satanás conhece o incrível poder de permanecer em Jesus e fará qualquer coisa para romper nossa união com Deus. Mas conhecemos a estratégia milenar do inimigo e sabemos como resistir às suas tentações. Hoje vamos aprender mais sobre as artimanhas de Satanás e como permanecer firmes em nossa fé:

Pois a nossa luta não é contra pessoas, mas contra os poderes e autoridades, contra os dominadores deste mundo de trevas, contra as forças espirituais do mal nas regiões celestiais. (Ef 6:12).

As pessoas não são nossas inimigas; Satanás é. Como estamos em Cristo, Satanás não pode nos controlar, mas isso não o impede de ficar à espreita, ao lado do caminho de Deus. Às vezes sussurra mentiras, ou grita insultos e acusações. Outras vezes, trabalha por meio de práticas proibidas, como ocultismo ou feitiçaria (Gl 5:19-21). Ele tenta interromper nossa comunicação com Deus e envia distrações para nos desviar do caminho. Também envia pessoas para nos dividir e plantar dúvidas em nossa mente. *Satanás é o autor da confusão e da divisão.* Fique atento; a atitude dele nem sempre parece maligna à primeira vista (2Cor 11:14). Jesus o chamou de pai da mentira (Jo 8:44). Mas não tenha medo, porque ele não é páreo para Deus: "porque aquele que está em vocês é maior do que aquele que está no mundo" (1Jo 4:4). Satanás *não* é onipresente (não está em todos os lugares, o tempo todo), onisciente (não sabe todas as coisas) nem onipotente (não tem todo o poder). Ele não pode ler nossa mente e não tem autoridade sobre nós. Podemos caminhar em paz total, desfrutando plenamente de Deus durante a jornada, porque Ele não está apenas *com* cada um de nós, mas também nos *prepara* para a vitória com uma armadura especial:

Por isso, vistam toda a armadura de Deus, para que possam resistir no dia mau e permanecer inabaláveis, depois de terem feito tudo. Assim, mantenham-se firmes, cingindo-se com o cinto da verdade, vestindo a couraça da justiça e tendo os pés calçados com a prontidão do evangelho da paz. Além disso, usem o escudo da fé, com o qual vocês poderão apagar todas as setas inflamadas do Maligno. Usem o capacete da salvação e a espada do Espírito, que é a palavra de Deus. Orem no Espírito em todas as ocasiões, com toda oração e súplica; tendo isso em mente, estejam atentos e perseverem na oração por todos os santos. (Ef 6:13-18).

Deus vai na frente para lutar por Seu povo e nos dá Sua armadura (Is 59:17). Cada peça da armadura simboliza uma realidade

importante de Sua proteção sobre nós. No livro de Efésios (cap. 6), o apóstolo Paulo usou a imagem da armadura de um soldado romano para ilustrar nossa armadura espiritual. Vejamos como cada peça nos protege quando permanecemos em Cristo:

1. **Cinto da Verdade:** este cinto o estabiliza enquanto você trilha o caminho de Deus. Os antigos romanos acreditavam que a área ao redor da cintura era a sede das emoções. Algumas culturas ainda mantêm essa visão. Cingir (circundar e proteger) essa área simboliza manter as emoções sob controle, ajustando-as com a verdade. Quando colocamos o cinto da verdade, alinhamos nossos pensamentos, atitudes e ações com a verdade da Palavra de Deus (Jo 17:17). Satanás mente sobre tudo: ele distorce a Palavra de Deus e as nossas emoções. Envia falsos mestres para nos desviar do caminho do Senhor. Usa o medo e a autopiedade para nos fazer tropeçar. No entanto, quanto mais nos cingimos com o cinto da verdade, menos provável é que tropecemos no engano do inimigo. "Então conhecerão a verdade, e a verdade os libertará" (Jo 8:32). Prenda bem o seu cinto.

2. **Couraça da Justiça:** a couraça cobre seu peito, geralmente considerado pelos romanos como o lugar onde reside a alma, com a justiça de Jesus — Sua obediência e virtude perfeitas. Ela também o defende contra dois dos inimigos mais cruéis da alma: a autojustiça e a autocondenação:

- A *autojustiça faz pouco caso da justiça de Cristo, afirmando:* "Eu não preciso de um Salvador. Eu sou bom o suficiente e Deus me deve Seu favor".
- A *autocondenação, o outro extremo, considera a justiça de Cristo insuficiente,* dizendo: "A obra de Cristo na cruz não bastou. Eu sou muito pecador. Devo me esforçar mais para ganhar o favor de Deus".

Essas são duas formas perigosas de orgulho, revelando uma crença na autossuficiência, a capacidade de ganhar o favor de Deus por nós mesmos. Ambas ignoram a realidade da graça divina (Gl 2:21). Em Sua graça, **Deus transferiu nossos pecados para Jesus na cruz e transferiu a justiça de Jesus para nós (2Cor 5:21; 1Pd 2:24).**

A maior troca já feita! Agora, a justiça de Cristo – que é necessária e suficiente – nos cobre. Coloque sua fé somente na justiça de Jesus. Esteja confiante de que nEle você *já* é justo e *viva* de maneira a honrar sua vocação. O pecado concede ao inimigo algo a que se agarrar em sua vida, dando-lhe uma oportunidade de tirá-lo do caminho de Deus (Ef 4:27). Proteja seu coração, vestindo sempre a couraça da justiça.

3. **Calçados da Paz:** no primeiro século depois de Cristo, os soldados romanos usavam sandálias com espetos, amarradas com grossas tiras de couro, que ofereciam uma base sólida para as batalhas intensas. Os sapatos estabilizam seus pés. Satanás tenta desequilibrá-lo causando divisões nos seus relacionamentos, especialmente dentro da igreja. Não permita que ele faça isso. Deus nos deu um fundamento de paz (Lc 21:26; Jo 16:33). Seja um pacificador. Jesus disse que a unidade entre Seus seguidores mostraria ao mundo que Deus O enviou (Jo 17:21). Viva em paz com Deus e com os outros, e quando os outros perguntarem sobre a paz que veem em sua vida, esteja sempre pronto para explicá-la (1Pd 3:15). "Como são belos os pés dos que anunciam boas novas!" (Rm 10:15). Calce os sapatos da paz.

4. **Escudo da Fé:** os soldados romanos primeiro mergulhavam seus escudos em água para se proteger dos dardos inflamados de seus inimigos. O escudo da fé extingue as flechas ardentes da dúvida, vergonha, medo e culpa de nosso inimigo. Ele pode gritar: "Você não pode confiar em Deus! Deus não te ama de verdade! Você é inútil!". Mas você pode parar essas flechas com a fé na bondade e no amor de Deus e em Jesus: "e obtemos essa vitória pela fé" (1Jo 5:4, NVT). A fé vem de ouvir a Palavra de Deus, então ouça-O (Rm 10:17). Medite em Sua Palavra durante sua caminhada com Ele. "Porque vivemos por fé, e não pelo que vemos" (2Cor 5:7).

5. **Capacete da Salvação:** este capacete protege seus pensamentos – é a garantia da salvação, para proteger sua mente dos enganos de Satanás. Saber que você está salvo é uma forte defesa contra a dúvida, o medo, a confusão e a insegurança (1Jo 5:11-13). O inimigo não pode

roubar sua salvação (Jo 10:28). Deus o resgatou do pecado e o adotou como Seu filho. Você pertence a Ele para sempre e está perdoado para sempre. Você é amado para sempre. Ele o cobre e o protege. "Ó Soberano Senhor, meu Salvador Poderoso, tu me proteges a cabeça no dia da batalha" (Sl 140:7). Você não tem nada a temer.

6. **Espada do Espírito:** a espada do Espírito é a Palavra de Deus. Em Efésios 6:17, a "palavra" se refere às afirmações de Deus.[1] Precisamos tomar posse das afirmações que estão na Bíblia e usá-las para lutar contra o inimigo. A Palavra de Deus permanece em você e você permanece nEle (Jo 15:7). **As Escrituras nos ajudam a discernir o que é quase verdadeiro do que é realmente verdadeiro. Quase verdadeiro ainda é falso**. E perigoso. Satanás às vezes parece atraente (2Cor 11:14), mas não se deixe enganar. Quando o inimigo apresenta bonitos atalhos para nos desviar, a Palavra de Deus ilumina o caminho certo para que possamos trilhá-lo (Sl 119:105). A espada do Espírito é a única arma ofensiva em nossa armadura. É "viva e eficaz, e mais afiada que qualquer espada de dois gumes; ela penetra ao ponto de dividir alma e espírito, juntas e medulas, e julga os pensamentos e intenções do coração" (Hb 4:12). Use-a para cortar as mentiras do inimigo, como fez Jesus.

A espada do Espírito é sempre afiada e infalível na batalha. Mas quão firme é nosso controle sobre ela? Iríamos para a batalha segurando uma arma mortal com apenas dois dedos? Claro que não. Se o fizéssemos, seríamos facilmente derrotados. Da mesma forma, segurar frouxamente a espada do Espírito, deixando nossa Bíblia fechada e não lida, e saindo assim para o mundo a cada dia, é uma escolha perigosa. Por que qualquer um de nós iria para a guerra ignorando nossa arma mais eficaz? Amigo, amiga, precisamos aprender a manejar bem essa arma (2Tm 2:15). Mantenha a Palavra de Deus à mão e reforce seu domínio sobre ela.

7. **Oração Constante:** nenhum soldado vai para o combate sem um meio de contato com os líderes, e nós também não devemos fazer

---

1 VINE, William E.; UNGER, Merrill F.; WHITE JR., William. *Vine's complete expository dictionary of Old and New Testament words*. Nashville: Thomas Nelson, 1984. p. 683.

isso. Precisamos estar em comunicação constante com nosso Líder para obter orientação. "Eu o instruirei e o ensinarei no caminho que você deve seguir; eu o aconselharei e cuidarei de você" (Sl 32:8). Sempre ore por si mesmo e pelos outros – para que permaneçam firmes na fé e proclamem com ousadia a mensagem de Jesus (Ef 6:19). Fale com Deus e ouça Suas instruções.

Pensar na vida como uma batalha constante pode parecer tenso, exaustivo e até assustador. Mas não é. Não é uma batalha para sangrar ou render-se ao inimigo, mas para permanecer em Jesus. Ele já sangrou por nós e conquistou a vitória (1Jo 5:4). Descanse em Sua habilidade de lutar por você (Ex 14:14). **A batalha pertence a Deus (2Cr 20:15).**

Deixe a Bíblia falar:
Salmo 91 (opcional: Isaías 59:17-19)

Deixe sua mente refletir:
1. De que forma saber que Deus está com você muda a maneira como vê sua jornada?

2. Quais peças de armadura seriam mais úteis para você resistir ao inimigo?

3. Como podemos ter certeza de que a vitória é nossa (Sl 91; Ef 1:19-23)?

Deixe sua alma orar:
Senhor, ajuda-me a permanecer em Ti e a confiar em Ti para me guiares. Lembra-me de colocar Tua armadura em Tua força para que eu possa resistir ao diabo e encorajar outros crentes que caminham comigo. Ajuda-me a aproveitar esta jornada Contigo e a ficar mais perto de Ti a cada passo que der... Em nome de Jesus, amém.

Deixe seu coração obedecer:
(O que Deus está levando você a compreender, valorizar ou fazer?)

Entre no descanso de Deus através de Sua Palavra

Assim, ainda resta um descanso sabático para o povo de
Deus; pois todo aquele que entra no descanso de Deus,
também descansa das suas obras, como Deus descansou das
Suas. Portanto, esforcemo-nos por entrar nesse descanso.
Hebreus 4:9-11

No princípio, Deus criou os céus e a terra (Gn 1). Com o poder de
Seu verbo, trouxe toda a criação à existência, e soprou vida no corpo
formado de Adão. Quando tudo estava dito e feito, Ele criou uma
vez mais – criou um dia de descanso. Desde as páginas iniciais de
nossa Bíblia, vemos um ritmo de trabalho e descanso que continua
ao longo de toda a História de Deus:

- "Em seis dias façam os seus trabalhos, mas no sétimo não
  trabalhem" (Ex 23:12).
- "Trabalhe seis dias, mas descanse no sétimo; tanto na época
  de arar como na da colheita" (Ex 34:21).
- "Descanse no Senhor e aguarde por ele com paciência" (Sl 37:7).
- "Parem de lutar! Saibam que eu sou Deus!" (Sl 46:10).
- "Vamos sozinhos até um lugar tranquilo para descansar um
  pouco" (Mc 6:31, NVT).

Pode parecer estranho que Deus tenha que nos mandar descansar, mas os humanos têm uma longa história de resistência ao descanso. Por que lutamos contra isso? Talvez seja porque não o entendemos. Como vimos em Gênesis, Deus foi o primeiro a descansar. "No sétimo dia Deus já havia concluído a obra que realizara, e nesse dia descansou. Abençoou Deus o sétimo dia e o santificou, porque nele descansou de toda a obra que realizara na criação" (Gn 2:2-3). A primeira coisa que o Senhor declara como sagrado não é uma pessoa ou um objeto, mas um dia. Ele descansou depois de completar Sua obra e chamou Seu dia de descanso de "santo" ou separado. Com base nesses versículos, podemos definir descanso como o tempo reservado para desfrutar da obra completa de Deus.

Mas o conceito de descanso envolve mais do que uma pausa no trabalho. Outro versículo esclarece melhor: "Vocês só serão salvos se voltarem para mim e em mim descansarem. Na tranquilidade e na confiança está sua força" (Is 30:15, NVT). Nesse caso, descansar é voltar para Deus, aquietar nosso coração em Sua presença e colocar nossa confiança nEle. **O descanso é uma demonstração de nossa confiança nEle**. Embora Deus tenha instruído os israelitas a interromperem o trabalho físico com um dia de descanso no sábado para se lembrarem de Sua libertação (Dt 5:15), vemos que o descanso de Deus não é apenas inatividade física.

Um dia de descanso

Para os crentes, o descanso espiritual em Jesus é um estilo de vida. No entanto, além do descanso espiritual, Deus fez com que nosso corpo precisasse de descanso físico. É sábio tirar um sábado para descanso a cada semana, se possível. Conforme nos esvaziamos no trabalho, devemos reservar um tempo para sermos reabastecidos.

Depois que Deus usou Elias para demonstrar Seu grande poder no Monte Carmelo, Elias ficou exausto e deprimido (ver Dia 12). Deus sabia que sua depressão espiritual vinha da exaustão física, então cuidou das necessidades físicas dele, dando-lhe descanso e comida, e assim Elias pôde voltar a realizar a obra de Deus (1Rs 18-19).

O que restaura você? Se o seu trabalho envolve esforço físico, você pode precisar descansar o corpo, lendo um livro ou sentando-se para conversar com amigos. Se não envolve atividade física, talvez precise descansar saindo para desfrutar da criação de Deus. Jesus ensinou: "O sábado foi feito por causa do homem, e não o homem por causa do sábado" (Mc 2:27). Não há necessidade de ser legalista sobre um dia de descanso semanal. Apenas lembre-se de que Deus lhe deu um corpo físico com limitações físicas. Descanse.

Nos dias de Jesus, os líderes religiosos interpretavam mal o descanso. Quando acusaram Seus discípulos de quebrarem o mandamento do sábado, Jesus respondeu a eles, dizendo: "O sábado foi feito por causa do homem, não o homem por causa do sábado" (Mc 2:27). Em outro momento, atacaram Jesus por quebrar as regras do sábado feitas pelo homem. Mas o descanso sabático foi feito para ajudá-los, não para se tornar um fardo. A obsessão com as regras de descanso os cegou para sua essência – e sua única fonte real –, Jesus, o Senhor do Sábado (Mt 12:8).

Por meio de Jesus, desfrutamos do supremo descanso – a paz com Deus. Podemos confiar e entregar tudo a Ele, encontrando descanso em Cristo, que nos convida a estarmos juntos no verdadeiro descanso que só Ele pode prover:

> **Jugo:**
> Uma estrutura ajustada, usada sobre os ombros para ajudar uma pessoa ou um animal a carregar uma carga em duas partes iguais.

Venham a mim, todos os que estão cansados e sobrecarregados, e eu lhes darei descanso. Tomem sobre vocês o meu **jugo** e aprendam de mim, pois Sou manso e humilde de coração, e vocês encontrarão descanso para as suas almas. Pois o meu jugo é suave e o meu fardo é leve. (Mt 11:28-30, grifo nosso).

O descanso, no sentido mais amplo da palavra, flui de nosso relacionamento com Deus – um relacionamento que só se tornou possível por meio de Cristo. Descansar, então, **significa mais que um dia sem trabalho por semana; também significa permanecer em Jesus como um estilo de vida**. O descanso físico, mental, emocional e espiritual é um presente inestimável de Deus.

Descansamos fisicamente de nosso trabalho.
Descansamos de nossa ansiedade, medo ou preocupação.
Descansamos na salvação de Deus.

A graça de Deus torna possível trabalhar e descansar. Mas se buscamos nosso valor no trabalho, será difícil descansar. Se descobrimos nosso valor em Jesus, colocamos nossa confiança não mais no que nós *fazemos*, mas no que *Ele* fez. Descansamos nEle. E quando trabalhamos, não o fazemos para ganhar o amor de Deus, mas em resposta a esse amor. Trabalho e descanso permanecem em equilíbrio quando estamos nEle.

E por que resistimos ao descanso? Aprendemos como os israelitas se recusaram a entrar no descanso de Deus quando não quiseram entrar na Terra Prometida (Hb 3:17-19). Eles não acreditaram que Deus cuidaria deles e, como resultado, ficaram preocupados e vagaram sem descanso pelo deserto. Em uma escala maior, todos os pecados seguem esse mesmo padrão. Duvidamos que o Pai celestial nos satisfaça, por isso buscamos satisfação fora de Sua vontade. E duvidamos que Ele esteja no controle, então nos agarramos aos nossos problemas. Dessa maneira, nós nos preocupamos e vagamos inquietos, separados de Deus. É como andar de um lado para o outro, nos desgastando sem chegar a lugar nenhum. Ficamos no deserto.

Hoje, Deus nos convida a entrar em Seu descanso, não pela Terra Prometida, mas por meio do Prometido – Jesus. Quando as pessoas não confiam em Cristo, rejeitam Seu dom de descanso. Duvidam dEle, desobedecem a Ele e vagam *inquietas* por toda a vida. Mesmo sendo crentes, podemos cair em um padrão semelhante. Quando duvidamos das promessas de Deus e desobedecemos aos Seus mandamentos, bloqueamos nossa conexão permanente com Ele e deixamos de entrar no Seu descanso.

Você está *inquieto*? Quer nunca tenha confiado em Jesus em sua vida ou tenha confiado nEle, mas tenha se afastado, a solução é a mesma: volte para Deus e descanse nEle, pois voltando e descansando sereis salvos (Is 30:15). Peça a Deus para podar (ou cortar) qualquer madeira morta que o impeça de permanecer nEle. Acredite em Deus e no que Ele diz. Hebreus 4:3 diz assim: "Nós, porém, que cremos, entramos no descanso" (NAA). Você pode descansar e relaxar no caloroso abraço de Deus, sabendo que Ele está sempre com você, sempre o ama e sempre é digno. Portanto, quando a vida parecer opressora e as preocupações tentarem consumi-lo, respire fundo. Inspire o amor de Deus; expire a ansiedade. Volte seu foco para Deus (Cl 3) e entre em Seu descanso mais uma vez.

Deixe a Bíblia falar:
Hebreus 3:7; 4:12 (opcional: Mateus 12:1-14)

Deixe sua mente refletir:
1. Como você definiria o descanso de Deus? De que maneira você precisa entrar em Seu descanso?

2. Responda às perguntas para discussão da Semana 4.

Deixe sua alma orar:
Pai, Tu és meu refúgio. Tu dizes: "Venham a mim, todos os que estão cansados e sobrecarregados, e eu lhes darei descanso" (Mt 11:28). Estou cansado e sobrecarregado. Dá-me o Teu descanso. Acalma meu coração e resgata-me de tudo que bloqueia minha conexão Contigo... Em nome de Jesus, amém.

Deixe seu coração obedecer:
(O que Deus está levando você a compreender, valorizar ou fazer?)

SEMANA 4 – PERGUNTAS PARA DISCUSSÃO:

Revise as lições desta semana e responda às perguntas abaixo. Compartilhe suas respostas com seus amigos durante a reunião semanal.

1. De que forma permanecer em Jesus aprofunda seu relacionamento com Deus e o ajuda a viver sua história na força dEle?

2. Como Deus já podou você no passado? De quais obstáculos Ele deseja libertá-lo para que você permaneça em Cristo?

3. "Mas o fruto do Espírito é amor, alegria, paz, paciência, amabilidade, bondade, fidelidade, mansidão e domínio próprio" (Gl 5:22-23). Quais desses frutos você parece ter em abundância? Quais desses aspectos deseja desenvolver com mais plenitude?

4. Como o pecado causa sofrimento? Por que ele bloqueia sua conexão com Jesus? Que medidas práticas você pode tomar para resistir à tentação?

5. Como você pode vestir a armadura de Deus a cada dia? Qual peça de armadura é especialmente reconfortante para você? Quais peças você pode estar deixando de usar regularmente?

SEMANA CINCO

A PALAVRA DE DEUS –
OUVINDO O AUTOR
DA VIDA

Aprecie a Palavra de Deus

Elas não são palavras inúteis. São a sua vida.
Deuteronômio 32:47

Se realmente queremos conhecer a Deus e entender como mudar nossa vida e o mundo, a Bíblia precisa ser nossa mais alta prioridade. Mas não basta conhecer as verdades bíblicas. Precisamos vivê-las *com* Deus. Vidas e comunidades se transformam quando aplicamos amorosamente essas verdades por meio do poder do Espírito Santo. Estamos dedicando esta semana à Bíblia – nosso bem mais precioso na terra. Vamos fazer um passeio pela Bíblia, aprender como estudá-la e memorizá-la, descobrir por que podemos confiar nela e muito mais. Vamos começar!

A Bíblia é diferente de qualquer outro livro em toda a história. Deus inspirou mais de quarenta autores humanos, de diferentes origens, para escrevê-la. Eles eram pastores, líderes religiosos, reis, autoridades do governo e pescadores. Esses homens escreveram durante um período de mais de 1600 anos em três continentes diferentes – Ásia, Europa e África.[1] Mas aqui está a maravilha de tudo: todos esses autores apontam para o mesmo tema. Por quê? Porque o *próprio Deus* os guiou para contar *Sua* história. Quem mais poderia tecer uma mensagem unificada da verdade em épocas, personalidades e culturas tão diferentes? Quem mais poderia escrever um livro tão transformador e consistente em si mesmo? Ninguém além de Deus. É o livro dEle – a Verdadeira História de Deus.

---

1 HENDRICKS, Howard G. HENDRICKS, William. *Living by the Book*: the art and science of reading the Bible. Chicago: Moody Press, 2007. p. 26.

Como sabemos? Sua Palavra nos diz, e a Sua vida flui por meio da Bíblia.[1] "Toda a Escritura é inspirada por Deus" (2Tm 3:16), pois "nenhuma profecia da Escritura provém de interpretação pessoal, pois jamais a profecia teve origem na vontade humana, mas homens falaram da parte de Deus, impelidos pelo Espírito Santo" (2Pd 1:20-21). Através de Sua Palavra, Deus nos fala, nos ensina, nos corrige e nos prepara para o que está por vir (2Tm 3:16-17). Em cada página das Escrituras, Ele Se revela para nós, e nosso amor por Ele se torna mais profundo. **Para amar mais a Deus, devemos conhecê-Lo em Sua Palavra.**

É por isso que aceitar *cada parte* da Bíblia é tão importante, e por que alterar as Escrituras é tão perigoso. Escolher a dedo em quais partes da Bíblia acreditamos e descartar aquelas das quais discordamos é como criar nossa religião particular ou esculpir um falso deus. Assim como os medicamentos que salvam vidas podem se tornar ineficazes ou perigosos se alterados, o mesmo pode acontecer com as Escrituras vitais. Jesus advertiu contra ignorar as partes da Bíblia de que não gostamos:

> Nem a menor letra ou o menor traço da lei desaparecerá até que todas as coisas se cumpram. Portanto, quem desobedecer até ao menor mandamento, e ensinar outros a fazer o mesmo, será considerado o menor no reino dos céus. Mas aquele que obedecer à lei de Deus e ensiná-la será considerado grande no reino dos céus. (Mt 5:18-19).

Não edite a Palavra de Deus.

Nem acrescente material à Sua Palavra. "Cada palavra de Deus é comprovadamente pura... Nada acrescente às palavras dele, do contrário, ele o repreenderá e mostrará que você é mentiroso" (Pr 30:5-6). No Apocalipse, vemos um aviso ainda mais forte contra essas alterações:

> Declaro a todos os que ouvem as palavras da profecia deste livro: se alguém lhe acrescentar algo, Deus lhe acrescentará as pragas descritas

---

1 O Dia 31 aborda a validade da Palavra de Deus.

neste livro. Se alguém tirar alguma palavra deste livro de profecia, Deus tirará dele a sua parte na árvore da vida e na cidade santa, que são descritas neste livro. (Ap 22:18-19).

As consequências de se mudar ou distorcer a Palavra de Deus são severas; por esse motivo, "não usamos de engano nem torcemos a palavra de Deus" (2Cor 4:2).

Mesmo com essas advertências, as pessoas ainda adicionam ou retiram

Traduções da Bíblia

As traduções da Bíblia de hoje são excelentes. Os manuscritos originais da Bíblia foram cuidadosamente copiados à mão por gerações. Foram encontrados pequenos erros no texto (por exemplo, palavras com erros ortográficos, letras ausentes ou duplicadas). Menos de um por cento das Escrituras foi copiado incorretamente, porém nenhum ensinamento ou mandamento foi comprometido.

Fonte: BIBLE, evidence for. *In*: GEISIER, Norman I. *Baker Encyclopedia of Christian Apologetics*. Grand Rapids: Baker Books, 1999. (Baker Reference Library).

informações da Bíblia para justificar suas crenças ou evitar ofender outras pessoas. É por isso que estudar a Bíblia por nós mesmos é extremamente importante. Podemos conhecer a Deus e Sua Palavra. Não precisamos ficar surpresos com os eventos futuros que a Bíblia revela, por exemplo, o nosso julgamento (Dia 6). Podemos nos proteger de falsos ensinamentos e aprender a sabedoria do Pai celestial ao estudarmos Sua Palavra.

Seu tempo de estudo da Bíblia pode ser separado do seu momento devocional. Durante o devocional (Dia 22), você pode meditar sobre alguns versículos bíblicos, orar e ouvir os sussurros do Espírito Santo (Gl 5:16). **No estudo da Bíblia, nossa leitura é mais intensa: nós pesquisamos, memorizamos e estudamos a Bíblia com bastante cuidado, para aprendermos mais sobre Deus**. Não importa se você estuda a Bíblia durante seu período de reflexão ou se faz isso em outro momento, o objetivo é ser intencional e consistente.

Às vezes, temos dificuldade para estudá-la. Horários precisam ser alterados. Membros da família ficam doentes. A vida fica complicada. O resultado é que nos distraímos e o estudo da Bíblia parece trabalhoso. Vamos observar algumas bênçãos que só vêm quando perseveramos em conhecer a Palavra de Deus:

1. **Conhecer a Deus**: as Escrituras entrelaçam a pessoa, a posição e o poder de Deus em todas as páginas, para que você O conheça, adore e ame. Sem dedicar tempo à leitura de Sua Palavra, tendemos a esquecê-Lo. E como aprendemos no Dia 17, esquecer é perigoso.

2. **Conhecer a si mesmo**: a Palavra de Deus é como um espelho que reflete a realidade de nosso coração. Vemos o que Ele deseja que vejamos sobre nós mesmos e como Ele nos abençoa quando andamos em Seus caminhos (Tg 1:22-25).

3. **Conhecer o plano de Deus**: a Bíblia revela uma perspectiva da origem até o destino do mundo (Semana 1) e nossa parte nessa história. Vivendo apenas no aqui e agora, sem entender a Verdadeira História de Deus, que é mais ampla, podemos ficar desanimados e distraídos.

4. **Saber viver bem todos os dias**: hoje, você resolveu ler esta jornada de fé. Em alguns minutos, escolherá aplicar o que aprendeu. Depois disso, tomará outras decisões. Todos os dias você se depara com milhares de situações, e a Palavra de Deus o orienta, como a luz no meio do caminho, para ajudá-lo a fazer escolhas sábias (Sl 119:105).

Assim como o ritmo diário de exercícios e uma alimentação saudável aos poucos modificam nosso corpo, o estudo regular da Bíblia transforma o nosso espírito. Cientes ou não da mudança, fortalecemos nossos músculos espirituais. Mas, ao contrário do que acontece com a comida física, quando nos enchemos com a Palavra de Deus, nunca ficamos fartos. Nossa capacidade para receber Sua Palavra apenas se expande, e ansiamos por mais dela. A Palavra de Deus é o único banquete que pode realmente saciar a fome da nossa alma. Ao aprender esta semana como estudar a Bíblia, você descobrirá seu valor inestimável, muitas vezes descrito em figuras de linguagem:

- A Palavra de Deus faz você crescer como uma **semente** (1Pd 1:23).
- A Palavra de Deus guia você como **luz** (Sl 119:105).
- A Palavra de Deus limpa você como **água** (Ef 5:25-26).
- A Palavra de Deus fixa você como **alicerce** (Mt 7:24-25).
- A Palavra de Deus **chove** sobre você, nutrindo um crescimento que dá frutos (Is 55:10-11).
- A Palavra de Deus poda e protege você como uma **espada** afiada (Ef 6:17; Hb 4:12).
- A Palavra de Deus **ensina, repreende, corrige** e **treina** você (2Tm 3:16-17).
- A Palavra de Deus é a sua **própria vida** (Dt 32:47).

A Palavra de Deus dá vida e transforma o coração. Não é de admirar que o inimigo a ataque sem cessar. Seu truque mais antigo é nos levar a questionar as Escrituras. Lembre-se de quando ele tentou Eva no jardim, perguntando: "Deus realmente disse...?" (Gn 3:1, NVT). Se ele conseguir plantar a dúvida, poderá iniciar uma reação em cadeia que nos afasta de Deus:

- Satanás sabe que se não confiarmos na Palavra de Deus, não a leremos.
- Se não a lermos, não descobriremos a História de Deus e a história que Ele escreveu para nós.
- Se não descobrirmos a História dEle, não saberemos quando o inimigo está nos enganando.
- E se formos enganados, não resistiremos à tentação, nem adoraremos a Deus.

Sim, o inimigo deseja desesperadamente que duvidemos da Palavra de Deus. Mas, como já estudamos, podemos extinguir as flechas flamejantes da dúvida com nossos escudos da fé. *Acredite* na Palavra de Deus. Com confiança, pegue a espada do Espírito para "destruir as obras do diabo" (1Jo 3:8). É por isso que Jesus veio, e é por isso que estamos aqui. Destruímos a obra do diabo quando libertamos gerações, vizinhos e nações com a verdade da Palavra de Deus. Vamos manejar bem nossas espadas.

Deixe a Bíblia falar:
Salmos 19:7-11 (opcional: 2 Pedro 1)

Deixe sua mente refletir:
1. Qual imagem inspiradora da Bíblia significa mais para você agora? Por quê?

2. Qual é a diferença entre devocional e estudo da Bíblia? Como você pode arranjar tempo para os dois?

3. No Dia 19, lemos o Salmo 19. Releia os versículos 7-11 e relacione as diferentes descrições e propósitos da Palavra de Deus. De que maneira(s) a Palavra de Deus transformou você?

Deixe sua alma orar:
Pai, Tu és o Autor da vida, o Autor da Bíblia e o Autor da minha história. Enquanto leio Tua palavra, revela-Te para mim. Concede-me sabedoria e compreensão. Mostra-me como aplicar a Tua Palavra à minha vida diária, conforme vivo a história que escreveste para mim. "Abre os meus olhos para que eu veja as maravilhas da Tua lei" (Sl 119:18). Em nome de Jesus, amém.

Deixe seu coração obedecer:
(O que Deus está levando você a compreender, valorizar ou fazer?)

Receba a Palavra de Deus – A parábola das sementes e do solo

O semeador saiu a semear... A semente é a palavra de Deus.
Lucas 8:5, 11

Entre o momento em que você recebeu Jesus e o instante em que receber sua nova residência no céu, poucas coisas serão mais substanciais e satisfatórias para sua alma do que banquetear-se – receber – a Palavra de Deus. Quanto mais lemos Sua Palavra, mais temos vontade de lê-la. Isso porque, à medida que absorvemos e aplicamos as verdades das Escrituras em nossa vida, nós mudamos radicalmente (Rm 12:2). A presença do pecado perde sua potência. A graça de Deus penetra em nosso coração. **Mas para liberar o poder de Sua Palavra em nossa vida, precisamos lê-la** *e recebê-la.*

Jesus ilustra como receber a Palavra de Deus na parábola das sementes e o solo. Enquanto lê, *lembre-se de que a Palavra de Deus é a semente* (Lc 8:11):

O semeador saiu a semear. Enquanto lançava a semente, parte dela caiu à beira do caminho; foi pisada, e as aves do céu a comeram. Parte dela caiu sobre pedras e, quando germinou, as plantas secaram, porque não havia umidade. Outra parte caiu entre espinhos, que cresceram com ela e sufocaram as plantas. Outra ainda caiu em boa terra. Cresceu e deu boa colheita, a cem por um. (Lc 8:5-8).

Observe que todas as sementes eram boas. Todas eram perfeitas. É a condição do coração de uma pessoa e como ela recebe a Palavra de Deus que faz a diferença entre uma vida de frutos e uma vida que está presa e não cresce na fé. A condição do solo limita ou promove o crescimento. A Palavra de Deus é verdadeira, poderosa e pronta para dar frutos, mas *nós* determinamos o quanto ela será frutífera em nossa vida. Ao ler a explicação de Jesus sobre os quatro diferentes tipos de solo, pense a respeito da condição de seu próprio coração. Que tipo de solo você é?

1. **Você é uma trilha, endurecida e exposta ao inimigo?** "As que caíram à beira do caminho são os que ouvem, e então vem o diabo e tira a palavra dos seus corações, para que não creiam e não sejam salvos" (Lc 8:12).

A sua vida é uma estrada endurecida por feridas do passado, dúvidas emocionais ou uma vida pecaminosa? Nesse caso, o mundo pode esmagar a semente da Palavra de Deus assim que ela cair sobre você. O inimigo pode arrebatar o que sobrou. Se endurecemos nosso coração, abrigando rancor ou nos entregando a um comportamento pecaminoso, nós nos expomos ao inimigo e dificultamos o crescimento da Palavra de Deus. O profeta Oseias, do Velho Testamento, deu as seguintes instruções aos israelitas, cujas vidas haviam sido endurecidas pelo pecado:

> Semeiem a retidão para si, colham o fruto da lealdade, e *façam sulcos no seu solo não arado*; pois é hora de buscar o Senhor, até que Ele venha e faça chover justiça sobre vocês. (Os 10:12, grifo nosso).

A vida dos israelitas era como o solo não arado, sem uso e inútil. A solução foi abrir o coração deles, da mesma forma que se abre terreno não arado, preparando o solo para receber a justiça de Deus. Acontece o mesmo conosco. Se Deus está falando com você agora, não endureça o seu coração (Hb 4:7). Peça a Ele para curar feridas emocionais ou remover hábitos prejudiciais que endurecem sua vida. Não importa o quanto sejam negligenciadas ou difíceis essas áreas de nossa vida, Deus ainda pode produzir uma colheita a partir dela. Ele nos dará Sua graça para cada passo de mudança e cura ao longo do caminho.

2. **Você é como um solo rochoso com raízes superficiais?** "As que caíram sobre as pedras são os que recebem a palavra com alegria quando a ouvem, mas não têm raiz. Creem durante algum tempo, mas desistem na hora da provação" (Lc 8:13).

Esse trecho o descreve? Você se sente bem quando ouve as boas-novas de Jesus, mas perde a determinação de segui-Lo quando a fé parece difícil e outro caminho parece mais fácil? Entusiasmo momentâneo por Jesus não é o mesmo que permanecer nEle (ver Semana 4). Algumas pessoas parecem espiritualmente apaixonadas por um tempo, mas, em seu íntimo, não permanecem em Jesus. Sentimentos espirituais não são as raízes de que precisamos para nos sustentar durante o sofrimento e a tentação. A fé superficial se desvanece com o tempo.

Nós, humanos, muitas vezes somos superficiais, vivendo regidos por nossas emoções. A superficialidade está em vivermos de acordo com o que pensamos e sentimos, em vez de sermos guiados pelo Espírito Santo. Precisamos dizer: "Eu acredito, e ninguém pode roubar de mim a minha fé". Se nosso solo é rochoso, precisamos extrair as rochas da apatia ou da preguiça, que nos oprimem e impedem nosso crescimento espiritual e, no lugar delas, deixar nossas raízes crescerem profundamente em Deus. "Da riqueza de sua glória, ele os fortaleça com poder interior por meio de seu Espírito. Então Cristo habitará em seu coração à medida que vocês confiarem nele. Suas raízes se aprofundarão em amor e os manterão fortes" (Ef 3:16-17, NVT). Volte ao Dia 24 para revisar como criar raízes profundas.

3. **Você é como solo espinhoso, emaranhado em preocupações, riqueza e prazer?** "As que caíram entre espinhos são os que ouvem, mas, ao seguirem seu caminho, são sufocados pelas preocupações, pelas riquezas e pelos prazeres desta vida, e não amadurecem" (Lc 8:14).

Você está consumido pela preocupação com sua vida, sua aparência ou seu sucesso? Pensa o tempo todo em dinheiro, sempre querendo mais? Deseja felicidade, entretenimento ou lazer mais do que deseja Deus? Nesse caso, essas coisas menores crescerão como espinhos e estrangularão seu crescimento espiritual. Perdemos muito do que Deus tem para nós quando somos distraídos pelo prazer, falso prestígio, dinheiro e outras futilidades.

Jesus nos advertiu para não nos preocuparmos: "Pois os pagãos é que correm atrás dessas coisas; mas o Pai celestial sabe que vocês precisam delas. Busquem, pois, em primeiro lugar o Reino de Deus e a sua justiça, e todas essas coisas lhes serão acrescentadas" (Mt 6:32-33).

4. **Será que você é o solo bom?** "Ainda outras caíram em solo fértil e produziram uma colheita cem vezes maior que a quantidade semeada... as que caíram em solo fértil representam os que, com coração bom e receptivo, ouvem a mensagem, a aceitam e, com paciência, produzem uma grande colheita" (Lc 8:8, 15, NVT).

Agora chegamos ao solo desejado: o "solo fértil", que produz uma colheita da Palavra de Deus. Mas, como fizemos com os outros solos, vamos colocar nosso coração à prova: Você ama a Palavra de Deus e a aplica em sua vida? Depende dela para obter sabedoria e força? Você confia no Senhor mais do que em seu próprio entendimento (Pr 3:5)? Se as respostas forem afirmativas, a Palavra de Deus florescerá em você e dará muito fruto (Dia 25).

Jesus nos convida a orar pela colheita: "Se vocês permanecerem em mim, e as minhas palavras permanecerem em vocês, pedirão o que quiserem, e lhes será concedido. Meu Pai é glorificado pelo fato de vocês darem muito fruto; e assim serão meus discípulos" (Jo 15:7-8). Observe o contexto referente a fazer discípulos nesses versículos. Jesus promete nos dar tudo o que pedimos, *se permanecermos conectados a Ele e à Sua Palavra*. Quando o fazemos, queremos o mesmo que Ele quer e nossos pedidos são de acordo com a Sua vontade.

Reveja a parábola das sementes e do solo para relembrar o que é necessário para se tornar um bom solo: "Ouvem a palavra, a retêm e dão fruto, com perseverança" (Lc 8:15). Se você encontrar um aspecto de sua vida que é um terreno não arado, entregue-o ao Senhor para que Ele o cultive. Deus é o grande Jardineiro (Jo 15:1), e Sua vontade é dar frutos em sua vida.

Deixe que essa parábola também o encoraje ao semear a semente da Palavra de Deus na vida de outros. Quando compartilha a Palavra de Deus, as sementes que você planta são boas. Se elas não criarem raízes e crescerem na vida de alguém, o solo – a condição do coração da pessoa – pode ser o problema. **Deus medirá nossa vida não pela colheita, mas pelas sementes que plantamos com amor**. Nosso trabalho é semear Sua Palavra com amor e regá-la ao discipularmos novos crentes, mas só *Deus* a faz crescer (1Cor 3:6-8).

Deixe a Bíblia falar:

Lucas 8:4-15 (opcional: Jeremias 4:1-4)

Deixe sua mente refletir:

1. A maioria de nós se identifica com mais de um tipo de solo. Que tipo(s) de solo você encontra em seu coração?

2. Que terreno não arado ou distrações espinhosas ameaçam seu crescimento e fecundidade?

3. Onde você vê Deus dando frutos em sua vida agora? Reserve um momento para celebrar Sua fidelidade e compromisso com o seu crescimento nEle. Escreva onde você está experimentando frutos para que possa se lembrar (faça uma pedra memorial – veja o Dia 17).

Deixe sua alma orar:

Pai, obrigado pela boa semente da Tua Palavra. Por favor, impede o inimigo de arrebatá-la de mim. Ajuda-me a criar raízes profundas, para aproveitar o Teu estoque infinito de refrigério e força. Faz do meu coração um solo fértil para que a Tua Palavra cresça e dê frutos... Em nome de Jesus, amém.

Deixe seu coração obedecer:

(O que Deus está levando você a compreender, valorizar ou fazer?)

Confie na Palavra de Deus – Razões para crer

A tua palavra é a verdade.
João 17:17

Como você sabe que a Bíblia não é uma história inventada? Alguém já lhe perguntou isso? Talvez você esteja se perguntando se a Palavra de Deus realmente é o Livro de Deus. Como vai descobrir hoje, podemos ter confiança na autoridade das Escrituras.

A Bíblia não apenas afirma ser a Palavra de Deus milhares de vezes...

Não apenas Deus nos diz que Ele inspirou homens a escreverem os livros da Bíblia...

Não apenas os autores atribuem as palavras que escrevem a Deus...

Mas existem muitos outros motivos para confiarmos na Bíblia. Por enquanto, exploraremos apenas oito razões:

1. **Jesus confiou na Palavra de Deus e testificou pessoalmente de sua autenticidade.** Jesus começou Seu ministério lendo Isaías 61:1-2, que descrevia o Salvador que Deus prometera enviar. E anunciou: "Hoje se cumpriu a Escritura que vocês acabaram de ouvir" (Lc 4:21). Jesus ensinou a Palavra de Deus, a Lei, e a viveu. Ele disse: "Não pensem que vim abolir a Lei ou os Profetas; não vim abolir, mas cumprir" (Mt 5:17). Como aprendemos no Dia 26, Ele também resistiu à tentação citando as Escrituras e iniciando cada resposta a Satanás com "Está escrito" (Mt 4:4, 7, 10). No dia de Sua ressurreição – a primeira Páscoa – Ele leu passagens da Bíblia para dois discípulos,

explicando "o que constava a respeito dele em todas as Escrituras" (Lc 24:27). Se Jesus, o Filho perfeito de Deus, confiou na Palavra do Pai celestial, não deveríamos confiar nela ainda mais?

2. **A Bíblia está cheia de referências históricas e geográficas**. Uma obra imaginária provavelmente não incluiria tantos detalhes históricos. Os livros históricos do Antigo Testamento estão repletos de detalhes específicos sobre lugares, datas, horários, pessoas e a cultura do antigo Oriente Médio. Em seu relato sobre a vida de Jesus, Lucas incluiu todos os pormenores necessários para fornecer o contexto completo de Seu nascimento. Que detalhes você pode encontrar nesses versículos?

> Naqueles dias, César Augusto publicou um decreto ordenando o recenseamento de todo o império romano. Este foi o primeiro recenseamento feito quando Quirino era governador da Síria. E todos iam para a sua cidade natal, a fim de alistar-se. Assim, José também foi da cidade de Nazaré da Galileia para a Judeia, para Belém, cidade de Davi, porque pertencia à casa e à linhagem de Davi. Ele foi a fim de alistar-se, com Maria, que lhe estava prometida em casamento e esperava um filho. (Lc 2:1-5).

Neles, Lucas cita o nome de dois governantes, um evento histórico, três localizações geográficas, o nome e a história da família de José, e a razão pela qual Maria estava com José. Lucas não tinha medo de verificadores de fatos. Na verdade, esse nível de detalhe convida as pessoas a examinarem a precisão dos fatos.

3. **Documentos históricos e arqueologia confirmam que a Bíblia é exata**. A Bíblia não apenas inclui conteúdo espiritual verdadeiro, mas também registra informações históricas e geográficas com notável precisão. Por exemplo, os arqueólogos descobriram evidências da destruição de Jericó, que se correlacionam com o relato bíblico encontrado em Josué.[1] Inscrições em aramaico que descrevem

---

1 ELWELL, Walter A. *Evangelical dictionary of theology*. 2nd. ed. Grand Rapids: Baker Academic, 2001.

a "Casa de Davi" foram descobertas em Tel Dã.[1] Uma rampa de cerco e uma vala comum foram desenterradas e essas descobertas correspondem à invasão assíria durante o reinado de Ezequias.[2] Foram encontradas muitas outras evidências arqueológicas.

Existem também documentos históricos antigos que registram detalhes de eventos retratados nas Escrituras, como em Mateus e Marcos, os quais mencionaram trevas incomuns e um terremoto, ocorridos quando Jesus foi crucificado:

> E houve trevas sobre toda a terra, do meio-dia às três horas da tarde... Depois de ter bradado novamente em alta voz, Jesus entregou o espírito. Naquele momento, o véu do santuário rasgou-se em duas partes, de alto a baixo. A terra tremeu, e as rochas se partiram. Os sepulcros se abriram. (Mt 27:45, 50-52).

Os historiadores seculares descreveram eventos semelhantes. O grego Flégon escreveu que, durante o reinado de Tibério César, mais ou menos na época em que Jesus foi executado, parecia noite no meio do dia e terremotos sacudiram a região.[3] Outro historiador chamado Talo reportou que uma escuridão terrível cobriu a terra e terremotos dividiram as rochas na Judeia.[4] Esses registros seculares coincidem com o relato bíblico de trevas e terremotos na época da morte de Jesus.

4. **As profecias bíblicas previram eventos históricos com precisão muito antes de acontecerem**. A Bíblia contém centenas de profecias, muitas das quais já foram cumpridas. (Aquelas que ainda não aconteceram se referem ao fim dos tempos, quando Jesus voltará.) Os eventos previstos no Antigo Testamento e descritos no Novo Testamento são algumas das profecias mais específicas que já se cumpriram. Aqui estão apenas alguns exemplos:

---

1 ELWELL, Walter A. *Evangelical dictionary of theology*. 2nd. ed. Grand Rapids: Baker Academic, 2001.
2 WERSE, Nicholas R. Hezekiah, King of Judah. In: BARRY, John D. et al. (org.) *The Lexham Bible Dictionary*. Bellingham: Lexham Press, 2016.
3 HABERMAS, Gary R. *The historical Jesus*: ancient evidence for the life of Christ. Joplin: College Press Publishing Company, 1996. p. 218.
4 Ibid., p. 196-197.

- Cerca de setecentos anos antes do nascimento de Jesus, Miqueias escreveu que o Messias nasceria em Belém (Mq 5:2; Mt 2:1-6).
- Zacarias predisse que Jesus seria traído por trinta moedas de prata (Zc 11:12; Mt 26:14-15).
- Davi profetizou que as mãos e os pés de Jesus seriam perfurados (Sl 22:16; Jo 20:24-28).
- Isaías previu que o corpo de Jesus repousaria no túmulo de um homem rico (Is 53:9; Mt 27:57-60).
- A ressurreição de Jesus também foi prenunciada várias vezes (Sl 16:8-11; At 2:24-31).

Talvez uma pessoa pudesse tentar manipular um detalhe ou outro da própria vida para cumprir as Escrituras, mas ninguém seria capaz de mudar seu local de nascimento e morte, ou o que aconteceria com seu corpo após a morte. Pessoas não sabem o futuro nem podem controlá-lo, *mas Deus pode e faz*. A Bíblia prediz eventos futuros com precisão porque seu Autor conhece "o fim desde o princípio" (Is 46:10, ARC).

5. **A Bíblia inclui informações embaraçosas sobre os seus "heróis".** Muitos historiadores antigos exageraram as vitórias dos líderes e minimizaram ou eliminaram os fracassos na tentativa de promover ideologias ou causas. Mas os escritores da Bíblia não fizeram esses ajustes. As Escrituras relatam abertamente que Abraão teve um filho com a serva da esposa e mentiu a respeito de Sara, dizendo que ela era sua irmã. Jacó mentiu e roubou. Moisés cometeu assassinato. Davi cometeu assassinato e adultério. Jonas fugiu de Deus e odiou o fato de que o povo de Nínive se arrependeu. Pedro negou a Cristo três vezes. Paulo prendeu e sancionou o assassinato de seguidores de Jesus. Se a Bíblia fosse escrita por homens, é provável que não expusesse as falhas de seus heróis, mas, felizmente, a Bíblia foi inspirada para glorificar a Deus, não às pessoas.

6. **A Bíblia inclui diversos relatos de testemunhas oculares.** Quatro pessoas diferentes – Mateus, Marcos (sob a orientação de Pedro), Lucas e João – escreveram relatos sobre a vida de Jesus. Se a história

deles fosse totalmente diferente uma da outra, não poderíamos confiar nelas. Mas são muito semelhantes, com pequenas variações que parecem baseadas na personalidade de cada um, nos detalhes que perceberam e nas pessoas com quem falaram. As variações que alguns chamam de "inconsistências" são outra razão por que *devemos* confiar que essas histórias são autênticas.[1] Histórias idênticas, escritas por quatro homens muito diferentes, denunciariam a cópia ou edição pesada. Quando lemos os Evangelhos de Mateus, Marcos, Lucas e João, eles são similares, mas não idênticos. Isso é exatamente o que esperaríamos de relatos múltiplos e verdadeiros dos mesmos eventos.

7. **A Bíblia valoriza as mulheres e confia em seu testemunho**. As culturas em que a Bíblia foi escrita não respeitavam as mulheres. No entanto, a Bíblia elogia, recompensa e celebra as mulheres inúmeras vezes. A Bíblia relata que as mulheres foram as primeiras a descobrir a tumba vazia de Jesus, enquanto os homens se escondiam com medo atrás de portas trancadas. Se os autores bíblicos do sexo masculino tivessem inventado a história da ressurreição, não teriam descrito a si mesmos como covardes, e muito menos teriam escolhido testemunhas femininas para contemplarem a ressurreição de Jesus, pois o testemunho de uma mulher na cultura deles era considerado sem valor. Os Evangelhos ainda relatam, sem embaraço, que Jesus não apenas falou com mulheres (incluindo algumas que eram prostitutas), mas também com estrangeiros, crianças, leprosos e cobradores de impostos. Ele falava abertamente com todos os tipos de pessoas que a cultura classificava como ofensivas ou inúteis. Embora essas interações fossem chocantes, os seguidores de Jesus – que foram inspirados a escrever a História de Deus com precisão infalível – as registraram sem receio. A Bíblia não é um produto da cultura deles. É um produto de Deus.

8. **Por fim, você pode conhecer a verdade da Bíblia pessoalmente por meio de sua própria experiência**. Ao ler a Bíblia todos os dias, as verdades aparecerão para você na hora certa. Você começará a notar

---

1 WALLACE, J. Warner. *Cold-case Christianity*: a homicide detective investigates the claims of the gospels. Colorado Springs: David C. Cook, 2013.

a profundidade, clareza e beleza da Palavra de Deus. O Espírito Santo o ajudará a ver as conexões entre as diferentes partes das Escrituras, dando-lhe uma compreensão mais completa das verdades espirituais. Muitas vezes, a leitura da Bíblia lhe proporcionará paz, mesmo que a passagem que esteja lendo não descreva de maneira direta a fonte de seu estresse. Isso porque toda vez que lê a Bíblia, você se encontra com o Autor, e seu encontro com Deus promove essa paz.

Mas o que acontece quando você não *sente* a paz de Deus? O que acontece quando experimenta a incerteza? É normal termos questionamentos e dúvidas, ainda mais quando sofremos. Até mesmo João Batista duvidou de Jesus. Esse homem que Deus enviou para preparar o caminho de Jesus – que corajosamente enfrentou a hipocrisia, pregou o arrependimento e declarou: "Eis o Cordeiro de Deus, que tira o pecado do mundo!" (Jo 1:29, NAA) – foi o mesmo que duvidou dEle quando estava em uma cela de prisão. João Batista enviou seus discípulos para perguntar a Jesus: "És tu aquele que haveria de vir ou devemos esperar algum outro?" (Lc 7:19). Sozinho, faminto e preso pelo terrível Rei Herodes, João se perguntou se Cristo estabeleceria o reino, visto que isso não havia ocorrido.

> **Dúvidas? Observe Lucas 11:9-10:**
> "Por isso lhes digo: Peçam, e lhes será dado; busquem, e encontrarão; batam, e a porta lhes será aberta. Pois todo o que pede, recebe; o que busca, encontra; e àquele que bate, a porta será aberta."

Em resposta, Jesus apresentou evidências *por meio das Escrituras*: "Voltem e anunciem a João o que vocês viram e ouviram: os cegos veem, os aleijados andam, os leprosos são purificados, os surdos ouvem, os mortos são ressuscitados e as boas-novas são pregadas aos pobres" (Lc 7:22). Jesus estava dizendo que fizera tudo o que as Escrituras anunciavam que Ele, o Messias, faria (Is 35:5-6).

Se a dúvida fizer você questionar a verdade, volte às evidências, como Jesus encorajou João Batista a fazer. Lembre-se de como você experimentou Deus. Deixe a criação convencê-lo novamente de Sua existência. Mergulhe em Sua Palavra. Ore como o homem que clamou por Jesus: "Creio, ajuda-me a vencer a minha incredulidade!" (Mc 9:24).

Mas as dúvidas não precisam fazer parte da sua história. Outro homem de Deus, Paulo, também se viu em uma cela de prisão, e sua execução se aproximava a passos rápidos. Ainda assim, ele não vacilou em sua fé. Por que Paulo estava tão confiante? Fé. Provas concretas são essenciais, mas empalidecem em comparação com a confiança nascida da fé, que cresce por meio de um relacionamento duradouro com Deus. Paulo escreveu: "mas não me envergonho, porque sei em quem tenho crido" (2Tm 1:12). *Aquele* em Quem ele acreditava firmou seu coração, não *algo* em que ele acreditava. Quando você sofre ou tem dúvidas, lembre-se em *Quem* você acredita. Permaneça nEle.

Deixe a Bíblia falar:

2 Timóteo 3:14; 4:8 (opcional: Êxodo 24:4)

Deixe sua mente refletir:

1. Na sua opinião, qual é o motivo mais convincente para confiar na Bíblia?

2. No seu ponto de vista, por que as pessoas creem que a Bíblia não é precisa ou relevante? Você acredita que a Bíblia é precisa e relevante? Por que ou por que não? Reserve um tempo para permitir que a Bíblia o ajude em qualquer área de incredulidade.

3. Como permanecer em Jesus pode ajudar alguém a aumentar sua confiança na Palavra de Deus?

Deixe sua alma orar:

Pai, a Tua Palavra é verdadeira. Toda ela. Ajuda-me a acreditar nela e a segui-la por completo. Oro para que eu conheça, de fato, a verdade. Somente a Tua verdade me libertará (Jo 8:32). Tua Palavra é a verdade (Jo 17:17). Senhor, faz com que nosso relacionamento pessoal seja tão real, tão próximo, tão pleno, que não exista espaço para dúvidas... Em nome de Jesus, amém.

Deixe seu coração obedecer:

(O que Deus está levando você a compreender, valorizar ou fazer?)

Faça uma viagem pela Bíblia – Livro por livro

A Tua promessa foi plenamente comprovada,
e, por isso, o teu servo a ama.
Salmo 119:140

Se a sua Bíblia falasse, o que ela lhe diria? Contaria como você está iniciando sua jornada por suas páginas? Ou saudaria o seu retorno depois de um longo tempo distantes? Talvez ela compartilhasse o quanto se encanta em seus momentos diários juntos. Mas se sua Bíblia parece deixada de lado, hoje podemos ajudar você a conhecê-la melhor. Se você se sente um pouco intimidado com a biblioteca de sessenta e seis livros da Bíblia, saiba que não está sozinho. Por onde deve começar? Uma excelente maneira de se sentir mais confortável em um território desconhecido é fazer uma visita guiada.

Sim, nossa jornada de fé hoje inclui um tour pela Bíblia. Analisando seu contexto e conteúdo básicos, descobriremos como as partes da História de Deus se encaixam. Também teremos uma noção melhor de onde devemos ir para encontrar a ajuda que precisamos. Terminaremos nosso passeio com sugestões sobre quais partes você pode ler primeiro. Vamos lá.

Vamos começar no ponto de partida da Bíblia: o **Antigo Testamento**. Escrito sobretudo em hebraico, o Antigo Testamento foi compilado ao longo de um período de mil anos.[1] Ele pode ser dividido em quatro partes:

---

1 Os livros do Antigo Testamento foram escritos, originalmente, em hebraico, exceto por partes do livro de Daniel, que são de origem aramaica.

1. **A Torá (Gênesis – Deuteronômio):** a Torá, ou Lei Escrita Judaica, consiste nos primeiros cinco livros da Bíblia. Esses livros foram dados por Deus a Moisés e incluem-se neles a história da criação, o dilúvio, os patriarcas e as peregrinações da nação hebraica antes de entrar na Terra Prometida. Também incluem as leis bíblicas do judaísmo, começando com os Dez Mandamentos. A Torá também é conhecida como Pentateuco ou os Cinco Livros de Moisés.

2. **História do Povo de Deus (Josué – Ester):** os doze livros seguintes da Bíblia continuam a contar a história do povo de Deus mais ou menos em ordem cronológica. Já contamos a história deles desde o tempo da criação até a travessia do rio Jordão para a Terra Prometida (Gênesis – Josué). Agora vamos voltar ao ponto em que deixamos a história.

Em **Josué**, lemos que Deus liderou os israelitas para conquistarem a Terra Prometida. No início, eles não tinham um rei; tinham juízes. No livro de **Juízes**, vemos ciclos de pecado desenfreado e arrependimento de curta duração, pois "não havia rei [terreno] em Israel; porém cada um fazia o que parecia reto aos seus olhos" (Jz 21:25, ARC). Como sempre acontece, o pecado do povo causou sofrimento. Deus permaneceu fiel e libertou Seu povo por meio de líderes, os juízes, mas, infelizmente, os israelitas voltaram a fazer o mal repetidas vezes.[1] Ignoraram Deus e adoraram ídolos. Contra esse pano de fundo de pecado, encontramos o livro de **Rute**. Alguns estudiosos acreditam que esse livro foi escrito a partir de uma perspectiva feminina. O livro nos mostra como Deus incluiu uma mulher de fora de Israel em Seu plano de resgate, tornando-a parte da linhagem familiar de Jesus.

Por fim, os israelitas exigiram um rei para que pudessem ser como todas as outras nações. Deus atendeu ao pedido deles, e em **1 Samuel** conhecemos o primeiro rei de Israel, Saul. Esse rei logo se desviou do caminho de Deus e perdeu Sua bênção. Em 1 Samuel 13 encontramos Davi, cujo governo como rei de Israel está documentado em **2 Samuel**. Davi foi um homem segundo o coração de Deus (1Sm 13:14), que escreveu quase metade do que lemos nos Salmos. Também era um

---

1 Jd 2:2-3, 11-13, 17, 19; 3:6, 7, 12; 4:1; 6:1, 10; 8:24-27, 33; 10:6; 13:1; 17:6; 21:25.

homem de guerra e tinha muitos defeitos. Ao contrário de Saul, Davi se arrependeu e se voltou para Deus quando pecou. Deus o abençoou, estabelecendo seu trono para sempre, tendo o Messias vindo de sua linhagem familiar (2Sm 7:8-17). Em **1 Reis**, aprendemos sobre Salomão, filho de Davi, que assumiu o poder em seguida. Ele foi o mais sábio dos homens, mas não o suficiente para evitar se casar com muitas mulheres que adoravam outros deuses.

Em **2 Reis**, vemos repetidas vezes que reis humanos foram corrompidos pelo pecado. Muitos desses reis influenciaram seu povo a adorar outros deuses, e todos sofreram as consequências. Primeiro, a nação de Israel se dividiu em dois reinos separados – Judá ao sul (o Reino do Sul) e Israel ao norte (o Reino do Norte). Então, Deus enviou os dois reinos ao cativeiro, porque o povo se recusou a se arrepender de seus pecados e de sua idolatria. Os assírios depois conquistaram Israel. Os babilônios por fim conquistaram Judá e levaram muitas pessoas desse povo ao **exílio** na Babilônia. Os babilônios foram posteriormente conquistados pelos persas. O tempo dos reis durou cerca de 345 anos,[1] e **1 e 2 Crônicas** reexaminam muitos eventos importantes dessa época: 1 Crônicas reconta muito de 1 e 2 Samuel, e 2 Crônicas retoma 1 e 2 Reis.

Exílio:
A remoção de uma nação de sua terra natal. Tanto na invasão assíria quanto na babilônica, um remanescente – ou pequeno grupo de pessoas – foi deixado para trabalhar na terra.

Finalmente, passados setenta anos no exílio da Babilônia, Deus trouxe alguns de Seu povo de volta para casa, assim como as Escrituras profetizaram.[2] No livro de **Esdras**, vemos uma época de restauração física e espiritual. Enquanto os exilados que retornavam reconstruíam o templo em Jerusalém, o sacerdote Esdras ajudou o povo a se reconstruir espiritualmente, restaurando a lei de Deus e renovando Sua aliança (um contrato formal do relacionamento entre Deus e Seu povo). O livro de **Neemias** descreve a reconstrução do muro ao redor de Jerusalém, que restabeleceu a segurança contra os inimigos

---

1 KITCHEN, K. A. *On the reliability of the Old Testament*. Grand Rapids/Cambridge: William B. Eerdmans Publishing Company, 2006. p. 30-32.
2 Is 23:15; Jr 25:11-12.

próximos. Mais importante, o muro ajudou a resgatar a identidade e a confiança da nação como povo escolhido de Deus. No livro de **Ester**, aprendemos sobre uma órfã hebraica muito corajosa que se tornou rainha da Pérsia. Por meio de sua posição real e de sua coragem, ela arriscou a vida para salvar o povo de Deus do genocídio.

3. Os Escritos do Povo de Deus (Jó – Cânticos de Salomão): os cinco livros posteriores da Bíblia registram as respostas humanas a Deus, mas nem por isso são menos inspirados por Ele. Também são chamados de livros de sabedoria ou Literatura de Sabedoria. A linguagem costuma ser poética, cheia de imagens e palavras engenhosamente elaboradas. **Jó** conta a história da fidelidade de um homem a Deus, apesar de intenso sofrimento. **Salmos** é uma coleção de canções de oração e poemas, dedicado à glória de Deus e que muitas vezes expressa a crua emoção humana à luz da verdade divina. O Rei Salomão registrou um pouco de sua sabedoria em **Provérbios** e descreveu o vazio de uma vida sem Deus em **Eclesiastes**. Também escreveu um poema de amor apaixonado chamado de **Cântico dos Cânticos**, também conhecido como **Cantares de Salomão**. Essa canção poética conta uma história romântica entre um noivo e sua noiva; alguns estudiosos acreditam que simboliza o amor de Deus pelas pessoas e o amor de Jesus pela igreja.

4. Os Escritos dos Profetas (Isaías – Malaquias): os dezessete livros finais do Antigo Testamento são as respostas de Deus ao Seu povo. Nesses livros, o Pai celestial expressa Seu grande amor e compaixão, exortando Seu povo a se arrepender e voltar para Ele. Deus também avisa que as pessoas que se recusam a se arrepender e confiar nEle sofrerão Sua ira.

Por meio das histórias do povo de Deus e suas respostas a Ele, bem como das respostas de Deus a Seu povo, o Antigo Testamento nos ensina sobre os efeitos devastadores do pecado em nossos relacionamentos uns com os outros e com Deus. Mas, ao longo dessas histórias, Ele sempre promete enviar um Salvador. Nesse sentido, o Antigo Testamento é uma história de esperança e o Novo Testamento é quando essa esperança se cumpre.

Não muito depois da ressurreição de Jesus, nove autores humanos, inspirados por Deus, escreveram os livros do **Novo Testamento** em grego koiné, a língua comum da época.[1] Assim como o Antigo Testamento, o Novo Testamento pode ser dividido em quatro partes:

1. **A história de Jesus (Mateus – João):** os Evangelhos de Mateus, Marcos, Lucas e João contam a história de Jesus, Sua vida, Seus ensinamentos, Sua morte e Sua ressurreição.

2. **A história da Igreja (Atos):** o livro de Atos registra os primeiros trinta anos da igreja primitiva e a expansão do cristianismo. Às vezes chamado de Atos do Espírito Santo, o livro relata a vinda do Espírito no Pentecostes (ver p. 1).

3. **As cartas do Novo Testamento (Romanos – Judas):** estas cartas, escritas por líderes da igreja primitiva, explicam a teologia centrada em Jesus. Também descrevem como viver em comunidade com outros crentes e como representar Jesus para os incrédulos.

4. **A conclusão (Apocalipse):** este livro descreve o fim dos tempos, quando Jesus voltará para reinar para sempre. Vemos a ira de Deus derramada sobre aqueles que permanecem separados dEle por causa de seus pecados. Mas também vislumbramos a plena expressão do amor de Deus e Sua presença junto ao Seu povo em um novo céu e uma nova terra. É um livro de grande esperança na vida por vir, uma eternidade sem mais tristeza ou sofrimento, porque Jesus faz novas todas as coisas (Ap 21:4-5).

Agora que fizemos um rápido passeio pela Bíblia, aqui estão algumas sugestões iniciais:

---

1 SWEENEY, James P. Chronology of the New Testament. In: BARRY, John D. *et al. The Lexham Bible Dictionary*. Bellingham: Lexham Press, 2016.

- Comece com os Evangelhos. Como embaixadores de Jesus, a coisa mais importante que podemos fazer é aprender sobre Ele – quem Ele é, o que Ele diz e faz, com o que Ele se importa. Siga Jesus, lendo e relendo Mateus, Marcos, Lucas e João, na ordem que preferir. Você conhecerá seu Salvador e se tornará mais semelhante a Ele. Ao ler, também notará que Jesus com frequência citava Deuteronômio e Salmos, portanto, logo após, talvez você queira ler esses dois livros. Para entender melhor como viver de acordo com os ensinamentos de Cristo, leia as cartas do Novo Testamento. Cada uma delas foi escrita para abordar uma situação particular, por isso é essencial ler todos os livros várias vezes.

- Ao começar a leitura de um livro, organize seu tempo de maneira a lê-lo em uma ou duas sessões, para obter uma boa visão geral. Em seguida, recomece a leitura desde o início, mas dessa vez leia bem devagar. Concentre-se nas ideias-chave.

- Se quiser, use um plano de leitura diária para guiá-lo por toda a Bíblia. Você pode encontrar vários planos de leitura na internet. Além disso, muitas Bíblias contêm planos de leitura nas páginas iniciais ou finais.

Seja qual for o método de leitura que você escolher, **o objetivo principal não é ler a Bíblia, mas a Bíblia chegar até nós**. Agora você sabe *onde* ler a Bíblia. Amanhã vamos estudar com mais detalhes *como* ler a Palavra para fortalecer seu relacionamento com Deus.

Deixe a Bíblia falar:
Salmos 119:1-56 (opcional: 2 Pedro 3:18)

Deixe sua mente refletir:
1. Em nossa viagem pela Bíblia, que parada ao longo do caminho foi nova para você ou o surpreendeu?

2. Leia a primeira parte do Salmo 119 (v. 1-56). De que modo somos abençoados?

3. Converse com um amigo sobre qual livro da Bíblia estudar primeiro. Vocês podem selecionar um plano de leitura para seguirem juntos. Depois, verifiquem os avanços um do outro e discutam o que aprenderam. Ao ler cada livro, veja como ele se encaixa na história mais ampla de Deus.

Deixe sua alma orar:
Pai, Tua Palavra é tão rica, tão completa. Ajuda-me a estudá-la todos os dias. Ao ler os Evangelhos, ajuda-me a começar a agir, pensar e falar como Jesus. Abre minha mente e coração e "dá-me entendimento conforme a Tua palavra" (Sl 119:169). Em nome de Jesus, amém.

Deixe seu coração obedecer:
(O que Deus está levando você a compreender, valorizar ou fazer?)

Estude a Bíblia –
Passo a passo

Abre os meus olhos para que eu veja as maravilhas da tua lei.
Salmo 119:18

Os líderes religiosos esperaram a vida inteira por este exato momento. Ano após ano, dedicaram-se a aprender e a cumprir os mandamentos das Escrituras. Esses homens se orgulhavam de sua memorização e interpretação da Bíblia Hebraica (Antigo Testamento). Eles ensinaram aos filhos, assim como seus pais lhes haviam ensinado, a estarem preparados para a vinda do Messias. E quando esse momento chegou, quando Jesus estava na frente deles, muitos desses mestres da lei não O reconheceram. Não porque Jesus não cumpria as profecias – Ele cumpria. Não porque estivessem confusos – não estavam. Os homens não O reconheceram porque interpretaram mal o significado das Escrituras. Jesus lhes disse:

> Vocês estudam cuidadosamente as Escrituras, porque pensam que nelas vocês têm a vida eterna. E são as Escrituras que testemunham a meu respeito; contudo, vocês não querem vir a mim para terem vida. (Jo 5:39-40).

Eles se gabavam de sua compreensão das Escrituras quando, o tempo todo, elas apontavam para Jesus (Lc 24:25-27). Cristo estava perguntando: "Como vocês podem conhecer as Escrituras e não me conhecerem?". Em vez de adorarem a Palavra de Deus (Jesus), eles adoraram Suas palavras. Concentraram-se em regras, não em um relacionamento com Deus – em leis, não no amor de Deus. A cabeça deles estava cheia de conhecimento, mas o coração permanecia inalterado.

Hoje, ao aprendermos como estudar a Bíblia, vamos usar um método diferente: estudar as Escrituras com humildade e o desejo de conhecer e seguir Jesus. Vamos crescer na verdade e no amor, e exaltá-Lo, não a nós mesmos, com nosso novo conhecimento. Porque quando abrimos a Bíblia, podemos esperar um encontro com Deus. Experimentá-Lo aprofundará nosso senso de necessidade de Sua graça e o nosso amor por Jesus.

Agora que sabemos abordar o Estudo da Bíblia com o objetivo de transformar nosso coração, e não apenas de obter conhecimento racional, vamos começar. Existem muitas maneiras de estudar as Escrituras. Abaixo está uma técnica de leitura em cinco etapas:

1. Ore.
Antes de começar a ler, ORE. O Espírito Santo nos ajuda a entender a Palavra de Deus (1Jo 2:27). Ele nos guia em toda a verdade (Jo 16:13). Peça-Lhe para lhe dar sabedoria e abrir seus olhos espirituais enquanto você lê a Palavra de Deus (Sl 119:18). Depois, confie que Ele fará o que você pediu (Tg 1:5-7). Agora você está pronto para ler.

2. Leia.
- Leia com atenção. Ao estudar a Bíblia, preste atenção. Ler os versículos em voz alta pode ajudá-lo a diminuir o ritmo e ouvir as palavras. Escrevê-los também pode ajudá-lo a desacelerar o ritmo e a se concentrar. Uma forma de estudar é traçar uma linha no meio de uma folha de papel. No lado esquerdo, escreva a passagem, versículo por versículo. No lado direito, escreva notas e pensamentos ao lado de cada versículo. Ao ler e copiar, procure pistas sobre a mensagem: Quem está falando? Com quem está falando? O que estão dizendo? Por quê? Quando?

- Leia várias vezes. Isso o ajudará a encontrar as pistas. Se você ler a mesma passagem repetidas vezes, surgirão novos detalhes, significados e mensagens para você aplicar na sua vida. É a Palavra de Deus *viva*, o que significa que não é estática – é ativa (Hb 4:12). A Palavra penetra em nossa vida para avaliar o que nela existe.

- <u>Leia com zelo.</u> O estudo da Bíblia exige tempo e esforço. **É importante entender o contexto das passagens e histórias bíblicas, ou podemos interpretá-las erroneamente.** Reserve um tempo para descobrir o cenário histórico/cultural, o significado literal (o que diz) e a natureza literária da passagem (como ela se encaixa no capítulo e no livro). Pense em como isso se relaciona com a história geral de Deus (Semana 1) e como pode apontar para Jesus (Lc 24:13-17, 27). Quando lemos para examinar o contexto – a perspectiva mais ampla – podemos compreender o significado da passagem.

- <u>Leia com atenção.</u> Observe os detalhes também. Quais são os verbos usados? Que palavras se repetem? Quando uma palavra ou versículo se destacar, anote-os. Se sua Bíblia fornece referências cruzadas, explore-as. Além disso, preste atenção às palavras de transição. Se você se deparar com a palavra *portanto*, leia o trecho anterior para entender melhor o texto (por que essa palavra está aqui?). Se passar pela palavra *mas*, busque algum tipo de redirecionamento. Se não entender uma palavra, procure-a em outro lugar nas Escrituras e use o contexto para determinar seu significado, como fizemos com as palavras *sagrado* (Dia 13) e *descanso* (Dia 28). Deixe a Bíblia ajudá-lo a interpretá-la.

- <u>Leia com humildade.</u> Às vezes, a Bíblia é difícil de ler porque nem sempre concordamos com ela. Quando isso acontecer, lembre-se de que os caminhos de Deus são mais elevados que os nossos (Is 55:9). Confie nEle e creia em Sua Palavra. Em outras ocasiões, a passagem parecerá familiar e podemos supor que já a entendemos perfeitamente. Nesse caso, peça a Deus, com humildade, para abrir seus olhos para novos detalhes ou novas formas de aplicar o que leu em sua vida. Por último, quando não conseguir encontrar as informações ou respostas que deseja, lembre-se: "As coisas encobertas pertencem ao Senhor, ao nosso Deus, mas as reveladas pertencem a nós e aos nossos filhos para sempre, para que sigamos todas as palavras desta lei" (Dt 29:29). Concentre-se no que Ele tem dado a *você* e saiba que é exatamente isso de que você precisa.[1]

3. **Faça perguntas.**

- <u>O que Deus estava dizendo ao público original?</u> Pense nos fatos. O que realmente aconteceu na passagem? Não vamos nos apressar em colocar a Bíblia em prática em nossa própria vida sem entendermos antes como ela se aplicava ao público original. Tente compreender o que o Espírito Santo estava dizendo, de acordo com a situação particular deles.

- <u>Qual era o formato?</u> A forma como essas palavras foram apresentadas também é importante. O salmo deveria ser falado ou cantado? Era para ser lido em voz alta para um grupo ou destinado a um indivíduo? Prestar atenção em como cada passagem foi transmitida pela primeira vez fornece contexto para entendermos melhor o significado.

- <u>Existem verdades eternas para os crentes de hoje?</u> Existe uma promessa ou um aviso válido para todas as pessoas, em todos os momentos?

- <u>O que a passagem lhe diz sobre Deus?</u> Sobre a pessoa, o caráter e as promessas de Deus?

- <u>O que a passagem lhe diz sobre a humanidade?</u> Sobre nosso coração, nossas necessidades e nosso comportamento?

---

1 Esta seção "Leia" foi como eu aprendi a estudar a Bíblia. Encontrei a maioria desses conceitos neste livro: HENDRICKS, Howard G; HENDRICKS, William. *Living by the Book*: the art and science of reading the Bible. Chicago: Moody Press, 2007. p. 79-131.

Se o tempo for limitado, você pode apenas perguntar: "O que Deus quer que eu saiba, valorize ou faça?"

4. Aplique.

- O que a Bíblia diz sobre você? Precisamos colocar a Palavra de Deus em prática na nossa vida: "Sejam praticantes da Palavra, e não apenas ouvintes, enganando-se a si mesmos" (Tg 1:22). Lembre-se, **Deus não quer apenas nos informar; Ele quer nos transformar. O propósito dEle é que nos tornemos mais semelhantes a Cristo** (Rm 8:29). Com Sua ajuda, aplicamos Sua Palavra em nossa vida diária para desenvolver o caráter, as atitudes e o comportamento cristão.

- Você encontrou uma promessa? Há milhares de promessas na Bíblia e muitas têm condições específicas. Por exemplo, Romanos 10:9 afirma que *se* nós dissermos que Jesus é Senhor e acreditarmos nEle, *então* seremos salvos. As promessas condicionais nos mostram o que fazer.

- Você encontrou um comando? Existe alguma ação a ser tomada com base nesta passagem?

Promessas e Leis da Bíblia

Ao aplicar a Palavra de Deus à sua própria vida, tenha em mente que algumas promessas foram feitas para pessoas específicas, em um momento específico. Por exemplo, a promessa de Deus de que Maria conceberia e daria à luz o Filho de Deus só diz respeito à Maria. Nem todas as promessas da Bíblia são universais. Da mesma forma, nem todas as leis do Antigo Testamento ainda são válidas. Muitas leis levíticas eram voltadas apenas para o sacerdócio e pretendiam demonstrar que os israelitas foram separados por Deus. Depois que Jesus veio e providenciou o caminho para pessoas de todas as nações se unirem à família de Deus, algumas leis mudaram. Uma dessas mudanças é a circuncisão espiritual do coração, que ocorre quando as pessoas colocam sua fé em Cristo, substituindo a circuncisão física (Rm 2:25-29). Além disso, Deus anulou as leis dietéticas, declarando que todos os alimentos eram limpos, assim como todas as pessoas — judeus e gentios — podiam se tornar espiritualmente puras por meio de Jesus (At 10). Embora o contexto seja importante, é essencial lembrar que Deus nunca quebra Suas promessas. Ele é fiel.

- Você encontrou uma advertência ou aviso? Deus quer nos proteger do perigo. Muitas vezes nossa natureza pecaminosa é nossa maior ameaça. Suas advertências nos ajudam a evitarmos dores desnecessárias.

5. **Ore e escreva como em um diário.**
    - Fale com Deus. Se Ele lhe deu orientação, peça-Lhe que esclareça seu próximo passo e o ajude a seguir em frente com fé. Se revelou o pecado, peça a Ele que o perdoe e o liberte dele. Se lhe fez uma promessa, agradeça a Ele por Sua fidelidade. Se lhe mostrou algo sobre Si mesmo, agradeça por Ele ter Se revelado a você. Para responder a Deus, ore versículos. (Discutiremos a oração das Escrituras na próxima semana, no Dia 40).

    - Escreva como em um diário. Anote versículos, orações e reflexões pessoais. Manter um caderno simples, onde você pode registrar o que estiver aprendendo, ajudará você a lembrar-se da fidelidade de Deus. O diário também pode fazê-lo recordar coisas que você estudou e que podem ser úteis para a jornada de outras pessoas. E não hesite em sublinhar ou fazer anotações em sua Bíblia. Essas notas podem se tornar pedras memoriais (Dia 17), para marcar o que você aprendeu, como Deus o ajudou durante uma época desafiadora e o quão longe você avançou no caminho de Deus.

Traduções da Bíblia

Tanto o hebraico do Antigo Testamento quanto o grego do Novo Testamento são línguas complexas. Suas estruturas gramaticais e estilos literários podem não existir em outras línguas, portanto traduzir a Bíblia é uma tarefa complicada. Felizmente, graças a pesquisas avançadas, muitas traduções modernas são excelentes. Se você tiver várias traduções para escolher, tente usar uma tradução palavra por palavra ao fazer estudos de palavras (como a versão Almeida Revista e Corrigida). Ao estudar conceitos para serem aplicados na atualidade, use traduções pensamento por pensamento (como a Nova Versão Transformadora). Para uma abordagem equilibrada, use traduções com mediações (como a Nova Versão Internacional ou Nova Almeida Atualizada).

Quando terminar, COMPARTILHE. Conte a alguém sobre sua experiência com a Palavra de Deus. Compartilhe o que Ele ensina a você, com uma atitude humilde. Peça a outras pessoas que compartilhem o que estão aprendendo também. Passe adiante seu conhecimento conforme Deus cria oportunidades.

Mais dicas para o estudo da Bíblia:

1. Leia a mesma passagem em diferentes traduções da Bíblia, se disponíveis, para entendê-la melhor.

2. Se sua Bíblia contém versículos com referência cruzada, procure-os e veja como as ideias ou palavras-chave aparecem nessas outras partes da Bíblia. Quando comparamos uma passagem com a outra, estamos protegidos contra mal-entendidos. O uso de referências cruzadas nos ajuda a compreender o significado de um versículo ou de uma passagem e como esse significado pode estar conectado a outras partes da Bíblia.

3. Quando um versículo lhe parecer importante, diminua o ritmo de leitura e examine cada palavra. Por exemplo, Jesus ensinou Seus discípulos a orar em Mateus 6:9-13. Pense em cada palavra, começando com a primeira, "Pai". O que esse título diz a você sobre seu relacionamento com Deus? Vá para a segunda palavra, "Nosso". O que essa palavra no plural lhe mostra? Quem está incluído no "Nosso"? Continue examinando cada palavra lentamente, para desvendar tesouros. (Observação: use uma tradução da Bíblia palavra por palavra ao fazer estudos de palavras.)

4. Não procure significados ocultos. A Bíblia não é um quebra-cabeça; é a revelação de verdades eternas de Deus para todas as pessoas. Ele quer que a leiamos e a compreendamos com a ajuda dEle, não com nossa tentação humana de manipular as Escrituras para apoiar nossas ideias ou justificar nossas posições.

5. Existem muitos recursos disponíveis on-line e em formato de livro.[1] Muitas pessoas têm um dicionário bíblico (para buscar definição das muitas palavras difíceis incluídas na Bíblia) e uma concordância (para encontrar a localização das palavras na Bíblia). Você pode encontrar uma ou as duas ferramentas no final da sua Bíblia. Ao usar comentários bíblicos, verifique seu entendimento *depois* de fazer sua própria análise. Se ninguém mais chegou a conclusões semelhantes, é provável que você esteja errado.

Se você está lutando contra a falta de desejo de estudar a Bíblia, conte a Deus. Peça a Ele para lhe dar paixão por Sua Palavra. Essa é uma oração que Ele tem prazer em atender. Deus deseja que desfrutemos de nosso tempo com Ele em Sua Palavra e que retiremos de suas páginas força, sabedoria, paz e alegria; ao fazermos isso, podemos evitar sentimentos de orgulho sobre o quanto nos tornamos conhecedores. Lembre-se, Jesus deseja que você O conheça e não apenas saiba de fatos a respeito dEle. Convide Deus a transformar sua mente e seu coração à medida que você conhece Sua vontade em Sua Palavra.

---

1 Visite allinmin.org para obter mais recursos que compilamos para ajudá-lo a estudar e aplicar a verdade bíblica à sua vida.

Deixe a Bíblia falar:
Salmos 119:57-112 (opcional: Filipenses 1:9-11)

Deixe sua mente refletir:
1. Quais etapas de estudo da Bíblia acima você já segue?

2. Quais etapas são novas para você?

3. De que maneiras você pode aplicar o que aprende ao estudar a Bíblia? Deus não Se impressiona com o conhecimento (coleta de fatos); Ele quer um relacionamento (fazer o que Ele diz, junto com Ele). Na sua opinião, como o estudo da Bíblia acrescentará à sua história de conhecimento sobre Deus e serviço a Ele?

Deixe sua alma orar:
Pai, que eu nunca negligencie a Tua Palavra (Sl 119:16). Ajuda-me enquanto estudo a Bíblia. Guia-me durante a leitura e enquanto a aplico à minha própria vida. Dá-me oportunidades de compartilhar o que Tu me ensinas com outras pessoas... Em nome de Jesus, amém.

Deixe seu coração obedecer:
(O que Deus está levando você a compreender, valorizar ou fazer?)

Memorize a Palavra de Deus

Guardei no coração a tua palavra para não pecar contra ti.
Salmo 119:11

Todos os dias, a cada escolha que fazemos, você e eu respondemos a duas perguntas: *Qual é minha crença sobre Deus?* e *Qual é minha crença sobre mim?* Estejamos cientes disso ou não, vemos a vida pelas lentes da teologia e da identidade. Na maioria das vezes, nem mesmo percebemos que estamos fazendo suposições e tirando conclusões sobre Deus, sobre nós mesmos e o mundo ao nosso redor. Nosso conjunto de crenças (ou cosmovisão) molda nossas conversas e prioridades. Ou, para dizer de outra forma, o que está em seu coração "dirige o rumo de sua vida" (Pr 4:23, NVT).

A Palavra de Deus tem muito a dizer sobre como guardar nosso coração e colocá-lo nas coisas do alto.[1] Precisamos de uma cosmovisão que possa explicar, guiar e motivar todas as coisas em direção ao que Deus está nos chamando a fazer. Conhecer as quatro partes da História de Deus (Semana 1) nos ajuda a compreender o mundo e a responder a ele de forma adequada. Mas também precisamos de princípios bíblicos para todas as áreas e todos os momentos de nossa vida. É por isso que é **essencial guardar a Palavra de Deus em nosso coração**.

---

1 Para ver exemplos de como guardar seu coração, veja Pr 4:23; 24:12; Fl 4:7; Cl 3:1.

Vamos aprender hoje como e por que memorizar Sua Palavra.

Memorizar a Palavra de Deus a torna disponível em todos os momentos. Não importa aonde vamos ou o que fazemos, estamos sempre prontos para o que quer que surja em nosso caminho. A Palavra de Deus é nossa ferramenta de transformação e ela é poderosa, pessoal e multifuncional. É uma luz em nosso caminho, um martelo para esmagar o pecado, um espelho para examinar nossa alma, uma espada para derrotar os inimigos e muito mais. Quando memorizamos a Palavra de Deus, ninguém pode tirá-la de nós e a colocamos a serviço do Senhor a todo instante. As Escrituras podem permear nossas orações e conversas "quando [estivermos] em casa... andando pelo caminho, quando se deitar e quando se levantar" (Dt 6:7). Oração poderosa e transformadora pode vir delas ou de nosso próprio coração. Quando memorizamos as passagens bíblicas, combinamos os dois: o Espírito Santo faz nosso coração recordar essas verdades escritas e geralmente elas são a resposta às nossas orações.

Memorizar a Palavra de Deus conforta a nós mesmos e aos outros com as palavras certas na hora certa. Todos nós já passamos por momentos difíceis e é muito reconfortante sermos apoiados por pessoas que nos amam. Quando temos a Palavra de Deus escrita em nosso coração, Ele pode encorajar outras pessoas através de nós. Podemos olhar em seus olhos e compartilhar palavras de amor e esperança, em vez de olhar para nossa Bíblia ou telefone em busca de um versículo. Às vezes, somos nós que precisamos de incentivo. Mas ninguém pode estar conosco a cada momento todo dia. Nenhum outro ser humano pode carregar nossa dor por nós. É quando Deus nos lembrará, com as Escrituras que guardamos em nosso coração, que Ele está lá e está agindo. Sua Palavra alivia nossa tristeza. "Quando as tuas palavras foram encontradas eu as comi; elas são a minha alegria e o meu júbilo, pois pertenço a ti, Senhor Deus dos Exércitos" (Jr 15:16).

Memorizar a Palavra de Deus transforma nosso pensamento. Os princípios da Bíblia vão contra o que o mundo promove e nossos desejos egoístas. Não são princípios naturais para nós, mas são essenciais para permanecermos em Cristo. Memorizar as Escrituras permite que os pensamentos de Deus se aninhem de maneira profunda em nossa alma para nos fortalecer, nos corrigir e nos encorajar. Quando isso acontece, podemos fazer escolhas que combatem nossa tendência natural. Nossos pensamentos são radicalmente transformados (Rm 12:2). Por exemplo, quando somos acusados ou traídos, nossa resposta natural pode ser de defesa ou retaliação. As Escrituras nos recordam que devemos ficar calmos. "Não retribuam mal com mal, nem insulto com insulto; pelo contrário, bendigam; pois para isso vocês foram chamados, para receberem bênção por herança" (1Pd 3:9). Quando somos confrontados por um membro difícil da família, colega de trabalho ou membro da igreja, Deus sussurra: "sejam pacientes, suportando uns aos outros com amor" (Ef 4:2). Quando nossos olhos são abertos para nosso próprio orgulho e autojustiça, Ele nos lembra: "Humilhem-se" (Tg 4:10). Em vez de voltarmos a atenção para nós mesmos, focamos nossa atenção em Deus. Nossa atitude de julgamento se transforma em compaixão. Deixamos de ficar ofendidos ou zangados com facilidade, e passamos a ser pacificadores. Recebemos bem a correção e admitimos quando estamos errados. Completamente antinatural – são as Escrituras agindo em nosso coração.

Memorizar a Palavra de Deus nos ajuda a cumprir nosso propósito. Quanto mais estudamos as Escrituras, mais descobrimos o caráter de Deus e o nosso chamado. Sua Palavra penetra em nosso coração e nosso amor por Ele se expande, assim como nosso amor pelos outros. Queremos que eles experimentem uma amizade íntima com Jesus. Queremos vê-los resgatados das garras do pecado e prosperando em uma nova vida – agora e na eternidade. Mas nosso propósito de amar a Deus, amar os outros e fazer discípulos significa que precisamos estar sempre prontos para compartilhar nossa esperança em Cristo (1Pd 3:15). Ao "memorizarmos" a Palavra, podemos explicar Sua mensagem com as palavras dEle. Você se lembra do "Pão do Evangelho" do Dia 18? Comece memorizando um versículo para cada um destes quatro ingredientes essenciais:

- Deus nos ama: "Porque Deus tanto amou o mundo que deu o seu Filho Unigênito, para que todo o que nele crer não pereça, mas tenha a vida eterna" (Jo 3:16).

- O pecado nos separa: "Pois todos pecaram e estão destituídos da glória de Deus" (Rm 3:23).
- Jesus nos salva: "Mas Deus demonstra seu amor por nós: Cristo morreu em nosso favor quando ainda éramos pecadores" (Rm 5:8).
- O arrependimento e a fé nos transformam: "Se você confessar com a sua boca que Jesus é Senhor e crer em seu coração que Deus o ressuscitou dentre os mortos, será salvo. Pois com o coração se crê para justiça, e com a boca se confessa para salvação". (Rm 10:9-10).

Memorizar a Palavra de Deus nos ajuda a resistir à tentação. "Guardei no coração a tua palavra para não pecar contra ti" (Sl 119:11). As Escrituras memorizadas são, sem dúvida, uma arma poderosa que derrota o pecado quando as usamos: "Pois a palavra de Deus é viva e eficaz, e mais afiada que qualquer espada de dois gumes" (Hb 4:12). Embora a Palavra de Deus seja sempre afiada, às vezes nossa compreensão sobre ela não é. Felizmente, podemos fortalecer nosso controle, guardando-a na memória. Não temos melhor exemplo do que Jesus. Como vimos no Dia 26, Ele Se agarrou à Palavra do Pai com firmeza para resistir à tentação. Podemos nos preparar para a batalha espiritual memorizando as Escrituras, sobretudo os versículos que se relacionam com nossas tentações e fraquezas mais comuns. Por exemplo:

Tentação	Memorize
Temperamento	O tolo dá vazão à sua ira, mas o sábio domina-se (Pr 29:11). Sejam todos prontos para ouvir, tardios para falar e tardios para irar-se, pois a ira do homem não produz a justiça de Deus (Tg 1:19-20).

Orgulho	O orgulho só gera discussões, mas a sabedoria está com os que tomam conselho (Pr 13:10). Deus se opõe aos orgulhosos, mas concede graça aos humildes (Tg 4:6).
Falta de autocontrole para gastar dinheiro, comer ou satisfazer desejos físicos	Portanto, submetam-se a Deus. Resistam ao diabo, e ele fugirá de vocês (Tg 4:7). Não sobreveio a vocês tentação que não fosse comum aos homens. E Deus é fiel; ele não permitirá que vocês sejam tentados além do que podem suportar. Mas, quando forem tentados, ele lhes providenciará um escape, para que o possam suportar (1Cor 10:13).
Língua ferina	Nenhuma palavra torpe saia da boca de vocês, mas apenas a que for útil para edificar os outros, conforme a necessidade, para que conceda graça aos que a ouvem (Ef 4:29). A resposta calma desvia a fúria, mas a palavra ríspida desperta a ira (Pr 15:1).
Avidez por coisas materiais	De fato, a piedade com contentamento é grande fonte de lucro, pois nada trouxemos para este mundo e dele nada podemos levar; por isso, tendo o que comer e com que vestir-nos, estejamos com isso satisfeitos (1Tm 6:6-8). Conservem-se livres do amor ao dinheiro e contentem-se com o que vocês têm, porque Deus mesmo disse: "Nunca o deixarei, nunca o abandonarei" (Hb 13:5).
Fofoca	Quem muito fala trai a confidência, mas quem merece confiança guarda o segredo (Pr 11:13). Se alguém se considera religioso, mas não refreia a sua língua, engana-se a si mesmo. Sua religião não tem valor algum! (Tg 1:26).

| Preocupação/ Medo | Seja forte e corajoso! Não se apavore, nem se desanime, pois o SENHOR, o seu Deus, estará com você por onde você andar. (Js 1:9). |
| | Pois Deus não nos deu espírito de covardia, mas de poder, de amor e de equilíbrio. (2Tm 1:7). |

Podemos ver a poderosa vantagem que temos ao memorizarmos as Escrituras, mas a maioria das pessoas desiste quando pensa em como irá fazê-lo. Se você deseja memorizar passagens bíblicas, mas não sabe por onde começar, eis algumas sugestões que podem ajudá-lo:

1. Selecione um versículo que tenha um significado especial para você. Escolha uma passagem que Deus pode usar de maneira específica para a sua vida.

   "**Santifica-os** *na verdade; a tua palavra é a verdade.*" (Jo 17:17, grifo nosso).

2. Diga em voz alta a referência do versículo antes e depois dele, para saber onde encontrá-la.

   João 17:17 *"Santifica-os na verdade; a Tua palavra é a verdade."* João 17:17

3. Divida o versículo em frases mais curtas e memorize uma frase por vez. **Concentre-se no que a passagem está dizendo para que fique gravada em sua mente e em seu coração:**

   > **Santificar:**
   > Purificar ou tornar santo ou sagrado. Relaciona-se com a ideia de pessoas ou coisas que são separadas para a adoração a Deus.

   Santifica-os na verdade / (Pense: A *verdade transforma.*)

   a Tua palavra é a verdade (Pense: a *Palavra de Deus é a verdade.*)

4. Leia o versículo em voz alta várias vezes, enfatizando as palavras-chave. A repetição é a chave do aprendizado, por isso revise com frequência.

   SANTIFICA-OS *na verdade /* a Tua PALAVRA *é a verdade.*

5. Escreva o versículo e, sem olhar para ele, escreva a primeira inicial de cada palavra do verso.

    João 17:17 *Santifica-os na verdade; a Tua palavra é a verdade.* João 17:17

    João 17:17 S O N V A T P E A V. João 17:17

A chave para memorizar as Escrituras não é tentar memorizar dados – letras, palavras e sentenças. Não somos computadores e isso não é uma entrada de dados. Envolvemos o coração e a mente ao tomarmos decisões, portanto memorize com o coração e a mente. Aprenda não apenas o que está escrito, mas também por que está escrito. Entenda a conexão, história ou significado. Ao selecionar uma passagem, concentre-se no estilo e na essência do que está sendo comunicado.

Muitas vezes pensamos que não podemos memorizar as Escrituras, mas todos nós decoramos coisas que são importantes para nós – datas importantes, senhas, músicas e até estatísticas esportivas. Como já definimos, aquilo em que colocamos nossa atenção ganha força, se expande. Se dedicarmos nosso tempo e atenção à memorização, podemos fazê-lo. E você pode torná-la divertida. Tente cantar versos, fazer movimentos com as mãos ou desenhar. Algumas pessoas preferem memorizar ouvindo a Palavra de Deus. Existem Bíblias em áudio, disponíveis on-line e em formato físico, que tornam mais fácil ouvir e memorizar.

Memorizar a Palavra de Deus não é ser capaz de lembrar uma série de palavras. Diz respeito a se preparar para o que está por vir em sua jornada. Quando guarda as Escrituras em seu coração, você está carregando uma lanterna para iluminar seu caminho, água para refrescar sua alma, pão para nutrir seu espírito e uma espada para lutar contra o inimigo. Prepare bem o seu coração.

Deixe a Bíblia falar:

Salmos 119:113-176 (opcional: Tiago 1:22)

Deixe sua mente refletir:

1. Na sua opinião, por que as pessoas têm dificuldade em memorizar algumas coisas? Por que deveria ser mais fácil memorizar a Palavra de Deus?

2. Existem áreas de sua vida em que você sente que Deus está agindo para transformá-lo? Encontre um versículo que o ajude, fortaleça ou oriente nessa área e comece a memorizá-lo agora mesmo.

3. Dos muitos benefícios de memorizar versículos da Bíblia, qual mais se aplica a você?

Deixe sua alma orar:

Senhor, escreve Tua Palavra em meu coração. Torna minha mente uma esponja para absorver as Escrituras. Orienta-me para que eu possa memorizar os versículos que Tu sabes que vou precisar em minha jornada. Conforme a Tua Palavra se enraíza em minha vida, muda meu coração e transforma meus pensamentos... Em nome de Jesus, amém.

Deixe seu coração obedecer:

(O que Deus está levando você a compreender, valorizar ou fazer?)

Revise e pratique – Palavra de Deus

Não deixe de falar as palavras deste livro da lei e de meditar nelas de dia e de noite, para que você cumpra fielmente tudo o que nele está escrito. Só então os seus caminhos prosperarão e você será bem sucedido.
Josué 1:8

Nos tempos antigos, as pessoas viajavam quilômetros e ficavam em longas filas durante dias para se encontrarem com líderes espirituais. Elas procuravam ajuda para tomar decisões ou buscavam previsões para o futuro, revelações divinas e bênçãos. Como seguidores de Jesus, não precisamos viajar nem esperar pela revelação de Deus. Abrimos a Bíblia. Quando o fazemos, o Autor do Livro nos guia para a verdade. Não importa o continente, cultura ou geração, Sua Palavra é vivificante e transformadora para todas as pessoas em todos os momentos.

Aprendemos *muito* sobre a Palavra de Deus nas lições desta semana, então vamos tirar um tempo para colocar em prática o que estudamos (Mt 7:24), aplicando essas estratégias de estudo a uma passagem bíblica e revisando as etapas discutidas no Dia 33:

1. Antes de começar, *ore*.
2. Leia a passagem com atenção, repetidas vezes.
3. Faça perguntas sobre o que leu.
4. Aplique.

5. Ore e registre essas orações e reflexões em seu diário. Isso o ajudará a lembrar e compartilhar o que você aprendeu com os outros.

Como veremos, novos estudantes da Bíblia podem aprender verdades espirituais importantes sem que tenham qualquer formação ou educação especial. Vamos começar!

Passo 1: Ore agora.
Peça a Deus sabedoria e discernimento espiritual para compreender e colocar esta passagem das Escrituras em prática na sua vida.

Passo 2: Leia a passagem.
Leia com humildade e de forma intencional. Observe os detalhes. Leia uma segunda vez, sublinhando as palavras-chave e fazendo anotações nas margens.

Tiago 1: 1-12:
Tiago, servo de Deus e do Senhor Jesus Cristo,
às doze tribos dispersas entre as nações:
Saudações.
Meus irmãos, considerem motivo de grande alegria o fato de passarem por diversas provações, pois vocês sabem que a prova da sua fé produz perseverança. E a perseverança deve ter ação completa, a fim de que vocês sejam maduros e íntegros, sem lhes faltar coisa alguma. Se algum de vocês tem falta de sabedoria, peça-a a Deus, que a todos dá livremente, de boa vontade; e lhe será concedida. Peça-a, porém, com fé, sem duvidar, pois aquele que duvida é semelhante à onda do mar, levada e agitada pelo vento. Não pense tal homem que receberá coisa alguma do Senhor; é alguém que tem mente dividida e é instável em tudo o que faz.
O irmão de condição humilde deve orgulhar-se quando estiver em elevada posição. E o rico deve orgulhar-se se passar a viver em condição humilde, porque passará como a flor do campo. Pois o sol se levanta, traz o calor e seca a planta; cai então a sua flor, e é destruída a beleza da sua aparência. Da mesma forma o rico murchará em meio aos seus afazeres.

Feliz é o homem que persevera na provação, porque depois de aprovado receberá a coroa da vida que Deus prometeu aos que o amam.

Passo 3: Faça perguntas.
(Importante: as respostas a seguir servem como exemplo de interpretação do estudo da Bíblia. Deus pode falar de maneira diferente a pessoas diferentes, usando a mesma passagem).

- Quem está falando? *Tiago, um servo do Senhor.*
- Para quem está falando? *Crentes espalhados entre as nações.*
- O que ele está dizendo? (ideia geral) *Tiago sabe que todos os crentes enfrentarão muitos tipos de provações e fornece um caminho para que eles vejam as provações sob a perspectiva da eternidade.*

Responder a essas três primeiras perguntas é um bom começo. Agora, vamos olhar mais de perto.

- O que Deus estava dizendo ao público original por meio de Tiago?
  - *As provações podem ser testes de fé que produzem perseverança.*
  - *A perseverança é necessária para a maturidade espiritual.*
  - *Se os crentes precisam de sabedoria para as provações, devem pedir a Deus.*
  - *Deus concede sabedoria com generosidade, sem hesitação, desde que o crente peça sem duvidar que Deus responderá.*
  - *Pobres ou ricos, ninguém escapa das provações ou da morte.*
  - *A bênção vem por ter resistido ao teste.*

- Qual era o formato? *O livro de Tiago é a carta de um líder para irmãos e irmãs na fé.*

- Existe alguma verdade atemporal para os crentes de hoje? Promessas? Advertências?
  - *Todos os crentes enfrentarão provações.*

- ○ Os crentes não precisam se questionar sobre o propósito das provações. Podem pedir sabedoria a Deus e Ele a concederá com generosidade.
- ○ A situação financeira não tem relação com a posição eterna perante Deus.
- ○ A coroa da vida prometida (vida eterna) é para aqueles que amam a Deus, e esse amor se evidencia pela obediência inabalável nesta vida.

- **O que esta passagem lhe diz sobre Deus?**
  - ○ Deus quer que cresçamos espiritualmente fortes para que não sejamos superficiais, fracos e facilmente influenciáveis.
  - ○ Deus não desperdiça a dor. As provações podem ser usadas para o nosso bem.
  - ○ Deus concede Sua sabedoria divina com generosidade àqueles que a pedem sinceramente.
  - ○ Deus aumenta nossa fé, ajudando-nos a perseverar nas provações, para que possamos resistir aos testes e desfrutar a eternidade com Ele.
  - ○ Deus nos abençoa tanto aqui na terra (maturidade espiritual através das provações) quanto na eternidade (coroa da vida, tendo resistido ao teste).

- **O que esta passagem lhe diz sobre a humanidade?**
  Todos os crentes precisam amadurecer na fé. As provações podem ser usadas para desenvolver perseverança, mas precisamos escolher como as encaramos.

Passo 4: Coloque em prática o que você está aprendendo.
- **O que esta passagem lhe diz sobre si mesmo?**
  A passagem me lembra de como as provações revelam o tipo de fé que tenho. Minha resposta à adversidade e à aflição mostra em que acredito e onde deposito minha esperança. Quando confio em Deus durante as provações, Ele me concede Sua sabedoria, Seu poder e Sua força. Essa dependência em Deus produz perseverança para me ajudar a amadurecer e perseverar até o fim.

Sei que tenho uma escolha sobre como enfrentar as dificuldades: escolher a alegria e confiar em Deus, sabendo que Ele está fazendo uma obra em mim, ou escolher o desespero, acreditando na mentira de Satanás e duvidando da bondade de Deus. Em vez de ver as provações como consequência da falta de fé, posso suportar as dificuldades sabendo que Deus está agindo para meu bem terreno e eterno.

- Existe uma promessa? Comando? Advertência?

Deus promete nos dar sabedoria durante as provações, se pedirmos e não duvidarmos. Não somos deixados sozinhos tentando navegar nas adversidades ou nos perguntando qual é o propósito dEle para cada um desses problemas. Podemos pedir a Deus, e Ele promete Sua sabedoria. Também promete nos abençoar tanto aqui (maturidade espiritual) quanto na eternidade (coroa da vida).

- Do que você quer se lembrar?

Desenvolver perseverança é como construir músculos para fortalecer minha fé e resistir às adversidades. Eu não quero ser um seguidor fraco de Jesus, facilmente movido e agitado como as ondas ou o vento. Eu quero ser forte no Senhor. Preciso me lembrar de confiar em Deus durante as provações, porque isso leva à maturidade espiritual. As recompensas eternas estão em jogo. Eu escolho a alegria.

Memorize: "Meus irmãos, considerem motivo de grande alegria o fato de passarem por diversas provações, pois vocês sabem que a prova da sua fé produz perseverança" (Tg 1:2-3).

Passo 5: Ore.

Deus, obrigado por me ajudares a ver as provações a partir da Tua perspectiva. Agradeço que as provações não sejam distrações desperdiçadas, mas que possam ser usadas para propósitos bons e eternos. Por favor, concede-me Tua sabedoria e força para que eu aprenda e cresça forte em Ti. Ajuda-me a perseverar até o fim com uma perspectiva divina – escolhendo a alegria. Tu vales mais do que *qualquer prova que eu deva suportar, porque me amaste primeiro e sofreste por mim. Eu Te amo. Em nome de Jesus, amém.*

Por meio do exemplo acima, você viu como pode estudar a Bíblia? Com uma leitura cuidadosa, podemos aprender verdades espirituais que vão contra o que o mundo, em grande parte, diz sobre as provações. Elas não ocorrem necessariamente por falta de fé, mas podem aumentar nossa fé. Considere ler todo o livro de Tiago para ver como se desenvolve esse tema das provações e do crescimento na fé. Uma das maiores lições dessa passagem é que podemos apenas abrir a Palavra de Deus e pedir Sua sabedoria.

Nesta semana, exploramos o poder da Palavra de Deus. Na próxima semana, descobriremos como ela empodera nossas orações. Jesus promete: "Se vocês permanecerem em mim, e as minhas palavras permanecerem em vocês, pedirão o que quiserem, e lhes será concedido" (Jo 15:7). **Estudar e orar a Palavra de Deus impulsiona a oração que muda corações e move montanhas.**

Deixe a Bíblia falar e sua mente pensar:

Agora é sua vez. Reserve algum tempo para praticar o estudo da Palavra de Deus. Esta semana, você já leu o capítulo mais longo da Bíblia, o Salmo 119. Para este próximo exercício, leia o capítulo mais curto da Bíblia, o Salmo 117.

1. Leia o Salmo 117 abaixo. Siga os passos do estudo da Bíblia acima. (Para obter instruções mais detalhadas, consulte o Dia 33.)
2. Sublinhe, destaque ou circule as palavras-chave diretamente nesta página. Você pode fazer anotações sobre os versículos nas margens da folha.
3. Ao terminar esses passos, escolha um dos versículos para memorizar. Neste caso, você pode memorizar todo o salmo.
4. Responda às perguntas para discussão da Semana 5.

Salmo 117

Louvem o SENHOR, todas as nações;
Exaltem-no, todos os povos!
Porque imenso é o seu amor leal por nós,
e a fidelidade do SENHOR dura para sempre.
ALELUIA!

Deixe sua alma orar:

Deus, obrigado por Tua palavra. Ela é meu tesouro. "Para mim, vale mais a lei que decretaste do que milhares de peças de prata e ouro" (Sl 119:72). Ajuda-me a estudar a Bíblia todos os dias e a entender o que leio. Oro para que eu não apenas aprenda as Escrituras, mas seja transformado por ela. Transmuta meu coração, meus pensamentos, minhas palavras e minhas ações. "Dirija os meus passos, conforme a tua palavra" (Sl 119:133). Em nome de Jesus, amém.

Deixe seu coração obedecer:

(O que Deus está levando você a compreender, valorizar ou fazer?)

SEMANA 5 – PERGUNTAS PARA DISCUSSÃO:
Revise as lições desta semana e responda às
perguntas abaixo. Compartilhe suas respostas com
seus amigos durante a reunião semanal.

1. Quando você leu a parábola das sementes e o solo, o que aprendeu sobre seu próprio coração? Como você pode se tornar mais receptivo à Palavra de Deus?

2. Exploramos muitos motivos pelos quais podemos confiar na Palavra de Deus. Alguns desses motivos eram novos para você? Quais?

3. Em nossa viagem pelos livros da Bíblia, seguimos a História da Palavra de Deus desde a criação até a eternidade. Como a sua história reflete a História mais grandiosa que encontramos na Palavra dEle?

   ○ O povo de Israel se viu em um ciclo de pecado e arrependimento durante o tempo dos juízes. Aprender sobre esse ciclo e combatê-lo em sua vida pode ajudá-lo de que maneira?

   ○ Você já se sentiu distante em seu relacionamento com Deus, como aconteceu com os israelitas no exílio? De que forma memorizar as Escrituras pode ajudá-lo a sentir mais vívida a presença de Deus em sua vida?

   ○ De que modo o estudo da Palavra de Deus o ajuda a ter uma comunhão íntima com Deus, semelhante ao amor expresso em Cantares de Salomão?

   ○ O estudo da Palavra de Deus nos ajudará a conhecer melhor a Jesus, como ocorreu com as pessoas nos Evangelhos. Como estudar a Palavra de Deus pode ajudá-lo a permanecer em Jesus?

4. Depois de passarmos esse tempo juntos estudando *Sua Verdadeira História*, se possível, encontre um plano de leitura que você e seu grupo possam seguir juntos e continuem a se reunir para discutir o que aprenderam.

ORAÇÃO –
CONVERSANDO COM
O AUTOR DA VIDA

Fale com Deus, transforme seu coração

Esta é a confiança que temos ao nos aproximarmos de Deus:
se pedirmos alguma coisa de acordo com a sua vontade,
ele nos ouve. E se sabemos que ele nos ouve em tudo o
que pedimos, sabemos que temos o que dele pedimos.
1 João 5:14-15

Deus adora conversar com você. Ele aprecia as suas orações, pois elas mostram a doce amizade que vocês compartilham. Pense nas cartas que às vezes podemos guardar como recordação de uma pessoa ou de uma ocasião significativa. A Bíblia diz que Deus guarda as suas orações em taças de ouro, que sobem até Ele como um aroma suave (Ap 5:8; Sl 141:2). Ele sussurra: "Nunca deixem de orar" (1Ts 5:17, NVT). Por quê? Porque a oração aprofunda o seu relacionamento com Deus. Quanto mais dois amigos conversam, mais próximos se tornam.

Você consegue imaginar amigos que nunca conversam? Eles não teriam muita amizade. Ou um casal que nunca fala diretamente um com o outro, mas apenas se comunica por meio de um pastor ou outro intermediário? Eles ainda estariam casados no papel, mas seu relacionamento seria tenso e impessoal. Da mesma forma, sem oração, o seu relacionamento com Deus seria sem vida. A oração mantém sua amizade com Ele dinâmica, viva e pessoal.

A oração é uma conversa contínua que vem de uma amizade íntima com Deus. Quando você fala com Ele, "a sua boca fala do que está cheio o coração" (Lc 6:45). Pais e filhos fazem mais do que apenas repetir cumprimentos padronizados e memorizados uns para os outros: "Oi". "Olá." "Como você está?" "Bem." "Como você está?" "Bem." "Tenha um bom dia." "Tchau." Não é assim que se comunicam. Em relacionamentos saudáveis, as pessoas também falam do coração – de maneira espontânea e sincera. A Bíblia contém exemplos de oração que podemos usar para falar com o Senhor, mas também podemos falar com Ele com nossas próprias palavras. Deus não as julga ou critica; Ele vê nosso coração. Ele não está preocupado com a gramática e não quer orações que soem impressionantes. Cristo se importa com você e está interessado no que você tem a dizer de coração.

Porém, algumas pessoas podem achar difícil falar com alguém que não podem ver. Outros podem ter dificuldade em orar porque acreditam que Deus fará o que Ele quiser, independentemente de nossas orações. Considere estas ideias sobre o propósito e o poder da oração.

Ore para obter mais *de* Deus, não apenas para obter mais coisas *de* Deus. Sim, Deus Se agrada em responder às nossas orações, e podemos pedir a Ele o que desejamos em nosso coração (Sl 37:4). Mas precisamos querer a Deus mais do que qualquer outra coisa. Ore para que seus pensamentos sejam os pensamentos dEle; que o *seu* coração seja o coração dEle; que a sua vontade *seja* a vontade dEle. Assim, quando você orar de acordo com os desejos dEle para você, Ele fará o que você pedir no Seu tempo perfeito. "E eu farei o que vocês pedirem em meu nome, para que o Pai seja glorificado no Filho. O que vocês pedirem em meu nome, Eu farei" (Jo 14:13-14). Jesus está dizendo que podemos pedir em Sua autoridade para avançarmos em Seus propósitos, para a glória de Deus. **Um dos propósitos da oração é descobrir o que está no coração de Deus para que possamos alinhar nosso coração com o dEle.**

A oração transforma nosso coração, mas nem sempre muda nossas circunstâncias de vida. Quando nossas orações se alinham com a vontade de Deus, Ele promete nos ouvir (1Jo 5:14-15). Sua resposta pode ser "sim" ou "agora não". Se algum de nossos pedidos não estiver de acordo com Sua vontade, Ele dirá não. Peça ao Pai celestial para trabalhar em seu coração e ajudá-lo a andar nos caminhos dEle, mesmo que certos detalhes não façam sentido para você. No jardim do Getsêmani, Jesus orou pedindo para escapar do intenso sofrimento que Ele sabia que estava a apenas algumas horas de distância. "Meu Pai, se for possível, afasta de mim este cálice; contudo, não seja como eu quero, mas sim como tu queres" (Mt 26:39). Jesus queria livrar-Se do sofrimento, *mas* queria ainda mais a vontade de Deus. Ele não obteve a resposta que pediu, mas saiu daquele momento de oração com o coração totalmente submetido à vontade de Seu Pai e com a coragem de ver essa vontade cumprida. A oração nem sempre mudará nossa situação, *mas vai* nos ajudar a confiar em Deus *apesar das* circunstâncias.

Ore com autoridade para se posicionar contra os ardis do diabo. A oração não é apenas uma conversa com o Senhor, mas também uma arma poderosa na guerra espiritual. Como vimos nos Dias 26 e 27, tanto as Escrituras quanto a oração nos ajudam a derrotar os desejos da carne e os ataques do inimigo. Jesus sempre teve autoridade sobre o inimigo e nos deu autoridade quando derrotou Satanás na cruz (Cl 2:15). **Agora precisamos clamar pela vitória de Jesus para que também possamos vencer o poder do inimigo (Lc 10:19).** Confie na força de Deus e aja por meio da oração. Conforme discutimos no Dia 26, ore em voz alta com autoridade quando surgir a tentação: "Sou um filho de Deus e em Cristo tenho vitória sobre _____." Complete com qualquer pecado ou problema que você esteja enfrentando. Lembre-se de que o inimigo não pode nos forçar a pecar. **Temos autoridade por meio de Jesus para resistir ao inimigo e nos colocarmos sob a proteção de Deus.**

Vamos combinar nosso conhecimento sobre oração com algumas orientações práticas que nos ajudarão a orar, ouvir e seguir Sua vontade:

1. **Ore em grupo.** A oração em grupo (às vezes chamada de oração coletiva), para ser eficaz, requer concentração e humildade. Ao orarmos em concordância acerca da mesma preocupação, o Espírito Santo nos guiará de uma maneira mais específica. Seja genuíno e transparente quando chamado a orar. Não hesite em contribuir, não se preocupe com a opinião dos outros a seu respeito e não tenha medo de cometer um erro. Todos nós estamos aprendendo com o Espírito Santo e uns com os outros. Mesmo aqueles que são fluentes em oração ainda estão amadurecendo em sua fé. Você pode dizer algo que traga encorajamento ou clareza para uma reunião de oração.

Por outro lado, não vamos nos impor no momento da oração nem orar para que outro participante ouça. Em vez disso, humilhe-se perante o Senhor (Tg 4:10). Orar com outros crentes nos aproxima cada vez mais dEle (Mt 18:20). A igreja primitiva nos deu o modelo de devoção a Deus e uns aos outros, pois *adoravam e oravam juntos* (At 2:42-47).

2. **Ore sozinho.** Embora nunca estejamos *espiritualmente* sozinhos na oração (Rm 8), orar *fisicamente* a sós mantém nossas motivações puras. Estamos livres da tentação de representarmos para os outros ou de nos preocuparmos com o que pensam. A oração privada é mais eficaz sem distrações (sem telefone, sem relógio, sem computador). Jesus diz: "Mas quando você orar, vá para seu quarto, feche a porta e ore a seu Pai, que está no secreto. Então seu Pai, que vê no secreto, o recompensará" (Mt 6:6). Nossas orações secretas – aquelas ouvidas apenas por Deus – são especiais e preciosas para Ele.

3. **Ore com o corpo.** Use seu corpo para ajudá-lo a expressar seus sentimentos. Uma postura humilde demonstra um coração humilde – tente se ajoelhar diante de Deus (Sl 95:6). Você também pode virar o rosto para o céu (Jo 17:1), abrir as mãos para receber (Esd 9:5) ou deitar-se no chão diante de Deus (Mt 26:39). Coloque-se diante dEle com a atitude de coração correta. Ele é Deus e nós somos mortais. Ele provê tudo, e não temos nada para oferecer, a não ser o que Ele nos dá. Ore com todas as suas forças.

4. **Ore em voz alta.** Falar em voz alta pode ajudá-lo a manter o foco. Isso fará você lembrar que está falando com uma pessoa real.

5. **Faça um esboço da sua oração.** Se precisar manter o foco, faça anotações (em seu diário, se possível). Escreva suas perguntas ou seus agradecimentos. Concentre-se em Deus e depois anote quais versículos lhe vêm à mente ao **escutar os pensamentos de Deus dentro de seus pensamentos**. Inclua estes quatro elementos na sua oração: Adoração, Confissão, Ação de graças e Súplica. (Lembre-se do acrônimo ACAS). Amanhã, vamos entender esse esboço de oração com o exemplo do Rei Josafá.

Tiago 5:16 diz: "A oração de um justo é poderosa e eficaz". Deus adora falar com você, então passe algum tempo conversando com Ele agora. Em seguida, *ouça* as respostas dEle. Os resultados são transformadores.

Deixe a Bíblia falar:
Mateus 6:1-18 (opcional: Salmo 86)

Deixe sua mente refletir:
1. Como você caracterizaria a sua oração? Para fortalecer seus momentos de oração, veja as orações na Bíblia. Muitos versículos podem ser transformados em orações; versículos que refletem sobre o caráter de Deus e Suas promessas podem ser parafraseados, e você pode orar versículos como resposta a Ele.

2. Você faz parte de um grupo de oração? Se não, há um grupo de crentes com o qual você poderia se conectar para orar?

3. Sobre o que você está orando hoje? Considere a possibilidade de criar um espaço de oração no canto de uma sala ou em um armário. Cole bilhetes com orações e passagens bíblicas para ajudá-lo a orar de forma intencional. Dedicar um espaço exclusivo vai ajudá-lo a priorizar a oração.

Deixe sua alma orar:
Pai, estou impressionado com o fato de que Tu, o Criador do universo, queiras falar comigo. Obrigado! Faz com que eu cresça em oração. Ajuda-me a orar sempre com um coração sincero. Torna meu coração e minha mente como os Teus, para que eu seja capaz de orar de acordo com a Tua vontade... Em nome de Jesus, amém.

Deixe seu coração obedecer:
(O que Deus está levando você a compreender, valorizar ou fazer?)

Ore e ouça

Clame a mim e eu responderei e lhe direi coisas
grandiosas e insondáveis que você não conhece.
Jeremias 33:3

Mensageiros correram para Jerusalém com um aviso terrível de que
um exército invasor se aproximava da cidade. "Um exército enorme
vem contra ti" (2Cr 20:2). Uma aliança de nações marchava contra o
rei Josafá e o povo de Judá. Essa notícia inesperada provocou medo
no coração do rei. Mas ele não chamou soldados e traçou planos
de batalha; o rei sábio respondeu com fé. Uma ordem foi enviada a
toda a nação: TODOS JEJUEM E OREM! As pessoas pararam tudo e
vieram de imediato para a capital, de todas as cidades de Judá, a fim
de juntas buscarem ao Senhor. O rei, de pé no templo do Senhor,
ergueu a voz ao céu e liderou a reunião de oração.

Deus ouviu suas orações e os resgatou de forma milagrosa: as
nações que marchavam contra o rei Josafá puseram-se *umas contra
as outras*. Os homens de Judá nem mesmo pegaram em armas. Ainda
assim, eles derrotaram um exército tão grande que levaram três dias
para reunir todas as posses que os inimigos deixaram para trás.

Podemos aprender muito com a oração do Rei Josafá. Sua parte
na História de Deus foi trazer uma reforma espiritual ao Reino
do Sul, mas ele também nos deu um modelo de oração poderosa.
Quando examinamos de perto a oração que ele fez durante a reunião
da nação, descobrimos que ela consiste em quatro elementos
principais: Adoração, Confissão, Ação de graças e Súplica (ACAS).

1. **Adoração:** Josafá começou orando: "Senhor, Deus dos nossos antepassados, não és tu o Deus que está nos céus? Tu governas sobre todos os reinos do mundo. Força e poder estão em tuas mãos, e ninguém pode opor-se a ti!" (2Cr 20:6). Quando começamos nossas orações com adoração, lembramos com quem estamos falando: o Deus Todo-Poderoso. Imagine-se entrando na sala do trono de Deus (Hb 4:16) e expresse seu amor por Ele. **Adorar a Deus alimenta nossa fé.** Os problemas que apresentamos ao Senhor começam a diminuir antes mesmo de falarmos deles, quando os consideramos à luz do poder e da majestade de Deus. Não vamos esperar até que a batalha termine para louvá-Lo. Dedique um tempo para honrar seu Pai celestial.

2. **Confissão:** Josafá continuou sua adoração com humildade: "Ó, nosso Deus, não irás tu julgá-los? Pois não temos força para enfrentar esse exército imenso que está nos atacando. Não sabemos o que fazer, mas os nossos olhos se voltam para ti" (2Cr 20:12). O rei Josafá reconheceu que não era forte ou inteligente o suficiente para enfrentar o que estava por vir. Mas manteve os olhos no Senhor. Nós podemos seguir o exemplo dele. Depois de louvar a perfeição de Deus, **admita sua própria imperfeição – não apenas pecados óbvios, mas também suas fraquezas.** Ao fazer isso, você aprofunda suas raízes na graça divina (Dia 24), sabendo que "Deus se opõe aos orgulhosos, mas concede graça aos humildes" (Tg 4:6).

3. **Ação de graças:** mesmo que um perigo incrível avançasse sobre ele, Josafá escolheu ser grato pela forma como Deus cuidou de seu povo no passado:

> Não és tu o nosso Deus, que expulsaste os habitantes desta terra perante Israel, teu povo, e a deste para sempre aos descendentes de teu amigo Abraão? Eles a têm habitado e nela construíram um santuário em honra do teu nome, dizendo: 'Se alguma desgraça nos atingir, seja o castigo da espada, seja a peste, seja a fome, nós nos colocaremos em tua presença diante deste templo, pois ele leva o teu nome, e clamaremos a ti em nossa angústia, e tu nos ouvirás e nos salvarás'. Mas agora, aí

estão amonitas, moabitas e habitantes dos montes de Seir... vieram expulsar-nos da terra que nos deste por herança. (2Cr 20:7-11).

A gratidão nos ajuda a ver o cuidado protetor de Deus. Quanto mais nos lembramos da fidelidade dEle, mais poderosa é nossa fé. E quanto mais procuramos a mão de Deus em nossa vida, mais vemos Sua mão nos detalhes. Reconhecemos que toda boa dádiva vem dEle, por isso não somos enganados (Tg 1:16-17). Como diz o ditado, a gratidão torna tudo suficiente. O rei Josafá escolheu se lembrar da fidelidade e dos presentes de Deus. Decidiu que Deus seria o suficiente. Vamos agradecer, abrir nossos olhos para o que o Senhor já providenciou e confiar em Sua futura provisão.

4. **Súplica:** Josafá pediu a Deus que resgatasse seu povo dos inimigos porque sabia que não poderia fazer isso sozinho: "Ó, nosso Deus, não irás tu julgá-los? Pois não temos força para enfrentar esse exército imenso que está nos atacando. Não sabemos o que fazer, mas os nossos olhos se voltam para ti" (2Cr 20:12).

Como filhos que dependem dos pais para receber o sustento, somos dependentes do nosso Pai celestial. Deus nos convida a Lhe pedir o que precisamos e Se agrada em nos dar boas dádivas (Mt 7:11). Mas se não nos voltarmos para Ele nem confiarmos nEle, não O estaremos convidando para a situação. "Não têm, porque não pedem" (Tg 4:2). **Coloque todos os seus pedidos sob os cuidados dEle e deixe-O decidir o que é melhor.** Quais são suas necessidades? Peça a Deus para supri-las. Ore por outras pessoas também. Devemos perseverar "na oração por todos os santos" (Ef 6:18). Nenhum dos seus pedidos é grande demais e nenhum é pequeno demais. Se quiser, mantenha uma lista de suas súplicas em um diário e atualize-a toda semana, registrando quando e como Deus responde às suas orações. Ao vê-Lo atender a pedidos específicos, sua confiança nEle aumentará. Vamos nos aprofundar mais em como orar pelos outros no Dia 41.

Incluir os elementos da oração (ACAS) nos ajudará a manter o foco. O inimigo quer atrapalhar nossa comunicação com Deus e tentará nos distrair. Resista às interrupções dele. Se os pensamentos que o distraem são sobre ideias ou tarefas que você precisa concluir, escreva-os e deixe-os de lado até terminar de orar. Se eles persistirem, rejeite-os em nome de Jesus.

Quando oramos, sozinhos ou em grupo, precisamos nos lembrar de fazer uma pausa e *ouvir* a Deus. "Ele me acorda manhã após manhã, desperta meu ouvido para escutar como alguém que é ensinado" (Is 50:4). Ao orar, reveze o falar e o ouvir, assim como você faz nas conversas cotidianas com as pessoas. Ore: "Fala, Senhor, pois teu servo está ouvindo" (1Sm 3:9). A voz de Deus quase sempre é como "o murmúrio de uma brisa suave" (1Rs 19:12). Acalme seu coração para ouvi-la, fique quieto e concentre-se em Jesus. Ele diz: "As minhas ovelhas ouvem a minha voz; Eu as conheço, e elas me seguem" (Jo 10:27).

Depois de orar, Josafá ouviu a Deus, que lhe respondeu: "Não tenham medo nem fiquem desanimados por causa desse exército enorme, pois **a batalha não é de vocês, mas de Deus**... Vocês não precisarão lutar nessa batalha. Tomem suas posições; permaneçam firmes e vejam o livramento que o Senhor lhes dará" (2Cr 20:15, 17, grifo nosso). Impressionante! Como era de se esperar, Josafá obedeceu e o resgate de Deus veio conforme prometido. Podemos ter a mesma confiança de que Ele nos ouve: "O Senhor está perto de todos os que o invocam, de todos os que o invocam com sinceridade. Realiza os desejos daqueles que o temem; ouve-os gritar por socorro e os salva. O Senhor cuida de todos os que o amam" (Sl 145:18-20).

Podemos planejar obedecer antes de orar, sabendo que caberá a *Ele* vencer a batalha, não a nós. E assim podemos seguir Sua direção.

Deixe a Bíblia falar:
2 Crônicas 20:1-23 (opcional: 2 Crônicas 6:1-11, 34-35)

Deixe sua mente refletir:
Pratique escrever suas orações usando o esboço abaixo. Mantenha as orações em um diário e registre as datas, para poder olhar para trás e ver como Deus lhe respondeu (uma pedra memorial – Dia 17).

1. **A**doração (Adore a Deus).
2. **C**onfissão (Confesse seus pecados e suas fraquezas).
3. **A**ção de graças (Agradeça por tudo, até mesmo pelas provações).
4. **S**úplica (Faça pedidos).
5. *Ouça para receber* as respostas de Deus, *escreva* o que Ele lhe diz, *peça a Ele* para confirmar, e *obedeça* seguindo a direção dEle.

Deixe sua alma orar:
Pai, ensina-me a orar. Ao me aproximar de Ti, torna-me reverente, humilde, grato e confiante em Tua graça e em Teu poder. Aguça a minha percepção da Tua voz. Ensina-me a ouvir. Ajuda-me a estudar e a meditar na Tua Palavra, para que eu possa orar de acordo com a Tua vontade e ouvir Tua voz com clareza... Em nome de Jesus, amém.

Deixe seu coração obedecer:
(O que Deus está levando você a compreender, valorizar ou fazer?)

Evite obstáculos à oração

Então vocês me chamarão, mas não responderei;
procurarão por mim, mas não me encontrarão,
visto que desprezaram o conhecimento e
recusaram o temor do Senhor.
Provérbios 1:28-29

Pode ser que não vivamos o suficiente para aprender com todos os nossos erros, portanto aprender com os erros dos outros às vezes ajuda. Pode ter sido exatamente isso que o rei Josafá estava fazendo. Ontem, vimos como ele, em espírito de oração, lidou com a invasão das várias nações que o atacavam, dependendo de Deus com humildade no coração. Anos antes, outra ameaça militar exigiu uma resposta do pai de Josafá, o rei Asa. Porém, Asa não se voltou para Deus, e sim para outra nação, oferecendo-lhes pagamento para que lutassem sua batalha. Embora Asa já tivesse experimentado o poder libertador de Deus, ele caiu na autossuficiência e na dúvida. O profeta Hanani confrontou-o:

> Pois os olhos do Senhor estão atentos sobre toda a terra para fortalecer aqueles que lhe dedicam totalmente o coração. Nisso você cometeu uma loucura. De agora em diante terás que enfrentar guerras. (2Cr 16:9).

Como o coração de Asa não era inteiramente leal ao único Deus verdadeiro, conflitos marcariam o resto de seus dias. Assim como Josafá, podemos aprender com o Rei Asa e perceber que Deus está procurando aqueles que são devotados a Ele. Deus quer alcançar os crentes que O buscam de todo o coração. Quando encontra nosso coração comprometido com Ele, o Senhor responde às nossas orações e Se mostra forte em nosso favor.

No entanto, em certas ocasiões, quando oramos, Deus não responde. Nossas orações parecem que caem no chão. Não é que precisemos usar um amplificador nem falar com mais clareza. Algumas vezes Ele não nos ouve porque temos pecados em nossa vida que bloqueiam nossas orações (Sl 66:16-20; Is 5). Ou estamos orando pelos motivos errados. Sim, nossas próprias escolhas equivocadas (*não* as más decisões dos outros) podem atrapalhar nossas orações. Hoje, vamos identificar os principais erros que as pessoas cometem ao se aproximarem de Deus em oração, para podermos evitá-los. A lista não é completa, mas contém as sete razões mais prováveis pelas quais o Senhor não responde às nossas orações.

1. **Pecado não confessado:** já mudou de assunto quando uma conversa se tornou desconfortável para você? Nós também fazemos isso com Deus. Quando Ele nos revela o pecado por meio da convicção do Espírito Santo e evitamos confessá-lo e, ao mesmo tempo, seguimos orando por outras preocupações, criamos um obstáculo. **Deus não dará atenção às nossas orações até confessarmos o pecado que Ele já nos revelou.** Por que devemos esperar que Ele nos ouça e responda quando não O ouvimos e não respondemos a Ele? O salmista escreve: "Se eu acalentasse o pecado no coração, o Senhor não me ouviria" (Sl 66:18). Nosso pecado entristece Deus, e deveria nos entristecer também (Ef 4:30). É por isso que precisamos confessar o pecado assim que Deus o traz à nossa mente. Ele é fiel para nos perdoar (1Jo 1:9) e restaurar nosso relacionamento com Ele. Permita que Deus restaure você.

2. **Desobediência:** junto com a confissão, também precisamos nos arrepender, afastando-nos do pecado e voltando-nos para Deus. Quando estamos determinados a seguir nosso próprio caminho e ignorar Suas instruções, nossas orações tornam-se inúteis. "Se alguém se recusa a ouvir a lei, até suas orações serão detestáveis" (Pr 28:9). Há uma diferença entre alguém que se submete ao senhorio

de Jesus e que às vezes precisa fazer esforço para obedecer e alguém que ora a Deus por bênçãos e O desafia de forma deliberada. Quando queremos as bênçãos dEle, mas rejeitamos Seus caminhos, nossas orações podem ser prejudicadas, não importa quantas outras coisas boas façamos. "Acaso tem o Senhor tanto prazer em holocaustos e em sacrifícios quanto em que se obedeça à palavra do Senhor? A obediência é melhor do que o sacrifício, e a submissão é melhor do que a gordura de carneiros" (1Sm 15:22). Deus conhece nosso coração e deseja nos perdoar, mas precisamos confiar nEle e segui-Lo.

3. **Egoísmo:** o egoísmo – indiferença às necessidades dos outros – sabota a oração. Deus quer que cuidemos de nós mesmos, mas também precisamos ser sensíveis às necessidades das pessoas ao nosso redor. Sua vontade molda nossas orações e parte dela é que devemos amar e servir aos outros: "Cada um cuide, não somente dos seus interesses, mas também dos interesses dos outros" (Fl 2:4). Ele sempre vê nossos verdadeiros motivos. "Quando pedem, não recebem, pois pedem por motivos errados, para gastar em seus prazeres" (Tg 4:3). Quando nossas orações são egoístas, o Senhor pode não respondê-las.

4. **Dúvida:** quando oramos com fé, temos confiança em quem Deus é e no que Ele fez. Em contraste, quando oramos *sem* fé, duvidamos de Suas promessas e habilidades. **Pedir a Deus sem acreditar que Ele vai ajudar é evidência de dúvida.** Você está orando com dúvida ou com fé? "Peça-a, porém, com fé, sem duvidar, pois aquele que duvida é semelhante à onda do mar, levada e agitada pelo vento. Não pense tal homem que receberá coisa alguma do Senhor" (Tg 1:6-7). É normal duvidar de Deus às vezes, e quando isso acontece, podemos pedir que Ele fortaleça nossa fé, orando como o homem que clamou a Jesus: "Creio, ajuda-me a vencer a minha incredulidade!" (Mc 9:24). **Ore com fé na *bondade de Deus*, não em que Ele fará tudo o que pedimos.** Nosso desejo sincero por algo não força a mão de Deus a atender nosso pedido. Lembre-se: *Deus é bom, não importa o que aconteça*. Quando acreditamos nisso, temos confiança em Sua resposta a tudo o que enfrentamos. Se duvidamos que Ele é bom,

duvidaremos que Sua resposta será boa, seja ela "sim", "não" ou "agora não". **Peça com fé, e deixe *Deus* decidir o resultado**, lembrando que Ele "recompensa aqueles que o buscam" (Hb 11:6).

5. **Falta de perdão:** se guardamos rancor, Deus pode não ouvir nossas orações. Recusar-se a perdoar alguém indica que não entendemos o imenso custo do sacrifício de Jesus por *nós*. Mas quando crescemos na graça de Deus e percebemos a extensão de Seu perdão, perdoamos os outros como fomos perdoados – ainda que as pessoas sempre nos magoem. "Então Pedro aproximou-se de Jesus e perguntou: 'Senhor, quantas vezes deverei perdoar a meu irmão quando ele pecar contra mim? Até sete vezes?' Jesus respondeu: 'Eu lhe digo: não até sete, mas até setenta vezes sete'" (Mt 18:21-22). Perdoar os outros, mesmo quando – e especialmente quando – é complicado, dá grande glória a Deus e é uma demonstração de nossa fé nEle. É uma das maneiras mais significativas pelas quais nós, como seguidores de Jesus, demonstramos quem somos em Cristo. (Veja o Dia 10 e o Dia 25 para mais informações sobre perdão.)

Vamos ser claros: perdoar não significa que devemos permanecer em situações abusivas. Você não precisa se colocar em perigo. Como mencionado antes, perdoar é abrir mão de qualquer raiva ou amargura para com os abusadores e permitir que o amor e a graça de *Deus* curem você. Isso o libera, para que possa experimentar o perdão de Deus em sua própria vida. **Mesmo que não mereçam, perdoe os outros porque *você* foi perdoado por Deus quando você não merecia perdão.** Afinal de contas, o perdão liberta você e suas orações.

6. **Ofensa:** você ofendeu ou tratou alguém com injustiça? Jesus diz que precisamos consertar as coisas antes de irmos a Deus em oração. "Portanto, se você estiver apresentando sua oferta diante do altar e ali se lembrar de que seu irmão tem algo contra você, deixe sua oferta ali, diante do altar, e vá primeiro reconciliar-se com seu irmão; depois volte e apresente sua oferta" (Mt 5:23-24). Em alguns casos, podemos não saber o que fizemos de errado. A pessoa age de forma diferente ou se distancia. É melhor ir até ela e perguntar se

lhe fizemos algo. Peça desculpas. Peça perdão. Conserte as coisas. Quando Zaqueu conheceu Jesus, ele se arrependeu de roubar. Ele consertou o erro dando metade de seus bens aos pobres e devolvendo às pessoas quatro vezes o que havia tirado delas (Lc 19:8). Quando nos arrependemos diante de Deus e acertamos as coisas com os outros, podemos fazer mais do que o exigido. Às vezes, a pessoa a quem tratamos com injustiça se recusa a perdoar, mesmo depois de tentarmos reparar a situação. Precisamos lembrar que cada pessoa processa a dor de maneira diferente e pode precisar de mais tempo. Quando isso acontecer, ore e saiba que **Deus está encarregado de mudar os corações, não nós**. Deixe os resultados com Ele, sabendo que você fez o que Ele o chamou para fazer. Paulo disse: "Façam todo o possível para viver em paz com todos" (Rm 12:18).

7. **Conflito conjugal:** disputas no casamento também podem atrapalhar a oração. O apóstolo Pedro ensina: "Do mesmo modo vocês, maridos, sejam sábios no convívio com suas mulheres e tratem-nas com honra, como parte mais frágil e co-herdeiras do dom da graça da vida, de forma que não sejam interrompidas as suas orações" (1Pd 3:7). Embora Pedro dirija esse versículo aos maridos, tampouco as esposas podem criar conflito no casamento sem consequências. Se criarmos problemas em nosso casamento, também vamos prejudicar nosso relacionamento com Deus. Não se preocupe com as atitudes e ações de seu cônjuge; apenas garanta que *suas* atitudes e ações honrem ao Senhor.

Se aprendermos com os erros que vimos aqui, podemos evitar cometê-los nós mesmos. Deus leva o pecado a sério porque nos ama. Se Ele nos permitisse ter uma vida de oração vibrante com o pecado ainda bloqueando nosso relacionamento, estaria aceitando atitudes e ações que violam Sua natureza sagrada e que nos machucam. Deus nos ama demais para fazer isso.

Portanto, se você se identifica com qualquer um desses obstáculos na oração, saiba que Deus anseia perdoá-lo. Caso duvide, peça a Ele para fortalecer sua fé. Se está carregando o peso do pecado não confessado, da desobediência ou do egoísmo, confesse-o a Deus, arrependa-se e siga em frente. Se está guardando rancor, deixe-o ir. Se ofendeu alguém ou está em conflito com seu cônjuge, corrija a situação. Assim, sua amizade íntima com o Senhor será restaurada. "Mas o Senhor protege aqueles que o temem, e os que firmam a esperança no seu amor" (Sl 33:18). Deus Se agrada de verdade em ouvir e responder às suas orações.

Deixe a Bíblia falar:
Isaías 59 (opcional: Salmo 66)

Deixe sua mente refletir:
1. Suas orações estão sendo prejudicadas? Depois de ler a lição de hoje, o que você acha que pode estar bloqueando suas orações?

2. Quando você ora, fica mais motivado pela vontade de Deus ou pelos seus próprios desejos? Por que acha que isso acontece?

3. Você ora com fé ou luta contra a dúvida? O que poderia fazer para aumentar sua fé?

Deixe sua alma orar:
Pai, mostra-me tudo o que atrapalha minhas orações. Torna-me corajoso para remover o pecado, para que eu possa desfrutar de uma comunicação clara Contigo. Assim que um obstáculo surgir, avisa-me, para que eu possa lidar com o problema imediatamente. Ouve minhas orações. Fala comigo. Ajuda-me a Te ouvir... Em nome de Jesus, amém.

Deixe seu coração obedecer:
(O que Deus está levando você a compreender, valorizar ou fazer?)

Jejue em oração

Aí sim, você clamará ao Senhor, e ele responderá;
você gritará por socorro, e ele dirá: Aqui estou!
Isaías 58:9

Existem momentos na vida de todos em que a oração por si só não é suficiente. A vida está muito difícil. As necessidades estão muito grandes. As decisões são muito importantes. Há certas horas em que precisamos ouvir de Deus e a resposta precisa ser imediata.

Considere a Rainha Ester e seu papel na História de Deus. Ela arriscou a vida para salvar o povo judeu de uma terrível trama de genocídio (Est 4). O primeiro-ministro do rei desprezava tanto os judeus que arquitetou um plano para destruí-los em todo o império. Ele marcou uma data para a destruição. Ester, uma órfã judia que se casou com o rei persa, precisava entrar na corte do rei sem ser anunciada para implorar misericórdia para seu povo, mas isso era motivo para execução. A situação era extrema. Mordecai, primo e guardião de Ester, a desafiou: "Quem sabe se não *foi para um momento como este que você chegou à posição de rainha?*" (Est 4:14, grifo nosso). Ester precisava de coragem e os judeus precisavam de salvação. Todos necessitavam de proteção contra o mal. Então, oraram e jejuaram por três dias. Alimentada pela fé, ela entrou na corte do rei com singeleza, confiando a Deus o resultado. Deus graciosamente concedeu favor a Ester junto ao rei. Mais uma vez, o Senhor resgatou Seu povo quando se voltaram para Ele.[1]

---

1 Leia o livro de Ester para entender melhor o cuidado providencial de Deus por Seu povo.

Em numerosas ocasiões, vemos na Bíblia quando é apropriado orar e *jejuar*, tanto a sós como em grupo. Esse tipo de oração intensa é importante porque a situação é séria. O que diferencia o jejum bíblico de outros jejuns é o motivo: buscar o coração de Deus; por vezes, a ponto de ir às lágrimas. O Senhor diz: "voltem-se para mim de todo o coração, com jejum, lamento e pranto" (Jl 2:12). O jejum não é apenas remoção de alimentos; é uma oração pronunciada com arrependimento, intercessão ou agonia. Jesus também falou de uma época de tristeza em que Seus discípulos jejuariam. "Mas virão dias quando o noivo [Jesus] lhes será tirado; e nesse tempo jejuarão" (Mc 2:20). Mas o que é o jejum bíblico e como podemos fazê-lo de uma forma que agrade ao Senhor?

O jejum é a expressão externa de uma oração interna. É um ato de abnegação, pelo qual retiramos o foco de nós mesmos (nossas necessidades físicas) para nos concentrarmos em Deus. O jejum *não* é uma dieta para perder peso, uma punição ou um requisito para a salvação. Em um jejum, não estamos negociando com Deus; nossa autoprivação não nos faz conquistar o favor dEle. Por outro lado, o jejum de oração expressa nosso desespero para que Deus intervenha por *Seus* meios, bem como mostra nossa confiança de que Ele o fará. Existe poder no jejum.

Quando jejuamos, negamos a nós mesmos alimentos sólidos para demonstrar nossa fome de Deus. A privação física aumenta nossa consciência espiritual, à medida que nossa carne se submete ao Espírito. Em vez de procurar comida quando sentimos fome, permitimos que as dores da fome se tornem estímulos de oração que nos levam ao Pai. Nossa fome ou cansaço nos lembram de nossa fraqueza humana e da necessidade da graça contínua de Deus. Ao orarmos e nos alimentarmos de Sua Palavra, o resultado é uma dependência mais profunda de Deus e comunhão com Ele. É por isso que algumas tradições cristãs têm formas de jejum como parte de sua prática regular. Um bom exemplo é o jejum durante a Quaresma (os quarenta dias que antecedem o Domingo de Páscoa) para preparar o coração para celebrar a ressurreição de Cristo.

Existem diferentes tipos de jejum. Normalmente, jejuar significa abster-se de comida e beber apenas água por vinte e quatro horas, começando após a refeição da noite. (Lembra-se do rei Josafá no Dia 37? O povo jejuou dessa forma.) **Antes de suspender alimentos de sua dieta, consulte seu médico.** *O jejum à base de água não é recomendável sem supervisão médica.* Outro tipo de jejum é beber água, café/chá e suco ao longo do dia, quebrando o jejum somente na refeição da noite. Você também pode eliminar uma refeição por dia ou restringir sua dieta a vegetais, caldos, sucos, café/chá e água por vários dias. Esses jejuns modificados permitem que você tenha energia suficiente para se manter operante.

Se você se abstém de comida e água (chamado de "jejum absoluto"), o jejum deve ser muito curto. Nunca deve ser realizado sem preparação física, aconselhamento e supervisão. Se tem menos de dezoito anos, está grávida ou tem uma condição médica que proíbe o jejum, pode abster-se de outra coisa.[1] Por exemplo, fazer um jejum de tecnologia (telefone, computador, mídia social) ou entretenimento (televisão, filme, música).

Deus não se importa tanto *com* o que retiramos de nossa dieta ou rotina para jejuar, mas se importa com *por que* jejuamos. Como aprendemos ontem, os motivos são importantes para Deus.

Ao longo dos séculos, os israelitas se tornaram legalistas com o jejum, e Deus expôs a hipocrisia deles. Agiam como se quisessem glorificá-Lo, mas, na verdade, estavam apenas preocupados em impressionar os outros. Tinham orgulho de seu rigor religioso e achavam que o Senhor também deveria ter. A certa altura, perguntaram-se por que Deus não aplaudia seus esforços, então Ele lhes respondeu com franqueza: "Vou lhes dizer por quê... É porque jejuam para satisfazer a si mesmos. Enquanto isso, oprimem seus empregados. De que adianta jejuar, se continuam a brigar e discutir? Com esse tipo de jejum, não ouvirei suas orações" (Is 58:3-4, NVT). Seu jejum de glorificação própria, assim como seu pecado não confessado, enfureceu a Deus. Jesus os advertiu: "Quando jejuarem, não mostrem uma aparência triste como os hipócritas, pois eles mudam a aparência do rosto a fim de que os

---

1 A Bíblia não fala de crianças jejuando. As crianças são desencorajadas a jejuar por causa de suas necessidades metabólicas e nutricionais. Se você tem um histórico de problemas médicos, está grávida ou tem diabetes, ainda pode praticar a oração focada no espírito de jejum (enquanto permanece com a dieta prescrita), abstendo-se de algo diferente de comida.

homens vejam que eles estão jejuando. Eu lhes digo verdadeiramente que eles já receberam sua plena recompensa" (Mt 6:16). **Deus odeia jejum que busca chamar atenção.**

Nosso jejum deve ser muito diferente daquele que Jesus repreendeu em Mateus 6. Ele instrui os crentes: "Ao jejuar, ponha óleo sobre a cabeça e lave o rosto, para que não pareça aos outros que você está jejuando, mas apenas a seu Pai, que vê no secreto. E seu Pai, que vê no secreto, o recompensará" (Mt 6:17-18). O sigilo manterá seus motivos puros. Quando jejua com um grupo, os outros vão saber que você está jejuando, mas não chame atenção para si mesmo. **Deus ama o jejum discreto.**

Existem muitas razões bíblicas[1] para o jejum, mas hoje vamos nos concentrar em duas: o jejum para resolver um problema e o jejum para buscar avivamento espiritual. Quando o profeta Esdras voltou para Jerusalém, depois do exílio na Pérsia, ele teve um problema. Sua parte na História de Deus era restabelecer a lei de Deus, ao lado de outros sacerdotes do Senhor, no entanto os inimigos das regiões vizinhas se opuseram a eles. Era uma ameaça grave, mas os israelitas estavam com muito medo e vergonha de pedir ajuda ao rei da Pérsia. Esdras relatou: "Proclamei um jejum, a fim de que nos humilhássemos diante do nosso Deus" (Esd 8:21). Deus respondeu, e Esdras continuou: "Por isso jejuamos e suplicamos essa bênção ao nosso Deus, e Ele nos atendeu" (Esd 8:23). Deus aprovou o jejum comunitário de Esdras, portanto podemos olhar para esse jejum como guia. Três pontos se destacam:

1. **Esdras convocou todos os afetados pelo problema para jejuarem.** Se um problema afeta um grupo, o círculo de jejum deve ser o maior possível. (Um problema privado requer um jejum privado.)[2]

---

1 A Palavra de Deus nos dá muitos exemplos de jejum a seguir. No Antigo Testamento, o povo de Deus se arrependeu e jejuou por renovação espiritual (1Sm 7:1-8), segurança e resolução de problemas (Esd 8:21-23), misericórdia e favor (Ne 1-2), para o bem-estar físico (Dn 1:12-20) e proteção contra o mal (Est 4:16). No Novo Testamento, os crentes também jejuaram por devoção pessoal (Lc 2:37), devoção em grupo (coletiva) (At 13:2), e preparação do ministério (At 14:23).
2 TOWNS, Elmer L. *Fasting for spiritual breakthrough*: a guide to nine biblical fasts. Ventura: Regal Books, 1996. p. 46-47.

2. **Eles jejuaram com sinceridade e humildade.** Estavam desesperados pela solução de Deus, buscando Sua ajuda com fervor. Seja persistente na oração enquanto jejua.

3. **Eles jejuaram *antes de* tentar resolver o problema.** Não aja antes de orar, jejuar e ouvir a resposta de Deus. É fundamental *esperar* pela resposta dEle.

Você pode não estar enfrentando um problema que envolva risco de morte como Esdras, mas jejuar com oração o ajudará a buscar sabedoria para tomar decisões com mais clareza.

Deus pode chamá-lo para um jejum de renovação espiritual – um jejum de liberdade espiritual, para um despertar, para um retorno a Deus em seu casamento, em sua comunidade, em sua nação ou mesmo em sua própria vida. O profeta Samuel chamou o povo de Deus para jejuar porque eles estavam há muitos anos espiritualmente fracos e rebeldes. A Arca da Aliança, que simbolizava a presença de Deus, tinha sido roubada por causa do pecado dos israelitas. Eles sentiram que Deus os abandonara, então Samuel pediu um jejum. Antes de orar pelo povo, ele ordenou que se livrassem de todos os falsos deuses. Derramaram água diante do Senhor em uma cerimônia, simbolizando a limpeza e a renovação espiritual. "Naquele dia jejuaram e disseram ali: 'Temos pecado contra o Senhor'" (1Sm 7:6). Deus respondeu derrotando seus inimigos e confiando a eles o cuidado da arca mais uma vez. O jejum de Samuel nos dá dois pontos de orientação:

1. **Tal como fez Esdras, Samuel envolveu a todos no jejum.** Toda a comunidade queria renovação espiritual, por isso toda a comunidade jejuou.

2. **Eles confessaram e juntos se arrependeram de seus pecados.**[1] As pessoas assumiram a responsabilidade pelo pecado que as afastou de Deus e as deixou espiritualmente

---

1 TOWNS, Elmer L. *Fasting for spiritual breakthrough*: a guide to nine biblical facts. Ventura: Regal Books, 1996. p. 46-47.

famintas. *"Temos* pecado contra o SENHOR" (1Sm 7:6, grifo nosso). Não apenas confessaram seus pecados, mas também se arrependeram, destruindo seus ídolos e voltando-se para o Senhor.

Podemos olhar para a participação deles na História de Deus e aprender com esse exemplo. A disciplina do jejum não deve ser tratada de forma leviana. O jejum é indicado para situações que requerem considerável atenção. Deus nos convida a jejuar e orar porque isso O honra e nos beneficia, aumentando nossa consciência da presença dEle em nossa situação. Ao pensar em sua vida, talvez você se identifique com os clamores de Esdras e Samuel pela intervenção divina. Se o Senhor está conduzindo você a um jejum, considere as perguntas abaixo antes de começar:

1. Identifique o propósito do seu jejum. Por que você está jejuando?
2. Declare sua fé na capacidade de Deus de intervir (Is 59:1).
3. Determine como você irá jejuar (apenas água e suco, uma refeição por dia, etc.). **Consulte seu médico antes de abster-se de alimentos em sua dieta.**
4. Decida quando vai começar o jejum e quando irá terminá-lo.
5. Encontre uma promessa bíblica para encorajá-lo durante o jejum: "Aí sim, você clamará ao SENHOR, e ele responderá; você gritará por socorro, e ele dirá: Aqui estou!" (Is 58:9).

O jejum demonstra a nós mesmos e a Deus que somos zelosos em nosso relacionamento com Ele. Quando jejua com o coração centrado na vontade de Deus, espere respostas dAquele que o ama e deseja ser encontrado por você (Jr 29:13). Aproxime-se dEle e fortaleça sua fé ao adorá-Lo com humildade por meio da oração e do jejum.

Deixe a Bíblia falar:
Isaías 58 (Ester 4)

Deixe sua mente refletir:
1. Você já jejuou em oração? Em caso afirmativo, acha que isso aprimorou seu tempo de oração? Explique.

2. Você vê algum problema em sua vida ou em sua comunidade que exija um jejum?

3. Você e seus amigos considerariam jejuar para renovação espiritual? Nesse caso, conversem e orem uns com os outros sobre a possibilidade de jejuarem juntos.[1]

Deixe sua alma orar:
Pai, ajuda-me a desenvolver maturidade espiritual, sabendo como e quando jejuar. Quando eu jejuar, ajuda-me a não ceder à autopiedade ou ao orgulho, mas auxilia-me a me entregar à oração fervorosa e cheia de fé. Acima de tudo, que eu sempre tenha fome de Ti... Em nome de Jesus, amém.

Deixe seu coração obedecer:
(O que Deus está levando você a compreender, valorizar ou fazer?)

---

1 Visite allinmin.org para baixar ferramentas para jejum em grupo.

Ore a Palavra de Deus, descubra Sua vontade

Se vocês permanecerem em mim, e as minhas
palavras permanecerem em vocês, pedirão o
que quiserem, e lhes será concedido.
João 15:7

Não importa em que parte do mundo moramos, descobrimos que as pessoas são criaturas de hábitos. Acordamos na mesma hora todas as manhãs. Preparamos os mesmos alimentos todos os dias. Temos a tendência de nos sentarmos nos mesmos lugares nas reuniões semanais da igreja. Porém, embora as rotinas da vida diária possam ser úteis, criando um ambiente de ordem e previsibilidade, também podem ser prejudiciais aos nossos hábitos de oração regular. Aproximar-se de Deus com a mente desatenta, da mesma maneira, com a mesma oração, dia após dia, pode fazer com que nosso relacionamento com Ele pareça estagnado e sem vida. Às vezes, precisamos dar vida às nossas orações, e podemos fazer isso com as Escrituras inspiradas por Deus.

A oração das Escrituras acende a comunicação com Deus. Vemos essa prática exemplificada em toda a Bíblia, conforme os grandes crentes – e o próprio nosso Senhor Jesus – oravam as Escrituras com convicção e fé. As orações bíblicas podem nos ajudar a manter nossa comunicação com Deus viva, eficaz e focada *nEle* (não em nós mesmos) e em *Sua* glória (não na nossa). **Ao usarmos as Palavras *dEle*, buscamos alinhar nosso pensamento com o dEle e**

orar do jeito dEle. Temos fé na promessa de que Ele ouve e responde às orações que se alinham com Sua vontade (1Jo 5:14-15). Por esse motivo, o salmista Davi disse com confiança: "Deleite-se no Senhor, e ele atenderá aos desejos do seu coração" (Sl 37:4).

Mas algumas pessoas fazem mau uso das Escrituras, como se fossem fórmulas únicas para conseguir o que desejam. *Deleitar-se no Senhor? Tudo bem, vamos lá... Eu Te amo, Senhor! Amo Te louvar, Senhor! Eu adoraria que o Senhor respondesse a todas as minhas orações agora, Senhor.* Não é isso que esses versículos querem dizer. "Deleitar-se no Senhor" é desejá-Lo, e Ele lhe dará novos desejos – desejos dEle. O que Deus quer? Sua vontade é sempre:

- para Sua glória (Rm 11:36).
- para ter um relacionamento conosco (Mt 23:37).
- para nos trazer a Si mesmo por meio de Cristo (Rm 5:1).
- que nos tornemos semelhantes a Cristo (Rm 8:29).
- que nos regozijemos, agradeçamos e oremos de forma contínua (1Ts 5:16-18).
- para nossa santidade e pureza sexual (1Ts 4:3).
- que todas as pessoas venham a Ele (2Pd 3:9).
- que a verdade nos preencha (Cl 3:16).
- para nosso coração mais do que nossas obras (Os 6:6).
- que permaneçamos e desfrutemos de uma vida abundante (Jo 10:10; 15:1-17).

Sabemos que essas coisas são da vontade de Deus porque Sua Palavra o diz, e podemos orar com confiança para que Ele atue para realizar o que Ele deseja. Porém, quando se trata de decisões pessoais, mais específicas – como para onde nos mudar ou conseguir um emprego – não encontraremos instruções detalhadas na Bíblia. Isso pode parecer desanimador à primeira vista. Mas, à medida que aprofundarmos nossas raízes na Palavra de Deus, nossa mente será transformada. E nos tornaremos melhores em discernir Sua vontade *inigualável* para nós e em reconhecer Sua mão em nossas preocupações particulares. A chave é substituir o pensamento mundano pela mente de Cristo: "Não se amoldem ao padrão deste mundo, mas transformem-se pela renovação da sua mente, para que sejam capazes de experimentar e comprovar a boa, agradável e perfeita vontade de Deus" (Rm 12:2).

Às vezes, mesmo com nossas tentativas fervorosas de discernir o que Deus deseja, simplesmente não sabemos mais o que dizer ao orar. Quando isso acontece, as Escrituras podem nos dar as palavras. E também podemos contar com o Espírito Santo para orar *por* nós. Deus conhece todos os nossos desejos e necessidades, até aqueles que ainda não notamos. Podemos confiar que Ele criará circunstâncias e nos atenderá na hora certa, da maneira certa, mesmo se não tivermos as palavras corretas:

> O Espírito Santo nos ajuda em nossas fraquezas. Por exemplo, não sabemos o que Deus quer que oremos. Mas o Espírito Santo ora por nós com gemidos que não podem ser expressos em palavras. E o Pai, que conhece todos os corações, sabe o que o Espírito está dizendo, pois o Espírito implora por nós, crentes, em harmonia com a própria vontade de Deus. (Rm 8:26-27).

Com a ajuda do Espírito Santo, podemos entregar nossas preocupações a Deus, confiando que Ele irá direcionar o resultado segundo a Sua vontade. Não precisamos discernir a vontade do Senhor *antes de* orar. **A oração nos leva a descobrir a vontade dEle.** Por meio da oração, Ele muda seu coração para se alinhar com a vontade dEle. Ore com humildade pelo que você quer, mas com o coração rendido aos Seus propósitos: "contudo, não seja feita a minha vontade, mas a tua" (Lc 22:42). Quando Deus começar a mostrar Sua vontade, continue a confiar nEle, dando os próximos passos de obediência. O apóstolo Paulo exemplificou essa confiança e fé. Três vezes ele pediu a Deus para remover "um espinho na [sua] carne, um mensageiro de Satanás", e três vezes Deus negou seu pedido (2Cor 12:7-10).

No entanto, ele permaneceu fiel a Deus porque seu desejo era que a vontade do Senhor fosse feita, acima de tudo. Por meio dessa experiência, aprendeu que a graça de Deus é suficiente para cumprir Sua vontade. Como resultado, Paulo terminou "a corrida" e permaneceu "fiel" até o fim (2Tm 4:7, NVT), e Deus foi grandemente glorificado em sua vida.

Quando nos apoiamos em Deus e em Sua Palavra em oração, sobretudo durante os tempos difíceis, encontramos mais da força dEle para viver de acordo com Seu plano. **Talvez esses momentos difíceis sejam quando mais notamos como as Escrituras fortalecem nossas orações. Orar a Palavra de Deus libera Seu poder de transformar corações e circunstâncias de vida.** Também é "inspirada por Deus e útil para o ensino, para a repreensão, para a correção e para a instrução na justiça, para que o homem de Deus seja apto e plenamente preparado para toda boa obra" (2Tm 3:16-17). A Palavra de Deus nunca falha; ela fala conosco e nos prepara para Seus planos.

Sabendo que a Palavra de Deus sempre cumpre Sua obra, podemos reivindicar com ousadia Suas promessas e confiar que Ele as cumprirá. Existem mais de sete mil promessas nas Escrituras, e a maioria é condicional. Algumas promessas são para pessoas específicas, outras requerem uma ação particular. Ao ler uma promessa, examine com cuidado o contexto original, para ver se é condicional. Preste atenção se *você* tem que fazer algo antes de *Deus* fazer alguma coisa. Quando incluímos promessas condicionais em oração, pedimos ao Pai que nos ajude a cumprir nossa responsabilidade. Então, nós O chamamos para responder à nossa obediência como Ele prometeu. Aqui estão alguns exemplos:

- "Portanto, submetam-se a Deus. Resistam ao diabo, e ele fugirá de vocês Aproximem-se de Deus, e ele se aproximará de vocês!" (Tg 4:7-8).

    Deus, ajuda-me a render-me a Ti e a resistir ao inimigo, para que ele me deixe em paz. Ajuda-me enquanto Te busco. Eu me achego a Ti de coração agora. Por favor, aproxima-Te de mim, Senhor.

- "Se confessarmos os nossos pecados, ele é fiel e justo para perdoar os nossos pecados e nos purificar de toda injustiça" (1Jo 1:9).

Pai, obrigado por Tua fidelidade ao me perdoar. Confesso que _____. Limpa-me de toda injustiça e ajuda-me a andar no Teu Espírito, para a Tua glória.

- "Busquem, pois, em primeiro lugar o Reino de Deus e a sua justiça, e todas essas coisas lhes serão acrescentadas" (Mt 6:33).

  Senhor, ajuda-me a priorizar Teus propósitos e a viver de acordo com Teus princípios acerca das coisas deste mundo. Sei que quando eu fizer isso, Tu atenderás a todas as minhas necessidades. Eu confio em Ti.

A oração desperta as promessas de Deus em nossa vida. **Podemos não saber quando ou como Deus cumprirá a promessa, mas sabemos que orar Sua promessa nos ajuda a confiar nEle e viver de acordo com Sua vontade.** "Pois quantas forem as promessas feitas por Deus, tantas têm em Cristo o 'sim'. Por isso, por meio dele, o 'Amém' é pronunciado por nós para a glória de Deus" (2Cor 1:20). Deus nos ama e quer que oremos, falemos Sua Palavra com fé, reivindiquemos Suas promessas e coloquemos nossa esperança inteiramente nEle. "Lembra-te da tua palavra ao teu servo, pela qual me deste esperança" (Sl 119:49).

Deixe a Bíblia falar:
Mateus 6:9-13 (opcional: Romanos 12:1-2)

Deixe sua mente refletir:
1. Saber a vontade de Deus nos ajuda a enfrentar problemas e tomar decisões. Em que promessa das Escrituras você está descansando? Encontre uma hoje que ajude você de alguma forma.

2. Os desejos do seu coração mudaram depois que você cresceu na amizade com Deus? Explique.

3. Se você tem dificuldade em uma determinada área, encontre um versículo ou passagem nas Escrituras agora para ajudá-lo a superar o problema. Escreva e memorize (Dia 34). Ore essas palavras das Escrituras regularmente. Deus adora ouvir Sua Palavra, adora ouvi-la de você, e adora pensar em como Ele pode ajudá-lo a vencer.

Deixe sua alma orar:
Pai, Tua Palavra é poderosa. Ajuda-me a orar a Tua Palavra para que minha oração seja de acordo com a Tua vontade. Mostra-me quais promessas estás cumprindo em minha vida e capacita-me a memorizá-las e orá-las de volta a Ti. Concede-me os desejos do Teu coração... Em nome de Jesus, amém.

Deixe seu coração obedecer:
(O que Deus está levando você a compreender, valorizar ou fazer?)

Ore pelos outros – O grande alcance da intercessão

Antes de tudo, recomendo que se façam súplicas, orações, intercessões e ação de graças por todos os homens.
1 Timóteo 2:1

Nos últimos momentos antes de Jesus Se entregar para ser crucificado, Ele deu aos Seus discípulos um presente incomensurável. *Ele orou por eles – e por você.*[1]

A oração constante caracterizou o relacionamento de Jesus com Seus discípulos. Ele orou antes de escolhê-los (Lc 6:12-16). Orou por eles durante todo o Seu ministério. E Suas orações por eles e por você não pararam quando Ele ascendeu ao céu. **Hoje, agora mesmo, Jesus continua orando por você de Seu trono no céu (Rm 8:34; Hb 7:25).** Jesus envolve aqueles que ama em oração e, portanto, nós – como Seus embaixadores – fazemos o mesmo.

Por quem Deus quer que oremos?

- Autoridades (1Tm 2:1-2).
- Crentes em todo o mundo (Ef 6:18).
- Pessoas doentes (Tg 5:14-15).

---

1 Você pode encontrar esta oração – a mais longa da Bíblia fora dos Salmos – em João 17.

- Companheiros pecadores (Tg 5:15-16).
- Inimigos (Mt 5:44; Lc 6:28).
- Trabalhadores rurais (Mt 9:38).
- TODAS as pessoas (1Tm 2:1).

Por que a intercessão (orar pelos outros) é tão importante? Orar uns pelos outros convida Deus para o relacionamento – nos une em amor e unidade. A intercessão muda nosso coração em relação a uma pessoa quando nos humilhamos: "cada um cuide, não somente dos [nossos] interesses, mas também dos interesses dos outros" (Fl 2:4). Não percorremos o caminho de Deus sozinhos. Temos irmãos e irmãs que caminham conosco e somos chamados a cuidar deles e encorajá-los. **Mas é difícil fazer algo de significado eterno para as pessoas *antes* de orar por elas. *Depois* da oração, toda palavra gentil e ações carregam o poder de Deus.** Observe estes exemplos bíblicos de intercessão:

- Abraão intercedeu por Ló, e Deus o resgatou da destruição de Sodoma (Gn 18).
- Moisés intercedeu por uma nação inteira – os israelitas rebeldes – e Deus Se absteve de destruí-los (Ex 32-33; Sl 106:23).
- Samuel intercedeu pelo povo de Deus, e o Senhor perdoou seus pecados e derrotou seus inimigos (1Sm 7).
- Elias intercedeu pela terra, e Deus mandou chuva (1Rs 18:41-46).
- Jó intercedeu pelos amigos que o acusaram falsamente, e Deus os perdoou (Jó 42).
- Ester intercedeu pelos judeus, e Deus os livrou dos persas (Est 4:15-17).
- A igreja primitiva intercedeu por Pedro, quando ele estava preso, e Deus abriu as portas da prisão (At 12).
- Jesus intercedeu por nós, e Deus nos resgatou de nossos pecados (Is 53:12).

Temos muitos exemplos de intercessão na Palavra de Deus porque trata-se de algo muito importante para Ele. Parte de Sua vontade para nós é que intercedamos por aqueles que Ele ama.

Portanto, precisamos pedir a Ele que nos ajude a ver os outros como *Ele* os vê. **Deus lhe dará sabedoria e discernimento sobre como orar por necessidades trazidas à sua atenção.** Se um amigo ou amiga está sofrendo perseguição, Ele pode orientar você a orar por perseverança ou alívio. Se estão sofrendo por causa de escolhas erradas, Deus pode orientá-lo a orar por *arrependimento* e libertação. Quando Deus muda seu coração para ver os outros como Ele os vê, suas orações também mudam. Em vez de orar: "*Deus, resolve os problemas deles*", "*Acaba com a dor deles*", "*Envia-lhes dinheiro*", você pode dizer:

> *Deus, dá-lhe Tuas maiores bênçãos, mesmo que recebê-las exija dor. Traz alívio o mais rápido possível e, enquanto isso, fornece grande força. Livra-os do mal. Liberta-os do pecado e de qualquer coisa que atrapalhe o relacionamento deles Contigo. Sê glorificado na vida deles. Dá-lhes perseverança e permite que Te vivenciem agora mais do que nunca. Dá-lhes Tua alegria e paz. Mostra-me como posso ajudá-los e incentivá-los.*

Ao intercedermos pelos outros, precisamos lembrar que as orações proferidas com fé e acompanhadas por ações honram a Deus e abençoam as pessoas. Você sente que não tem fé suficiente? Se Deus lhe deu fé para vir até Jesus, você já tem fé suficiente para levar outros a Jesus em oração. Mesmo a fé tão pequena quanto um grão de mostarda pode mover obstáculos gigantescos. "Eu lhes asseguro que se vocês tiverem fé do tamanho de um grão de mostarda, poderão dizer a este monte: 'Vá daqui para lá', e ele irá. Nada lhes será impossível" (Mt 17:20). A resposta de Deus às nossas orações não está relacionada ao tamanho de nossa fé. Não importa há quanto tempo você é crente, o quanto você pecou no passado ou o quão fraca sua oração parece ser; ela pode mover montanhas. Podemos fazer grandes orações voltadas a situações impossíveis, ainda que a fé seja mínima. *Tudo é possível* com nosso Deus onisciente, onipotente e onipresente (Mt 19:26; Mc 10:27).

Por fim, **lembre-se de orar com ação.** "Dediquem-se à oração, estejam alertas e sejam agradecidos" (Cl 4:2). Se você vir uma pessoa ou problema que precisa de oração, ore no mesmo instante. Se atrasarmos, podemos nos distrair. Se alguém o convidar para orar por ele, considere isso um privilégio e mantenha esses pedidos de oração em sigilo. Quando você intercede pelos outros, Deus pode lhe mostrar como ajudá-los.

- Se você está orando para alguém encontrar um emprego e pensa em uma pessoa prestativa que está contratando, conecte seu amigo com essa pessoa.
- Se está orando por um amigo doente e percebe que tem alimentos nutritivos para compartilhar, leve comida para ele.
- Se está orando para que alguém conheça a Cristo, procure uma oportunidade de compartilhar Jesus.
- Se você é casado com um descrente, suas orações e ações reverentes influenciarão seu cônjuge. O apóstolo Pedro disse dos maridos incrédulos: "Se alguns deles não obedecem à palavra, sejam ganhos sem palavras, pelo procedimento de sua mulher, observando a conduta honesta e respeitosa de vocês" (1Pd 3:1-2).

A oração não é passiva. Ela é ativa. Não demore a fazer o bem (Pr 3:28).

Nosso alcance físico é limitado, mas nosso alcance na oração é ilimitado. Podemos promover o Evangelho no mundo todo por meio da intercessão e influenciar milhões de pessoas para a glória de Deus!

Deixe a Bíblia falar:
João 17 (opcional: Colossenses 1:9-12; 3; 4:2-6)

Deixe sua mente refletir:
Você se lembra de nossa nova perspectiva como embaixadores de Cristo (Dias 17 a 19)? Hoje, deixe esse chamado guiar sua oração ao fazer a leitura de Colossenses.

1. **Ore pela próxima geração (Cl 1:9-12).** Ore para que conheçam a Deus, compreendam Sua vontade (v. 9), vivam uma vida frutífera (v. 10), experimentem o poder de Deus (v. 11) e agradeçam com alegria ao Pai (v. 12).

2. **Ore por seus vizinhos e pelas nações (Cl 4:2-6).** Ore por oportunidades de compartilhar Cristo (v. 3) e para que você O represente bem, com uma vida sábia e palavras cheias de graça para partilhar (v. 5-6).

3. **Ore para dar glória a Deus (Cl 3).** Peça a Deus para ajudá-lo a se concentrar em Cristo (v. 1) e a fazer de Sua glória o seu objetivo mais elevado (v. 3). Ore para que sua vida seja revestida de compaixão, bondade, humildade, gentileza e paciência – uma vida santa e que O glorifique, amando e perdoando os outros de forma espontânea (v. 5-15).

Deixe sua alma orar:
Pai, Tu dizes: "Ele clamará a mim, e eu lhe darei resposta, e na adversidade estarei com ele; vou livrá-lo e cobri-lo de honra" (Sl 91:15). Que eu nunca hesite em Te invocar para mim e para os outros... Em nome de Jesus, amém.

Deixe seu coração obedecer:
(O que Deus está levando você a compreender, valorizar ou fazer?)

DIA 42

Ore primeiro. Ore sempre. Ore agora.

Dediquem-se à oração, estejam alertas e sejam agradecidos.
Colossenses 4:2

Uma das realidades mais significativas, profundas e maravilhosas em todo o universo é esta: **Deus responde à oração**. Que nunca deixemos de nos surpreender com essa verdade maravilhosa. Que nunca nos esqueçamos de dar valor ao fato de que Deus ouve nossas orações e as responde. Ele responde a nossas orações por causa de quem Ele é. E nossa resposta à Sua graça e bondade é: Que o Reino de Deus venha e seja feito em nossas vidas, nossos casamentos, nossas famílias, nossas igrejas e nossas nações (Mt 6:10). Nesta semana, compreendemos o privilégio especial que temos com Deus:

- A oração flui e aumenta seu relacionamento com Deus.
- A oração é uma conversa com Deus que às vezes muda suas circunstâncias de vida e *sempre* muda seu coração.
- Precisamos estar atentos aos obstáculos à oração e resolvê-los de imediato.
- Podemos jejuar ou orar as Escrituras para fortalecer nossa vida de oração.
- Oramos por outras pessoas que conhecemos pessoalmente e, conforme a orientação de Deus, por inúmeras outras pessoas.

Mais importante ainda, o propósito da oração é conhecer o coração de Deus, e Ele quase sempre nos mostra Seu coração através de Sua Palavra. É por isso que é primordial estudar as Escrituras e memorizá-las. A Palavra de Deus é a Sua maneira de falar conosco. Quando estudamos e aprendemos as Escrituras, o Espírito Santo nos lembra dos versículos na hora certa (Jo 14:26). Quando Ele fizer isso por você, ore de acordo com eles.

Deus Se comunica de outras maneiras também. "'Nos últimos dias', diz Deus, 'derramarei do Meu Espírito sobre todos os povos. Os seus filhos e as suas filhas profetizarão, os jovens terão visões, os velhos terão sonhos'" (At 2:17). Algumas vezes, Deus fala por meio de situações, impressões, fluxos espontâneos de pensamento, sonhos, visões ou por intermédio de irmãos e irmãs da igreja. Existem diversos exemplos bíblicos disso:

- **Deus falou** a Abraão (Gn 12:1), Agar (Gn 16:7-13), Moisés (Ex 3:5), todos os profetas, Saulo (Paulo) (At 9:5) e João (Ap 1:17-18).
- **Deus enviou sonhos** a Jacó (Gn 28:12), José (filho de Jacó) (Gn 37:5), ao faraó (Gn 41), Nabucodonosor (Dn 2), José (marido de Maria) (Mt 1:20-21; 2:13) e aos sábios (Mt 2:12).
- **Deus deu visões** a Isaías (Is 2:1), Jeremias (Jr 24:1), Ezequiel (Ez 1:1), Daniel (Dn 10), Pedro (At 10:9-16), Paulo (At 16:9), João (Ap 1) e muitos outros.
- **Deus deu a igreja** ao povo da Judeia, Galileia, Samaria (At 9:31), Antioquia (At 13), Jerusalém (At 15) e a nós.

A *forma como* Deus fala conosco não é tão importante quanto a forma como *respondemos* ao que pensamos que Ele está dizendo. É fascinante saber que Deus fala conosco de várias maneiras, mas tome cuidado. Entender mal o que Ele está dizendo pode causar danos. **Uma coisa é certa – quando Deus fala conosco, Ele nunca, jamais, dirá algo contrário à Sua Palavra.** Alguns tentaram prever o fim dos tempos, acreditando ter recebido revelação especial, mas a Palavra de Deus diz que ninguém saberá o dia ou a hora em que Jesus voltará (Mt 24:36). Alguns líderes ensinam que *toda* doença é resultado de um pecado sem arrependimento. Mas a Bíblia diz que toda a humanidade sofre as consequências do pecado, o que inclui doenças (Rm 8:20-22).

Quando você crê que ouviu uma mensagem de Deus, peça a Ele para confirmar a mensagem. Quando faz isso, um pastor ou amigo pode, sem saber, trazer à tona um versículo que se aplica à sua situação. Ou, em seu momento devocional com o Senhor, você pode ser atraído a um versículo que confirma o que ouviu. Crentes maduros e sábios líderes de igreja também podem ajudá-lo a discernir se uma mensagem vem de Deus. Depois de confirmar que você realmente ouviu de Deus, no mesmo instante obedeça-Lhe sem restrição. O Espírito Santo irá capacitá-lo a seguir a liderança de Deus. Obediência tardia ou parcial é desobediência e, como vimos antes, a desobediência pode ser um obstáculo a nossas orações.

Aqui estão três sugestões para fortalecer nossos momentos de oração com Deus:

1. **Planeje a oração.** Podemos nos sentir livres para abrir nosso coração com Deus de forma franca e espontânea, mas também precisamos ser intencionais quanto *a o que* oramos – **incluindo adoração, confissão, ação de graças e súplica** (Dia 37). Do contrário, podemos pular a adoração e gastar todo o nosso tempo pedindo coisas a Deus, ou nos perder na confissão e esquecer de agradecer. Conforme sugerido no Dia 37, mantenha uma lista de pedidos de oração que você atualizará toda semana e faça anotações descrevendo quando e como Deus responde a essas orações. Você pode até mesmo estabelecer um programa de oração semanal para a parte da "súplica" em seu tempo de oração, para ajudá-lo a se concentrar em pessoas ou preocupações específicas a cada dia da semana. Por exemplo:

Domingo: Preocupações pessoais e para a semana que se inicia.
Segunda-feira: Missionários e Ministérios (bênção e favor).
Terça-feira: Professores, líderes governamentais, militares e polícias (sabedoria e proteção).
Quarta-feira: Membros da família (pedidos de oração).
Quinta-feira: Amigos (pedidos de oração).

<u>Sexta-feira</u>: Vizinhos e Nações (para o renascimento, despertar espiritual e paz para Jerusalém [Sl 122:6-9]).

<u>Sábado</u>: Pastores (para descansarem bem e pregarem com o poder de Deus).

Você também pode usar esboços, guias ou calendários de oração. Verifique se sua igreja local ou comunidade on-line oferece esses recursos.

2. **Priorize a oração.** Jesus, muitas vezes, retirava-Se para um lugar privado para começar Seu dia em oração, e também Se comunicava com o Pai ao longo do dia. Ele observou o Pai. Fez o que O viu fazer (Jo 5:19). Ouviu as palavras dEle e disse o que O ouviu dizer (Jo 12:49). Os discípulos de Jesus testemunharam de perto Sua confiança na oração. Quando se tornaram líderes na igreja primitiva, eles delegaram as demais tarefas para se dedicarem à oração e ao ensino da Palavra de Deus (At 6:4). O Espírito Santo agiu de maneira poderosa em resposta às suas orações (At 1:14-2:4). Ele pode fazer o mesmo por nós.

3. **Imagine-se orando na sala do trono de Deus.** Orar não é apenas uma ação, mas um local. "Assim sendo, aproximemo-nos do trono da graça com toda a confiança, a fim de recebermos misericórdia e encontrarmos graça que nos ajude no momento da necessidade" (Hb 4:16). Quando oramos, nós nos aproximamos do trono de Deus. O escritor de Hebreus nos lembra que Jesus é nosso Grande Sumo Sacerdote (Hb 2:17; 4:14) e exorta a nos achegarmos com confiança ao trono de Deus. Pensar na oração dessa forma muda a maneira como nos aproximamos do Senhor com nossas orações. Você pode optar por se ajoelhar ou abaixar a cabeça para preparar o corpo para esse encontro.

O trono de Deus é diferente de qualquer outro na terra. Ele está assentado na graça. Ele nos dá graça e ela é suficiente para atender às nossas necessidades no momento certo. Porque Jesus é nosso Grande Sumo Sacerdote, podemos nos acercar do trono da graça. O Senhor diz: "Minha graça é suficiente para você, pois o meu poder se aperfeiçoa na fraqueza" (2Cor 12:9). Somos chamados a perseverar e temos a graça para nos manter em nossa jornada – nossa verdadeira história com Deus e com o Seu propósito para nós. Que quadro lindo e glorioso podemos recordar quando nos aproximamos de Deus em oração!

Amigo, amiga, você está convidado a ter uma conversa contínua com Deus no momento em que acorda e ao longo do dia. Acredite que Aquele a quem você ora é "misericordioso e compassivo, paciente e transbordante de amor" (Sl 145:8). Ele é nosso bom Pai e tem prazer em ouvir as orações de Seus filhos (Pr 15:8).

Deixe a Bíblia falar:
Lucas 18:1-14 (opcional: Hebreus 4:14-16)

Deixe sua mente refletir:
1. De que modo saber que você está se aproximando do trono da graça de Deus muda a sua postura de oração?

2. Responda às perguntas para discussão da Semana 6.

Deixe sua alma orar:
Pai, obrigado por me convidares para o Teu trono de graça. Guia-me enquanto oro. Que bênção saber que queres me ouvir e que eu derrame meu coração a Ti. Por favor, leva-me a conhecer Teu coração agora que inicio esta conversa contínua com o Senhor. Por favor, concede-me Tua misericórdia e graça em meus momentos de necessidade... Em nome de Jesus, amém.

Deixe seu coração obedecer:
(O que Deus está levando você a compreender, valorizar ou fazer?)

SEMANA 6 – PERGUNTAS PARA DISCUSSÃO:

Revise as lições desta semana e responda às perguntas abaixo. Compartilhe suas respostas com seus amigos durante a reunião semanal.

1. O que ajuda você a se concentrar no momento da oração? Orar em voz alta? Ajoelhar-se? Escrever como em um diário? Fazer o esboço das orações? Ou outra prática?

2. Discutimos quatro elementos principais (ACAS) da oração: Adoração, Confissão, Ação de graças e Súplica. Qual deles é mais fácil para você? Qual gostaria de desenvolver mais? A oração do Pai Nosso é um ótimo exemplo, pois inclui esses quatro elementos. Se não conhece essa oração, leia-a agora em Mateus 6:9-13.

3. Em que momento Deus usou a oração para mudar seu coração sem mudar suas circunstâncias de vida? Qual é a maior resposta à oração da qual tem lembrança?

4. Existe algum obstáculo à oração em sua vida? Que ação você vai realizar hoje para superá-lo? Peça a ajuda de alguém para verificar se você está realizando a mudança que Deus o está chamando a fazer.

5. Compartilhe suas necessidades relacionadas à oração e pratiquem a intercessão orando uns pelos outros. Conte ao grupo se Deus respondeu a essas orações e quando.

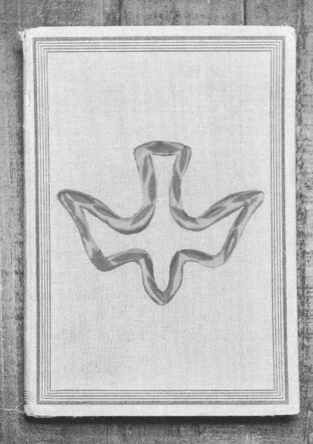

O ESPÍRITO SANTO –
VIVENDO SUA HISTÓRIA
COM A FORÇA DE DEUS

Conheça o poder de Deus em você

E eu pedirei ao Pai, e ele lhes dará outro Conselheiro
para estar com vocês para sempre, o Espírito da
verdade. O mundo não pode recebê-lo, porque
não o vê nem o conhece. Mas vocês o conhecem,
pois ele vive com vocês e estará em vocês.
João 14:16-17

Guardamos o presente mais incrível para nossa última semana juntos. Você ouviu falar dEle ao longo desta jornada porque é impossível não falar sobre Ele. Mas agora, vamos oficialmente encontrar Aquele que lhe permite conhecer a Deus, permanecer em Jesus e cumprir sua parte na História de Deus. É hora de conhecer o Espírito Santo e descobrir como desfrutar de Sua presença.

A realidade é que muitos crentes ao redor do mundo entendem que o Espírito Santo existe, mas não sabem como interagir com Ele. Podem frequentar a igreja com regularidade, estudar a Bíblia e ser voluntários no ministério. Mesmo assim, parece que falta algo no relacionamento deles com Deus. Eles podem se perguntar por que não têm alegria, experimentam pouca vitória sobre o pecado ou se sentem inquietos e frustrados. Não percebem que não é *algo* que está ausente na vida, mas sim *Alguém*. Ninguém lhes ensinou como ter um relacionamento vivificante e diário com Deus por meio do Espírito Santo, baseado na obra consumada de Jesus. Deus nunca pretendeu que Seus filhos se sentissem assim. É por isso que quando Jesus foi para o céu, Ele nos deixou três coisas:

1. Seu Corpo: A Igreja (Cl 1:18)

A igreja é a família de Deus, não um edifício.[1] A Bíblia chama essa reunião de crentes de corpo de Cristo (Dia 12). Assim como diferentes partes do corpo têm diferentes funções, mas constituem uma única pessoa, nós, como crentes, formamos o corpo de Cristo. Encorajamos e apoiamos uns aos outros. **O Espírito Santo nos dá habilidades especiais – dons espirituais – para trabalharmos bem juntos como uma família de fé (1Cor 12).** Por não termos todos os mesmos dons, abençoamos uns aos outros de maneiras distintas, mas sempre com o propósito de nos ajudarmos para a glória de Deus. O Espírito Santo e a igreja trabalham juntos nas Escrituras.

2. Sua Mente: A Palavra de Deus (1Cor 2:16)

Jesus Cristo é a Palavra feita carne (Jo 1:14). Quando Jesus (a Palavra de Deus em *forma humana*) voltou ao céu, as Escrituras (a Palavra de Deus em *forma escrita*) permaneceram conosco. Através da Palavra de Deus, conhecemos Sua mente – Sua vontade e Seus pensamentos – e renovamos nossa própria mente (Rm 12:1-2). **Por meio do Espírito Santo, a mente de Jesus Cristo é revelada e compreendida.** "Mas Deus o revelou a nós por meio do Espírito... 'quem conheceu a mente do Senhor para que possa instruí-lo?' Nós, porém, temos a mente de Cristo" (1Cor 2:10-16). O Espírito Santo e o Evangelho caminham juntos nas Escrituras.[2]

3. Espírito de Deus: O Espírito Santo (Rm 8)

Jesus também nos deixou o Espírito Santo, o Auxiliador, o Espírito da Verdade. O Espírito Santo não está separado de Deus, mas é Deus (2Cor 3:17). Quando deixamos nossos pecados e depositamos nossa confiança somente em Jesus para a salvação, Deus nos perdoa de nossos pecados e *nos renova* por meio do Espírito Santo (Tt 3:5). **O Espírito Santo nos enche, nos conforta, nos ensina, ora por nós e nos capacita.** Nas últimas palavras de Jesus aos discípulos, Ele Se concentrou nesse dom do Espírito Santo (Jo 14:15-27; At 1:8). O Espírito Santo e o crente nascido de novo são um nas Escrituras.[3]

---

1 Leia "Como encontrar uma boa igreja" no Dia 12.
2 GREEAR, J. D. *Jesus, continued: why the Spirit inside you is better than Jesus beside you*. Grand Rapids: Zondervan, 2014. p. 21.
3 Jesus usou o termo "nascer de novo" ao falar com um líder religioso sobre a salvação (Jo 3:3-8).

Sim, é o Espírito Santo que está atuando na igreja e, por intermédio dela, revelando a mente de Cristo e nos ajudando a viver uma vida de fé. Nossa capacidade de cumprir o propósito de Deus repousa em nosso relacionamento com Deus através do Espírito Santo. Precisamos aprender sobre Ele e nos apoiar nEle, pois Ele nos aponta o caminho para Jesus (Jo 15:26). Agora, vamos às as apresentações.

Quem é o Espírito Santo? A Bíblia descreve o Espírito Santo como parte da totalidade de Deus. Junto com Deus Pai e Deus Filho (Jesus), o Deus Espírito é a terceira pessoa da Trindade. Um Deus em três pessoas – juntos, mas ainda assim, distintos. Vemos a Trindade presente na criação (Gn 1:2, 26), ativa no batismo de Jesus (Mt 3:16-17), declarada na Grande Comissão (Mt 28:19), referenciada nas cartas do Novo Testamento (2Cor 13:14), e entremeada ao longo das Escrituras. Como o Espírito Santo é Deus, Ele é igual em todos os aspectos ao Deus Pai e ao Deus Filho.

Como o Pai e o Filho, o Espírito também é uma *pessoa*, não um poder vago. O Espírito Santo não é uma força impessoal, mas uma pessoa com mente, emoções e vontade próprias. Ele Se relaciona conosco, comunica-Se conosco e nos ajuda de forma ativa. Ele é o "Espírito eterno" (Hb 9:14) que estará conosco *para sempre* (Jo 14:16).

Quando o tempo de Jesus na terra estava terminando, Ele disse aos Seus discípulos: "é para o bem de vocês que eu vou" (Jo 16:7). Para o nosso bem? Pense nessa afirmação. Como poderia ser bom Ele estar partindo? Jesus continuou explicando: "se eu não for, o Conselheiro não virá para vocês; mas se eu for, eu o enviarei" (Jo 16:7). Somente depois que Jesus partisse é que o Conselheiro, o Espírito Santo, viria a eles. **Jesus sabia que o Deus Espírito que vivia *dentro* deles era melhor do que o Deus Filho que vivia ao *lado* deles.** Inimaginável, mas é verdade.

O Espírito Santo é dado a todos os crentes. Agora mesmo, Ele reside dentro de você. Você é o templo de Deus.[1] Como "lugares santos ambulantes" que somos, o Espírito Santo age em nós e através de nós para levar a luz e o amor de Jesus ao mundo. Não somos apenas salvos *de* nossos pecados; também somos salvos *para*

---

1 1Cor 3:9, 16-17; 6:17-19.

os propósitos de Deus e capacitados pelo Espírito Santo de Deus. Não podemos fazer nada de valor duradouro ou para a glória de Deus por nós mesmos. "'Não por força nem por violência, mas pelo meu Espírito', diz o Senhor dos Exércitos" (Zc 4:6).

Para cumprir nossa parte na História de Deus, precisamos do Espírito Santo em todas as áreas de nossa vida, como nosso:

- Professor Residente: revelando-nos e lembrando-nos da verdade da Palavra de Deus (Jo 14:26).
- Auxiliador Eterno: guiando-nos e ajudando-nos em todos os momentos (Jo 14:16).
- Diretor de Missões: capacitando-nos como testemunhas de Jesus para o mundo (At 1:8).
- Intercessor em Oração: orando por nós quando não sabemos o que orar (Rm 8:26).
- Resgatador do Pecado: libertando-nos do pecado (Rm 8:2, 12-13).
- Revelador da Verdade: guiando-nos em toda a verdade (Jo 16:13).
- Doador de Talentos: equipando-nos com dons espirituais (Rm 12:3-8; 1Cor 12).
- Produtor de Frutos: produzindo frutos espirituais em nossa vida (Gl 5:22-23).
- Selador da Salvação: garantindo nosso estado eterno como filhos de Deus (Ef 1:13-14).

Foi por isso que Jesus *falou sobre Ele mais uma vez* após Sua ressurreição. Momentos antes de retornar ao céu, Jesus prometeu a Seus discípulos:

> Mas receberão poder quando o Espírito Santo descer sobre vocês, e serão minhas testemunhas em Jerusalém, em toda a Judeia e Samaria, e até os confins da terra. (At 1:8).

Pelo poder do Espírito Santo, eles representariam Jesus naquele local (Jerusalém), na região circunvizinha (Judeia), em lugares que algumas pessoas evitavam (Samaria), e no resto do mundo. De todos os conselhos e palavras de encorajamento que Jesus poderia ter oferecido aos discípulos, Suas últimas palavras foram sobre o Espírito Santo. Sua vida dependia do Espírito Santo – desde Seu nascimento e batismo até Sua unção, a direção de Sua vida, e Sua morte.[1] Finalmente, Jesus foi ressuscitado dos mortos pelo Espírito (Rm 8:11). Se Jesus dependeu do Espírito Santo durante o Seu tempo na terra, como podemos viver de forma diferente? Faça a si mesmo as seguintes perguntas:

- Preciso de discernimento para entender as Escrituras? (Jo 14:26; 1Cor 2:13-14).
- Gostaria de ser lembrado da Palavra de Deus no momento certo? (Jo 14:26).
- Quero ser capacitado para cumprir os propósitos de Deus? (At 1:8).
- Estou disposto a ser guiado pelo Espírito Santo? (Rm 8:14; Gl 5:18).
- Preciso de ajuda, às vezes, quando oro? (Rm 8:26-27).
- Gostaria de estar livre das garras do pecado? (Rm 8:2, 12-13).
- Desejo obedecer à Palavra de Deus? (Ez 36:27).
- Estou procurando crescer em santidade? (2Cor 3:18; 2Ts 2:13).
- Preciso de respostas sábias quando sou questionado sobre Deus? (Lc 12:12).

Se respondeu sim a qualquer uma das perguntas acima, você está pronto para o Espírito Santo fazer mais de Sua obra por seu intermédio. E Ele está pronto para agir com você também. Quanto mais permitir que o Espírito Santo tenha acesso total à sua vida, mais consciência terá da presença permanente e amorosa de Deus. O resultado disso é um amor mais profundo por Jesus – exatamente por isso que o Espírito Santo veio. Jesus veio à terra para exaltar e revelar Deus Pai (Mt 11:27), e o Espírito Santo veio para exaltar e glorificar a Jesus (Jo 16:13-14).

> Nos últimos dias, Deus diz, derramarei do meu Espírito sobre todos os povos... E todo aquele que invocar o nome do Senhor será salvo. (At 2:17, 21).

---

1 Lc 1:35; Lc 3:22; Lc 4:18; Lc 4:1; Hb 9:14.

No Antigo Testamento, muitas pessoas ignoraram Deus Pai. No Novo Testamento, muitos ignoraram Deus Filho. Hoje, não vamos cometer o erro de negligenciar o Deus Espírito. Em vez disso, fortaleçamos nosso vínculo com Deus por meio do Espírito Santo, convidando-O a agir em nós e por nosso intermédio. E assim Ele fará. Amanhã você vai descobrir como. Será uma ótima semana final juntos!

Deixe a Bíblia falar:
João 14:15-27 (opcional: Atos 1-4. Se o tempo permitir esta semana, **leia o livro de Atos do Novo Testamento**, muitas vezes chamado de "Atos do Espírito Santo", para entendê-Lo melhor e como Ele atua na vida dos crentes.)

Deixe sua mente refletir:
1. Quem é o Espírito Santo? Releia alguns versículos acima e descreva-O com suas próprias palavras.

2. De que maneiras Ele pode afetar sua vida?

3. Estamos muito acostumados a ter pessoas trabalhando conosco ou para nós. O que significa dizer que o Espírito Santo opera *através de nós*?

Deixe sua alma orar:
Pai, obrigado pelo maravilhoso dom do Teu Espírito Santo. Quero um relacionamento profundo e vivificante Contigo, por meio do Espírito Santo, baseado na obra consumada de Jesus. Ajuda-me a ter prazer em Teu Espírito enquanto ando em Teus caminhos. Distante de Ti nada posso fazer. Lembra-me de abrir o presente do Teu Espírito a cada dia, vivendo pela Tua graça, para a Tua glória... Em nome de Jesus, amém.

Deixe seu coração obedecer:
(O que Deus está levando você a compreender, valorizar ou fazer?)

Esteja cheio do Espírito – Renda-se

Deixe-se encher pelo Espírito.
Efésios 5:18

O que você faria se Jesus viesse visitá-lo em pessoa? É provável que O receberia, Lhe serviria sua melhor comida e apresentaria a melhor parte de sua vida. E se Ele dissesse que viveria com você *para sempre*? Tudo mudaria. Você poderia relaxar e deixá-Lo entrar em cada parte da sua vida. Todos os dias, você viveria na realidade da presença de Jesus, de Seu amor por você e Sua capacidade de resolver qualquer problema. A vida seria muito diferente.

É exatamente assim que a vida pode ser agora. O Espírito Santo está conosco, e não apenas conosco, mas *em* nós. Assim que pedimos a Jesus para ser nosso Senhor, o Espírito Santo está sempre pronto a nos ajudar e nos guiar – em todas as áreas de nossa vida. Não, nem tudo sairá do nosso jeito ou no nosso tempo, mas não temos motivos para preocupação, pois estamos certos de que podemos descansar sob Seus cuidados. Como podemos saber?

Deus nos dá o Espírito Santo quando cremos em Jesus.[1] Não apenas por um momento, mas para sempre. Jesus promete que o Espírito Santo viverá em nós *para sempre* (Jo 14:15-17). Mas o Espírito Santo vivendo *em* nós no momento de nossa salvação é diferente do

---

1 Jo 7:37-39; Rm 8:9; 1Cor 12:13; Gl 3:2; Ef 1:13-14. Existe muita controvérsia a respeito desse assunto, mas os crentes em todo o mundo concordam que Deus deseja realizar uma obra em Seus filhos e por meio deles. Continue lendo para saber mais.

Espírito Santo nos *preenchendo*. Não decidimos ter o Espírito Santo vivendo em nós quando colocamos nossa fé em Jesus – essa é uma bênção automática e incondicional (Ef 1:13). *Mas* escolhemos nos submeter ao Espírito Santo, para que Ele opere em nós e através de nós essa bênção, porém, é condicional (Ef 5:18).

Vemos esse relacionamento no livro de Atos. Ele demonstrou Seu poder nos crentes que foram "cheios do Espírito Santo". Observe que os versículos se referem especificamente ao fato de estarem cheios do Espírito:

- "Então Pedro, cheio do Espírito Santo, disse-lhes: 'Autoridades e líderes do povo!'" (At 4:8).
- "Depois de orarem, tremeu o lugar em que estavam reunidos; todos ficaram cheios do Espírito Santo e anunciavam corajosamente a palavra de Deus" (At 4:31).
- "Irmãos, escolham entre vocês sete homens de bom testemunho, cheios do Espírito e de sabedoria. Passaremos a eles essa tarefa" (At 6:3).
- "Então escolheram Estêvão, homem cheio de fé e do Espírito Santo" (At 6:5).
- "Mas Estêvão, cheio do Espírito Santo, levantou os olhos para o céu e viu a glória de Deus, e Jesus de pé, à direita de Deus" (At 7:55).
- "[Barnabé] era um homem bom, cheio do Espírito Santo e de fé; E muitas pessoas foram acrescentadas ao Senhor" (At 11:24).
- "Então Saulo, também chamado Paulo, cheio do Espírito Santo, olhou firmemente para Elimas e disse: 'Filho do diabo e inimigo de tudo o que é justo!'" (At 13:9-10).

Um vislumbre do céu? Pregação poderosa? Liderança ousada? Sim, todos esses crentes, conhecidos por sua fé e poder no Senhor, foram *cheios* do Espírito Santo. Deus os capacitou, preparou e unificou para lançar a mensagem de Jesus, de Jerusalém até os confins da terra. Aqui está a verdade: Deus deseja nos encher hoje com o mesmo poder do Espírito Santo (Ef 1:19) Como Ele faz isso?

Vamos analisar mais de perto Efésios 5:18. A palavra grega original para "encher", nessa passagem, é tanto um comando quanto um verbo no presente, uma realidade em curso. Ao examinar a língua original, aprendemos que só *Deus* pode preencher, nós não. Deus também nos *ordena* que sejamos sempre cheios, o que significa que é um processo contínuo, semelhante à nossa necessidade de permanecer sempre em Jesus (Semana 4).

Talvez você esteja se perguntando: "Como posso obter mais do Espírito Santo?". **Não precisamos *receber mais do Espírito Santo*; precisamos *dar* ao Espírito Santo mais de nós.** "Porque ele dá o Espírito sem limitações" (Jo 3:34). O Espírito de Deus preencherá qualquer espaço que você disponibilizar para Ele. Às vezes, permitimos que outras coisas nos encham em vez do Espírito Santo. Uma vida cheia de pecado não pode ser cheia do Espírito, tal como um balde cheio de sujeira não pode ser cheio de água fresca. O maior obstáculo para um relacionamento com o Espírito é a recusa em cooperar com Ele. Os crentes podem ser indiferentes e despreocupados em relação a se tornarem seguidores eficazes ou vitoriosos de Cristo, mas perguntar-se por que não têm alegria ou se sentem derrotados. Se não abrirmos espaço para o Espírito Santo, ficaremos frustrados e vazios em nossa fé. Lembre-se, não fomos feitos para viver como seguidores de Cristo com *nosso* poder.

Você quer abrir espaço para o Espírito Santo? Primeiro, faça um inventário do que está em seu coração, neste exato momento. *Em espírito de oração* e com sinceridade, responda às perguntas abaixo. Quando terminar, olhe para as áreas em que você está se enchendo de algo que não é o Espírito Santo de Deus.

1. Amor: Dedico meu tempo e atenção aos outros, incluindo aqueles que considero difíceis ou diferentes de mim?
2. Alegria: Fico feliz quando os outros têm sucesso ou acho difícil comemorar com eles?
3. Paz: Busco a paz com os outros, pedindo perdão quando necessário?
4. Paciência: Sou controlado pela verdade ou por minhas emoções e circunstâncias de vida?
5. Amabilidade: Sou sempre amável, ou sou crítico ou irritado com os outros?

6. Bondade: Carrego o fardo dos outros ou fico secretamente satisfeito quando os outros falham?

7. Fidelidade: Sou fiel, comprometido em meus pensamentos e ações, com minhas amizades (ou, se casado, com meu cônjuge)?

8. Gentileza: Sou gentil com os outros ou respondo com dureza?

9. Autocontrole: Estou criando bons hábitos ou sou viciado em algo que fere a mim ou a outras pessoas?

10. Gratidão: Sou sempre grato ou reclamo com frequência?

11. Humildade: Eu me humilho para servir aos outros ou acho que certas tarefas estão abaixo de mim?

12. Generosidade: Compartilho Jesus com outras pessoas quando inspirado pelo Espírito Santo?

13. Obediência: Obedeço a Deus ou adio a obediência?

14. Contentamento: Estou satisfeito com o que Deus proveu ou desejo o que os outros têm?

15. Perdão: Perdoei aqueles que me magoaram ou neguei perdão?

16. Encorajamento: Tento encorajar as pessoas ou tento impressioná-las?

17. Reverência: Sou ensinável e estou disposto a aprender, ou fico na defensiva quando corrigido e resisto à responsabilidade bíblica?

18. Confiança: Estou confiante em quem sou em Cristo ou estou focado em mim mesmo?

19. Nobreza de espírito: Encerro a fofoca, ou aprecio ou tolero a fofoca, permanecendo em silêncio quando acontece na minha presença?

20. Comunidade Bíblica: Sou fiel à minha igreja ou uma comunidade bíblica não é uma prioridade?

21. Santidade: Busco a santidade no que digo, faço, assisto, ouço ou leio?

Embora essas perguntas possam ser difíceis, o autoexame é necessário (2Cor 13:5). Comemore as áreas onde a obra de transformação de Deus está ocorrendo em sua vida. Reconheça e arrependa-se dos pecados que essa lista revelou a você. "Arrependam-se, pois, e voltem-se para Deus, para que os seus pecados sejam cancelados, para que venham tempos de descanso da parte do Senhor" (At 3:19-20). O arrependimento é um trabalho árduo e contínuo, não um evento único, mas Deus já *está* do seu lado. **O Espírito Santo é nosso Auxiliador e nosso Pai celestial está ansioso para perdoar.** "Quem é comparável a ti, ó Deus, que perdoas o pecado e esqueces a transgressão do remanescente da tua herança? Tu que não permaneces irado para sempre, mas tens prazer em mostrar amor" (Mq 7:18). **Quando pedimos perdão de maneira genuína, Deus diz: "Está feito!". Podemos descansar em Sua graça e na liberdade da redenção.** "Agora já não há condenação para os que estão em Cristo Jesus... o Espírito de vida me libertou da lei do pecado e da morte" (Rm 8:1-2).

Uma palavra de cautela: mudar a direção para seguir o Espírito Santo, abandonando nossos velhos padrões de pecado, exigirá intencionalidade e perseverança. Em Mateus 12:43-45, Jesus ensina que uma casa que foi limpa, mas deixada *desocupada*, é como limpar nossa vida, removendo más influências, mas depois *não* permitir que o Espírito Santo preencha o novo espaço que criamos. É o mesmo que convidar o inimigo para voltar com ainda mais influência demoníaca, deixando-nos piores do que éramos antes. Na prática, isso significa que substituímos os maus hábitos e vícios pecaminosos por novos padrões de pensamento e práticas piedosas *através do poder do Espírito Santo*. Um alcoólatra em recuperação, cheio do Espírito Santo, encontra uma maneira saudável de relaxar ou se socializar. Dessa forma, ele não é levado à tentação (Tg 1:13-18). O pensamento cheio do Espírito ajuda a criar os comportamentos corretos e a expulsar o inimigo. Ore para manter sua "casa" cheia do Espírito.

Este próximo passo crítico em sua jornada de fé pode transformar sua história verdadeira de comum em extraordinária. Você está pronto para entregar sua vida ao Espírito Santo? Você não precisa vencer todos os pecados para que isso aconteça. O Espírito Santo vai ajudá-lo.

1. **Confesse seus pecados a Deus.** Comece se purificando do mal que você cometeu, do bem que deixou de fazer e das coisas que você escondeu de Deus. Humilhe-se.

2. **Arrependa-se.** "Afaste-se do mal e faça o bem" (Sl 34:14). Entregue a Deus tudo o que você é e tudo o que tem. O Espírito Santo muitas vezes nos cutuca quando fazemos o que Ele proíbe (entristece-O [Ef 4:30-31]) ou deixamos de fazer o que Ele ordena ("extingue-o" [1Ts 5:16-19, ARC]). Preste atenção aos sussurros do Espírito, obedeça a Ele e lide com o pecado imediatamente.

3. **Peça ao Espírito Santo para encher você e creia que Ele o fará.** Deus ama nos encher com o Espírito Santo: "Se vocês, apesar de serem maus, sabem dar boas coisas aos seus filhos, quanto mais o Pai que está no céu dará o Espírito Santo a quem o pedir!" (Lc 11:13). E Ele ordena que sejamos cheios dEle: "mas deixem-se encher pelo Espírito" (Ef 5:18). Tenha fé nessa promessa, confiando que Ele o preencherá.

4. **Cumpra a missão de Deus ao se encher da Palavra de Deus.** "Habite ricamente em vocês a palavra de Cristo" (Cl 3:16). O Espírito Santo revela a vontade de Deus em Sua Palavra. **Quando buscamos a missão de Deus, posicionamo-nos para que o Espírito Santo nos encha e flua através de nós para abençoar os outros.** Verifique como você está posicionado. Você encontrará grande poder e recursos espirituais a seu dispor quando fizer o que o Espírito Santo o inspira a fazer, de acordo com a Palavra de Deus. Ore quando Ele o levar a orar. Compartilhe Jesus quando Ele lhe disser para fazer isso.

Você pode não sentir o Espírito Santo fluir em você e através de você, mas saiba que Ele está atuando de maneiras espetaculares e diretas. Você encontrará maior eficácia, fé, poder e amor enquanto vive sua verdadeira história. Como aprendemos na semana passada, se pedirmos qualquer coisa de acordo com a vontade de Deus, Ele nos ouvirá e nos dará o que pedimos (1Jo 5:14-15). A vontade de Deus é que o Espírito Santo encha você sem cessar (Ef 5:18). Você vai experimentar uma alegria indescritível e uma proximidade com Jesus à medida que o **Espírito Santo o preenche e torna Jesus mais real para você.** Amigo, amiga, esteja cheio do Espírito Santo.

DIA 44

Deixe a Bíblia falar:
Romanos 6 e 8:1-17 (opcional: Atos 5-8)

Deixe sua mente refletir:
1. Como o arrependimento e a obediência nos posicionam para sermos cheios do Espírito Santo? Que atitude você precisa ter para se submeter por inteiro ao Espírito Santo em todas as coisas?

2. O que a lista "Você quer abrir espaço para o Espírito Santo?" disse sobre o que preenche você hoje?

3. Como você pode abrir mais espaço para o Espírito Santo em sua vida? Se o Espírito está em você, o que mais é verdade a seu respeito agora (Rm 8:10)?

4. Reserve um momento para confessar suas atitudes e pecados, e se arrependa. Peça a Deus para encher você com o Espírito Santo e creia que Ele o fará.

Deixe sua alma orar:
Senhor, enche-me com o Teu Espírito Santo. Quero que Jesus seja mais real para mim. Não quero entristecer o Teu Espírito pecando, nem quero extinguir o Teu Espírito, ignorando o que me dizes para fazer. Confesso que me enchi de coisas menores. Perdoa-me. Mostra-me como mudar. Guia e direciona meus pensamentos, palavras, ações e emoções para que sejam agradáveis a Ti... Em nome de Jesus, amém.

Deixe seu coração obedecer:
(O que Deus está levando você a compreender, valorizar ou fazer?)

Seja purificado para a vida ressurreta – Santificação

Que o próprio Deus da paz os santifique inteiramente. Que todo o espírito, alma e corpo de vocês seja conservado irrepreensível na vinda de nosso Senhor Jesus Cristo.
1 Tessalonicenses 5:23

Deus não nos salvou apenas para nos tornar pessoas melhores. Ele nos salvou para nos resgatar da pena de nossos pecados e restabelecer nosso relacionamento com Ele para Sua glória. Nós nos tornamos pessoas melhores *por meio desse relacionamento*: "Portanto, se alguém está em Cristo, é nova criação. As coisas antigas já passaram; eis que surgiram coisas novas!" (2Cor 5:17). Coisas novas! **Deus nos salva *através de* Jesus e então, pelo poder do Espírito Santo, Ele nos transforma para sermos *semelhantes a* Jesus.**

Sim, esse processo de mudança – chamado de **santificação** – continua acontecendo conosco pelo resto de nossa jornada de fé. Ser crente é apenas o começo da jornada de santificação. O processo de viver de maneira diferente e tornar-se como Jesus requer tempo e ajuda de Deus. O *Espírito* Santo é responsável por nos fazer *santos* – recriar-nos para sermos como Aquele cuja imagem fomos destinados a carregar (Gn 1:27).

> **Santificação:**
> Ser santificado. A palavra grega original, *hagiazo*, significa "separar", "escolher" ou "tornar sagrado". "Cresçamos em tudo naquele que é a cabeça, Cristo". (Ef 4:15).

Nos próximos dias, veremos como o Espírito Santo nos amadurece ao servirmos, compartilharmos Jesus e até mesmo através do sofrimento. Hoje, vamos aprender como cooperamos com Ele.

A santificação requer obediência (1Pd 1:2). Depois que a Palavra de Deus nos diz o que fazer, o Espírito Santo nos ajuda a discernir nossa resposta (Rm 8). Quando meditamos na Palavra de Deus, renovamos nossa mente e nossos pensamentos começam a mudar (Rm 12:1-2). Começamos a pensar mais sobre o que é "excelente e digno de louvor" (Fl 4:8). Nossos pensamentos moldam nossas palavras e ações, então dizemos palavras "boas e úteis" (Ef 4:29, NVT) e fazemos o que é certo (1Jo 2:29).

Mas santificação não é seguir regras. Santificação é seguir *Jesus*. Deus está mais interessado em quem estamos nos tornando do que em como nos comportamos. **Se estamos nos tornando semelhantes a Cristo, nós vamos agir mais como Ele e encontrar mais satisfação somente nEle.** O comportamento cristão surge de um coração semelhante ao de Cristo, não do legalismo religioso sobre o qual estudamos no Dia 25. Jesus condenou os fariseus porque o comportamento deles parecia limpo por fora, mas os corações estavam sujos por dentro:

> ...hipócritas! Vocês limpam o exterior do copo e do prato, mas por dentro eles estão cheios de ganância e cobiça!... Por fora parecem justos ao povo, mas por dentro estão cheios de hipocrisia e maldade. (Mt 23:25, 28).

Devemos nos concentrar não no comportamento exterior, mas em um *coração* que está se tornando cada vez mais semelhante a Cristo (Ef 4:15). Não se trata de regras; e sim de se ter um *relacionamento*. Para entender melhor esse processo, vamos considerar uma das ilustrações utilizadas por Jesus. Muitas vezes, nas Escrituras, Jesus compara as pessoas ao trigo. Ao examinar como o trigo cresce, entendemos melhor nosso crescimento em Cristo.

1. **Não podemos forçar a maturidade espiritual, por isso precisamos ter fé no *Espírito Santo* para nos fazer crescer.** Um grão de trigo não força a si mesmo a crescer. Ele não pensa: "Eu preciso germinar. Agora preciso fazer crescer um caule e, depois disso, forçar a saída de alguns

grãos". O apóstolo Paulo ficou frustrado com os crentes que confiaram em Cristo para resgatá-los do pecado, mas não confiaram nEle para o crescimento espiritual. Os gálatas estavam obcecados em seguir regras e espalhavam o falso ensinamento de que a salvação vinha com *mais* regras. Paulo perguntou a eles: "Será que vocês são tão insensatos que, tendo começado pelo Espírito, querem agora se aperfeiçoar pelo esforço próprio?" (Gl 3:3). Precisamos receber o Espírito Santo para que Ele faça *Sua* obra em nós; Para sermos preenchidos por Ele (Dia 44). Podemos ver o crescimento que Ele produz ao longo do tempo:

> O Reino de Deus é semelhante a um homem que lança a semente sobre a terra. Noite e dia, quer ele durma quer se levante, a semente germina e cresce, embora ele não saiba como. A terra por si própria produz o grão: Primeiro o talo, depois a espiga e, então, o grão cheio na espiga. (Mc 4:26-28).

2. **Cooperamos com o Espírito Santo cultivando condições favoráveis ao crescimento.** Mesmo os grãos mais saudáveis não crescerão sem solo, água e luz solar de qualidade. Grãos de trigo foram encontrados em potes antigos guardados por milhares de anos e talvez por isso parecessem inférteis, mas assim que os arqueólogos os descobriram e plantaram em solo bom, eles cresceram como se esperaria de qualquer grão bom. O mesmo princípio se aplica a nós. Se você deseja crescer em Cristo, precisa de três coisas:

- Bom solo: O seu coração é um solo bom? Você está confiando em Deus e obedecendo a Ele por meio de Sua Palavra (Dia 30)?
- Água Doce: Você está criando raízes profundas na Palavra de Deus para que possa absorver a água viva do Espírito Santo (Dia 24)? Está permanecendo nEle?
- Luz Solar: Você está caminhando na luz de Jesus? Você pede a Deus para expor o seu pecado para que Ele possa curá-lo (Dia 26)?

Observe que o ambiente que você cria está mais relacionado com o seu coração do que com suas circunstâncias de vida. Mesmo que more em um lugar hostil aos seguidores de Jesus ou enfrente dificuldades, você pode cultivar condições saudáveis para o crescimento espiritual em seu coração e em sua mente.

3. O crescimento espiritual acontece em comunidade. Se plantado sozinho, um caule de trigo não sobreviverá. Não pode suportar sua altura e, antes de atingir a maturidade, cairá, mole ou inteiramente quebrado. Mas quando plantado em um campo com milhões de outras sementes de trigo, aquele único talo permanecerá de pé quando as tempestades passarem. Mesmo com ventos fortes, os caules se apoiam uns nos outros e balançam como uma unidade em harmonia graciosa. O mesmo vale para nós. **Não podemos crescer sozinhos.** Se você não tem uma família de fé, peça a Deus para ajudá-lo. Procure uma igreja onde a Palavra de Deus seja ensinada e vivida com fidelidade (veja o Dia 12, "Como encontrar uma boa igreja"). Se mora em um lugar onde as igrejas são escassas, reúna-se com regularidade com pelo menos um ou dois amigos que seguem a Jesus (veja o Dia 17, "Reuniões semanais"). O Espírito Santo usará sua família de fé para encorajá-lo e ajudá-lo a desenvolver maturidade espiritual.

4. O crescimento espiritual acontece quando morremos para nossos velhos hábitos. Como o trigo cresce e se multiplica? Jesus ensina: "Digo-lhes verdadeiramente que, se o grão de trigo não cair na terra e não morrer, continuará ele só. Mas se morrer, dará muito fruto" (Jo 12:24). Para que as gerações de trigo continuem a se multiplicar, os grãos individuais devem cair no chão e morrer. O revestimento da semente se divide e o alimento ali armazenado é usado para alimentar a nova vida da planta que agora está crescendo. À medida que amadurece, ela é capaz de produzir muito mais grãos do que o grão único de onde veio.

Como seguidores de Cristo, também passamos pelo processo de morrer de várias maneiras:

- Primeiro, morremos para o **pecado** quando depositamos nossa fé em Cristo. Estamos "crucificados com Cristo" e "mortos para o pecado" (Gl 2:20; Rm 6:11).

- Ao seguirmos Jesus, continuamos morrendo a cada dia para nossos **velhos hábitos**. "Se alguém quiser acompanhar-me, negue-se a si mesmo, tome diariamente a sua cruz e siga-me" (Lc 9:23).
- Morremos diariamente para os nossos **desejos mundanos** ao resistir à tentação e matar o pecado pelo poder do Espírito Santo (Rm 8:13; Cl 3:5).
- Morremos todos os dias para o nosso **egoísmo** ao suprir as necessidades dos outros e abençoá-los, assumindo a responsabilidade por nossos irmãos e irmãs (Fl 2:4).

Esse processo de morrer pode parecer assustador, mas como crentes, **podemos *abraçar* a morte porque ela nos leva à ressurreição**. Jesus diz: "Pois quem quiser salvar a sua vida a perderá; mas quem perder a vida por minha causa, este a salvará" (Lc 9:24). **Santificação é o processo de morrer para o pecado e para o eu, para que a vida de Cristo nos preencha cada vez mais.** Quando o Espírito chamar você para morrer para si mesmo de alguma forma, lembre-se de que Ele está ansioso para preencher esse espaço com a vida de Deus.

Jesus pensou tanto em nossa santificação que, momentos antes de Sua prisão, Ele orou por nós: "Eles não são do mundo, como eu também não sou. Santifica-os na verdade; a tua palavra é a verdade" (Jo 17:16-17). Jesus sabia que o mundo e nossa velha natureza pecaminosa lutariam contra a obra do Espírito Santo em nós. Ele também sabia que a Palavra de Deus poderia vencer essa oposição. É por isso que a prática *diária* de dedicar tempo e atenção ao nosso relacionamento com Deus, por meio de Sua Palavra, é tão importante. Através dela, o Espírito Santo nos mostra o que precisamos mudar e nos dá a graça para fazermos essas mudanças (Gl 5:16-17). Pouco a pouco, o Espírito nos faz crescer em santidade. Ele transforma nosso pensamento (Rm 12:2) e mata as raízes do pecado em nossa vida. **Tente fazer isto da próxima vez que tiver dificuldade para obedecer:**

1. Peça a ajuda do Espírito Santo (Lc 11:13).
2. Permita que Ele abra seus olhos e seu coração para descobrir o que está atrapalhando você (Sl 19:8). Procure respostas na Palavra de Deus.

3. Espere em Deus. Arrependa-se, se for inspirado a fazer isso. Ore com autoridade (Dia 36)! Ao fazer isso, Ele quebrará qualquer camada de incredulidade ou dureza de coração. Você encontrará satisfação em Jesus Cristo. Acabará se afastando de todas as outras coisas, para ganhar mais dEle (Fl 3:8).

Veja um exemplo de como isso funciona: Digamos que você esteja lutando contra o pecado da fofoca. Você está tentado a falar mal de alguém com um amigo, mas aí se lembra de orar. Você pede a Deus para ajudá-lo a manter o controle sobre a língua (Tg 1:26). O Espírito mostra onde você estava espiritualmente cego (Sl 119:18). Conforme Ele abre seus olhos, você começa a ver aquela pessoa com mais compaixão, mais como Deus a vê. Também vê com clareza a fofoca como o mal que realmente é. Então você escolhe não falar daquele amigo. Esse passo transformacional de obediência amadurece seu coração e modifica seu comportamento. Agora, a alegria no Senhor satisfaz seu coração, de modo que o comportamento anterior – o desejo de fofocar – torna-se menos atraente.

Lembre-se de ser paciente consigo mesmo. A santificação leva tempo, mas aos poucos você verá melhorias reais em seu caráter e em seus hábitos. Você passará a ser mais amoroso, compassivo e paciente ao permanecer em Cristo e obedecer à Palavra de Deus. A reclamação dará lugar à gratidão. As crises de raiva serão menos frequentes e os elogios espontâneos mais comuns. Seu valor e sua identidade serão encontrados somente em Cristo. O estudo da Bíblia e a oração se tornarão uma parte agradável do seu ritmo diário. Você começará a ver as coisas do ponto de vista de Deus e vai ansiar pela vontade dEle acima de tudo.

Quando vemos mudanças positivas, somos encorajados pela certeza de que o Espírito está nos transformando dia a dia. "E todos nós, que com a face descoberta contemplamos a glória do Senhor, segundo a sua imagem estamos sendo transformados com glória cada vez maior, a qual vem do Senhor, que é o Espírito" (2Cor 3:18). Estamos sendo transformados da única maneira que na verdade importa – de dentro para fora, para refletir a glória de Deus!

DIA 45

Deixe a Bíblia falar:
Efésios 4:1-16 (opcional: Atos 9-12)

Deixe sua mente refletir:
1. Como o trigo, nós crescemos em comunidade. Por que ela é tão importante para os seguidores de Jesus?

2. Se você não faz parte de uma igreja ou não tem uma família de fé unida, o que pode fazer para se conectar com outros crentes?

3. De que forma morrer todos os dias para si mesmo o transforma para melhor? Como isso melhora seu relacionamento com outras pessoas, incluindo sua família de fé?

Deixe sua alma orar:
Pai, faz-me crescer através da santificação. Torna-me mais semelhante a Jesus a cada dia. Fortalece minha família de fé para que possamos crescer juntos. Ajuda-nos a morrer para nós mesmos diariamente, para que o Teu Espírito Santo nos encha cada vez mais... Em nome de Jesus, amém.

Deixe seu coração obedecer:
(O que Deus está levando você a compreender, valorizar ou fazer?)

Cresça no Espírito – Sirva

Não será assim entre vocês. Pelo contrário, quem quiser
tornar-se importante entre vocês deverá ser servo,
e quem quiser ser o primeiro deverá ser escravo; como
o Filho do homem, que não veio para ser servido, mas
para servir e dar a sua vida em resgate por muitos.
Mateus 20:26-28

Deus não precisa de nosso serviço. Deus nos convida a servir porque Ele *nos ama*. Ao servir com Ele, você passa a conhecê-Lo melhor e experimenta Seu amor enquanto ele flui de você para os outros, o que é vivificante *e* transformador. Sim, servir a Deus pelo serviço aos outros é outra maneira pela qual o Espírito Santo nos santifica. Quando entendemos de que modo podemos ser as mãos e os pés de Jesus, servimos com uma atitude de "ter a chance de servir", não de "ser obrigado a servir". Às vezes, porém, podemos resistir ao serviço. Podemos nos sentir chamados a servir, mas ter dificuldade com detalhes – que devemos fazer, onde ou quando devemos fazer, ou mesmo a quem ajudar. Não estamos sozinhos. Moisés também lutou com essas questões.

Moisés é um dos maiores líderes de toda a história judaica e um dos poucos crentes guiados pelo Espírito registrados no Antigo Testamento. Mesmo assim, ele quase perdeu sua parte na História de Deus. Conhecemos um pouco a história dele na Semana 3. Lembre-se, Deus chamou Moisés para libertar Seu povo da escravidão egípcia e estabelecer a lei de Deus entre eles. Quando Deus o chamou para servir, ele disse: "Peço-te que envies outra pessoa". A recusa enfureceu o Senhor (Ex 4:13-14), que apareceu a Moisés na forma de uma sarça ardente e poderia facilmente tê-lo consumido em chamas. Mas Deus não fez isso. Ele foi paciente com Moisés e também é paciente conosco (1Tm 1:16).

Veja como Deus usou as particularidades da vida de Moisés.[1] Devido a circunstâncias incomuns, ele foi um menino hebreu criado no palácio do rei egípcio como neto do faraó. Vamos ver algumas maneiras pelas quais sua formação o ajudou a cumprir o chamado de Deus em sua vida:

- Recebeu educação, o que ajudou quando Deus o inspirou a escrever os primeiros cinco livros da Bíblia.
- Foi preparado para estar perante reis, o que ajudou quando Deus o chamou para falar com o novo faraó.
- Adquiriu habilidades de liderança e organização, o que ajudou quando Deus o chamou para liderar a nação de Israel.
- Quando fugiu para Midiã (antes de ser chamado para liderar o povo hebreu), aprendeu a ter paciência e a navegar no deserto, o que ajudou durante seus quarenta anos de peregrinação.

Pode ser que nem todos sejamos chamados para liderar como Moisés, mas *todos* somos chamados para servir. De que forma você pode ser chamado para servir? Comece examinando sua biografia. Onde você mora? Quais línguas fala? Que habilidades e talentos possui? Que provações experimentou? Ao responder a perguntas como essas, ore e peça ao Espírito para ajudá-lo a identificar partes de sua história que Deus pode querer usar em Seu serviço.

Ao perguntar a Deus como pode servi-Lo, reflita também sobre o que você *gostaria* de fazer.[2]

---

1 BRISCOE, Jill. *Here am I, Lord . . . Send somebody else: how God uses ordinary people to do extraordinary things*. Nashville: W Publishing, 2004.
2 Glenn Reese, pastor da Chets Creek Church, em Jacksonville (Flórida), em discussão com a autora, 10 de agosto de 2010.

1. Em que momento passado você experimentou maior alegria e abundância ao servir a Deus?
2. Quando sentiu que Deus agia em você e por seu intermédio com mais intensidade?
3. Com base nessas respostas, como você pode causar maior impacto para o Reino de Deus?

Se você está apenas começando, procure as maiores necessidades em sua igreja ou comunidade. Pense em como suas paixões e habilidades podem atender a algumas delas. Você ama orar? Sabe cozinhar ou cantar? Treinar times esportivos ou dirigir peças? Tem hobbies que possam servir às necessidades de outras pessoas (por exemplo, tricotar cobertores para o lar de desabrigados da sua região)? É bom em ensinar outras pessoas ou em organizar reuniões? É especialista em iniciar negócios ou administrar finanças? Até mesmo ser um bom ouvinte é habilidade muito útil e valiosa. *Todos* têm algo a oferecer. Você pode não saber o que fazer com antecedência, mas **Deus vai lhe revelar seus dons *durante o ato de servir***. Permita-se experimentar coisas novas e aprender ao longo do caminho; leva tempo para descobrir o que você mais gosta de fazer e onde se encaixa melhor, e isso não precisa acontecer de imediato. Confie em Deus para revelar seu próximo passo, depois siga em frente com fidelidade. Em pouco tempo, você vai ver o plano mais amplo se desdobrando e vai experimentar a bênção de servir. Jesus ama *abençoar você* enquanto, *através de* você, abençoa outros. Por isso Ele disse: "Há maior felicidade em dar do que em receber" (At 20:35).

Parte dessa bênção vem na forma de crescimento espiritual: **o Espírito Santo nos faz *crescer* enquanto servimos a Deus prestando serviço aos *outros***. O Espírito Santo também é chamado de Espírito de Jesus (Fl 1:19) e, assim como Jesus Se humilhou para se tornar servo de todos, o Espírito de Jesus também fará de você um servo à medida que cresce à imagem dEle. Em Cristo, servimos "da maneira nova, segundo o Espírito", com o poder de Deus, não nosso (Rm 7:6, NAA). **O Espírito nos motiva com o *amor*, não o dever, a trabalhar para *a glória de Deus*, não para a nossa**. Ao "servimos a Deus no

Espírito", precisamos confiar na força de Cristo e "não [confiar] na carne" (Fl 3:3, NAA). **Encontramos verdadeira alegria quando fazemos o que Deus nos designou a fazer em Seu poder, para Sua glória.** E lembre-se, Deus nunca vai lhe pedir para servir sem lhe conceder a graça e o poder para realizar a obra (Js 1:9; 2Cor 12:9).

A *sua* contribuição na História de Deus é única. Vamos aprender a servir de forma *correta*. O apóstolo Paulo nos ensina maneiras de servir:

1. **Sirva de forma sacrificial**. Servir aos outros só *quando nos for conveniente* é quase impossível. Raramente nos programamos para realizar ações voluntárias quando nosso calendário revela tempo livre. Precisamos ser intencionais para servir, e isso requer um sacrifício de nosso tempo ou de nossos recursos ou ambos. Ao servir, fazemos de nós mesmos um "sacrifício vivo" (Rm 12:1), o que é uma bela oferta ao Senhor. Colocamos as necessidades dos outros à frente das nossas, como Jesus fez. Jesus sacrificou Seu conforto muito antes de sacrificar Sua vida na cruz. Quando exausto pelas demandas do ministério, Ele deixava as necessidades individuais de lado para ensinar e alimentar as pessoas ao Seu redor – muitas vezes, milhares delas (Mc 6). Quando você se sacrifica de pequenas ou grandes maneiras – seu conforto, descanso e tempo – "o [seu] serviço fiel... é uma oferta a Deus" (Fl 2:17, NVT).

2. **Sirva com humildade.** Às vezes, somos tentados a servir para impressionar outras pessoas. Nesse caso, esquecemos que o propósito de servir aos outros é exaltar a Jesus, não a nós mesmos. Jesus disse: "Tenham o cuidado de não praticar suas 'obras de justiça' diante dos outros para serem vistos por eles. Se fizerem isso, vocês não terão nenhuma recompensa do Pai celestial" (Mt 6:1). Humilharmo-nos servindo aos outros, sem procurar atenção, faz parte de nossa jornada para longe do egoísmo. Quando servimos com verdadeira humildade, pensamos nas necessidades dos outros tanto quanto nas nossas (Rm 12:10). Paulo escreveu inúmeras vezes às primeiras igrejas enfatizando a importância de servir com humildade. "Nada façam por ambição egoísta ou por vaidade,

mas humildemente considerem os outros superiores a si mesmos. Cada um cuide, não somente dos seus interesses, mas também dos interesses dos outros" (Fl 2:3-4). Ele os instruiu a servir a todos, não importando a posição financeira ou o status das pessoas. (Rm 12:16).

Jesus, o Rei dos reis, deu-nos o exemplo perfeito do que é servir com humildade. Ele "que, embora sendo Deus, não considerou que o ser igual a Deus era algo a que devia apegar-se; mas esvaziou-se a si mesmo, vindo a ser servo" (Fl 2:6-7). **Aquele a quem todos deveriam servir tornou-se servo de todos!** Jesus compartilhou esse paradoxo com Seus discípulos: "Se alguém quiser ser o primeiro, será o último, e servo de todos" (Mc 9:35). Humilhe-se, e *Deus* o exaltará (Tg 4:10). **Seu valor não se baseia no que você faz ou no que os outros dizem; seu valor vem de quem você é em Cristo.**

3. **Sirva com amor.** Já recebeu um presente por obrigação? Ou talvez alguém tenha ajudado você em um projeto, mas o fez com ressentimento? Não é uma sensação boa. Você pode até preferir que a pessoa fique com o presente ou que não o ajude em nada. Quando servimos sem amor, é como dar um presente a Deus da mesma forma. Qualquer ato de serviço – por mais excepcional que seja – é inútil se feito sem amor (1Cor 13:3). No Dia 6, descobrimos que seremos recompensados pela forma como *amamos*, não pelas boas ações que fizemos. E como o amor serve?

- O amor serve com generosidade, praticando a hospitalidade (Rm 12:13).
- O amor serve de maneira ativa, atendendo a necessidades reais (1Jo 3:18).
- O amor serve com compaixão, mostrando solidariedade genuína (Rm 12:15).
- O amor serve de forma pacífica, vivendo em harmonia com os outros, a despeito de posição social (Rm 12:16, 18).
- O amor serve com graça, abençoando de modo ativo seus inimigos (Rm 12:14, 17, 19-20).

4. **Sirva no Espírito.** Quando colocamos nossa fé em Jesus para alcançar a salvação, o Espírito Santo nos dá dons especiais – dons

espirituais.[1] Homens e mulheres, em todas as fases da vida, *trabalham juntos* para cumprir a missão de Deus.[2] E todos têm o papel essencial de servir como portador de Sua imagem. **O Espírito Santo produz em você *frutos* conforme você usa os *dons* do Espírito para a glória de Deus.** Observe como o Espírito Santo faz você e seus dons crescerem à medida que os usa. Como vimos, a igreja é chamada de corpo porque cada parte, embora diferente, é fundamental para o funcionamento do todo. Assim como diferentes partes do corpo trabalham juntas, diferentes crentes precisam se unir e usar seus dons para edificar o corpo de Cristo, para a glória de Deus (Ef 4:12). Quando servimos nossos irmãos e irmãs, honramos o sacrifício de Cristo pela igreja (Ef 5:25) e nos tornamos mais semelhantes à comunidade que Deus tinha em mente na criação – uma comunidade de unidade, amor e criatividade.

Fomos feitos para servir também à nossa própria família. Deus Se importa profundamente com o serviço prestado à nossa família de fé, mas o serviço a eles não nos isenta das responsabilidades para com nossa família natural. Não podemos servir bem aos outros na igreja se nossa família em casa está em crise. É por isso que um dos requisitos para a liderança na igreja é ter uma família bem administrada (Tt 1:6-7). "Pois, se alguém não sabe governar sua própria família, como poderá cuidar da igreja de Deus?" (1Tm 3:5). Jesus repreendeu os líderes religiosos por admitirem que as pessoas doassem recursos a uma comunidade religiosa, deixando de prover as necessidades de seus pais (Mc 7:11). Paulo pregou o mesmo: "Se alguém não cuida de seus parentes, e especialmente dos de sua própria família, negou a fé e é pior que um descrente" (1Tm 5:8). Deus não quer que escolhamos entre servir nossa família de fé e nossa família imediata. Ele quer que sirvamos às *duas*. Mas

---

1 Para obter listas de dons espirituais específicos encontrados na Bíblia, leia Romanos 12:3-8, 1 Coríntios 12:8-11 e Efésios 4:10-12.

2 Devido à falta de treinamento, as mulheres em todo o mundo, no geral, têm expectativas pouco claras sobre como podem servir à igreja ou promover o Evangelho. Reveja Atos e as cartas do Novo Testamento e encontre exemplos de homens e mulheres que trabalharam juntos, em equipe. As mulheres, em todas as fases da vida, recebem dons espirituais para cumprir seus papéis essenciais na comunidade, na igreja e no lar.

Ele também não o chama para servir sem lhe conceder Sua graça em cada etapa do caminho.

Servir é outra oportunidade para o Espírito Santo fazer você crescer – recriá-lo –, para que se torne mais semelhante a Cristo, o servo Salvador. Ao servir, você descobrirá novos dons que Deus lhe deu e aprenderá a confiar mais nEle. Você aprofundará relacionamentos e iniciará novos, ao procurar *servir* e não *ser servido*. E o melhor de tudo é que sua amizade com Deus se aprofunda enquanto servem juntos e vivem sua parte na História dEle.

Deixe a Bíblia falar:
1 Coríntios 12-13 (opcional: Atos 13-16)

Deixe sua mente refletir:
As perguntas da leitura de hoje podem ajudá-lo a descobrir dons e paixões para o serviço a Deus:
1. Quando você experimentou maior alegria e produziu muitos frutos servindo a Deus?

2. Quando sentiu que Deus agia em você e por seu intermédio com mais intensidade?

3. Com base nessas respostas, como você pode causar maior impacto para o Reino de Deus?

Deixe sua alma orar:
Pai, eu Te entrego minha vida para fazer o que queres que eu faça, para ir aonde queres que eu vá e para dizer o que queres que eu diga. Ajuda-me a usar os dons espirituais que me foram dados para a Tua glória. Torna-me semelhante a Jesus, o servo de todos. Obrigado por nos servires com sacrifícios, de forma humilde e amorosa, Senhor... Em nome de Jesus, amém.

Deixe seu coração obedecer:
(O que Deus está levando você a compreender, valorizar ou fazer?)

Cresça no Espírito
– Compartilhe

Foi-me dada toda a autoridade no céu e na terra. Portanto,
vão e façam discípulos de todas as nações, batizando-
os em nome do Pai e do Filho e do Espírito Santo,
ensinando-os a obedecer a tudo o que eu lhes ordenei. E
eu estarei sempre com vocês, até o fim dos tempos.
Mateus 28:18-20

Imagine um mundo onde Deus decidisse *não* nos envolver na ação de compartilhar as boas-novas de Jesus com os outros, mas resgatasse as pessoas sem a participação de nenhum crente. Como seria esse mundo? Nesse mundo estranho, você vai para uma igreja onde todos se tornaram seguidores de Jesus sem qualquer intervenção humana. Você se senta em seu banco e a música começa a tocar. Mas as músicas nesse lugar são todas diferentes. "Infinita Graça" e outros hinos baseados nos ensinamentos do Novo Testamento não existem, porque o Novo Testamento não foi escrito.

Em nosso mundo real, o Novo Testamento foi escrito por discípulos que foram incumbidos de fazer mais discípulos. Mas se não houvesse pessoas enviadas para fazer discípulos, não haveria razão para escrever sobre a missão de Deus.

Naquele mundo imaginário, nosso propósito – nossa própria existência – mudaria para pior. Nossa alegria em compartilhar Jesus e Seus ensinamentos com outras pessoas desapareceria. Sentiríamos falta da emoção de ver alguém passar da morte para a vida espiritual.

Nosso privilégio de ser a ferramenta de Deus para transformar uma alma humana estaria perdido. Nossas atitudes, ações e chamados seriam muito diferentes. Se Deus não tivesse nos convidado a fazer parte de Sua obra de salvação, nossa vida não teria tanta alegria, esperança e propósito.

Louvado seja Deus que esse *não* é o nosso mundo! **Porque Deus amou o mundo de tal maneira que nos deu o ministério da reconciliação (2Cor 5:18-20).** Esse presente inestimável é para o nosso bem. Nós nos achegamos a Deus conforme *trabalhamos com Ele* para fazer discípulos. Sim, Deus pode e, de fato, resgata pessoas sem envolvimento de outros, mas é um privilégio que Deus escolha espalhar as boas-novas *através de nós* (2Cor 2:14). Recebemos esse dom de compartilhar Jesus com outros para que eles sejam perdoados, renovados e reconciliados com a família eterna de Deus. Temos medicamentos que transformam a eternidade para dar às pessoas que estão morrendo espiritualmente. Não podemos guardar o dom da graça de Deus para nós mesmos. Jesus já fez a parte mais difícil. Tudo o que precisamos fazer é compartilhar Sua história. E quando o fazemos, *não há sentimento maior* do que quando Deus opera através de nós para resgatar aqueles que estão trilhando o caminho errado. Quando abandonam seus pecados e dizem sim a Jesus, a eternidade dessas pessoas muda diante de nossos olhos!

Por incrível que pareça, algumas igrejas e crentes agem como se vivessem no mundo estranho que acabamos de imaginar. Não estão envolvidos. Compartilhar as boas-novas de Jesus com outras pessoas (o que se chama evangelismo) não é uma prioridade. Em vez disso, guardam a Grande Comissão de Jesus como quem esconde dinheiro em uma gaveta. Essas pessoas ou grupos podem carecer de alegria, crescimento, esperança, unidade ou propósito, e questionar-se por que não estão crescendo como pessoa ou instituição, sem perceber que não estão fazendo o que Deus os designou para fazer. Porque a verdade é que **não compartilhar o Evangelho é uma violação do mandamento de Deus**.

Felizmente, a missão de Jesus é *sempre* buscar e salvar os perdidos (Lc 19:10). Por meio do Espírito Santo, essas igrejas e crentes *podem* mudar. O Espírito Santo pode criar famílias de fé saudáveis onde os novos na fé são orientados por crentes maduros. Você precisa de um novo começo? Deus pode ajudá-lo a retornar às principais razões pelas quais você existe:

Amar a Deus,

Amar a todos, e

Fazer discípulos!

Fazer discípulos começou com Jesus – Suas boas-novas e Sua Grande Comissão. Quando Jesus confiou Sua mensagem aos discípulos, Ele deu instruções específicas encontradas em Mateus 28:18-20. Agora é a nossa vez. Deus nos confiou o Evangelho, então vamos examinar a passagem e sermos discípulos que fazem discípulos nesta geração:

1. A Jesus foi **"dada toda a autoridade"**. Para fazer discípulos, precisamos ser discípulos. Antes disso, em Mateus, Jesus disse: "Se alguém quiser acompanhar-me, negue-se a si mesmo, tome a sua cruz e siga-me" (Mt 16:24). Será que temos negado a nós mesmos para seguir Jesus e nos submeter à Sua autoridade?

2. **"Portanto, vão"**: dada a autoridade de Jesus, estamos dispostos a ir e compartilhar?

3. **"Façam discípulos"**: esse mandamento significa fazer seguidores, crentes que aprenderão mais e mais a respeito dEle. Será que vamos partilhar o amor de Jesus, imitar Sua vida e ensinar Sua Palavra?

4. **"Todas as nações"**: toda alma é importante para Deus. Estamos dispostos a compartilhar Jesus com todos?

5. **"Batizando-os"**: o batismo é o sinal externo de uma mudança interna e o primeiro passo de obediência dos crentes. Somos batizados? Vamos levar outros a serem batizados?

6. **"Ensinando-os a obedecer a tudo o que eu lhes ordenei"**: somos instruídos a obedecer, e não apenas conhecer, os

ensinamentos de Jesus. Vamos ensinar a mensagem de *Jesus* e obedecer a ela?

7. **"Eu estarei sempre com vocês"**: acreditamos que Jesus está sempre conosco? Vamos confiar nEle?

Deus escolheu você para ser Seu embaixador.

Jesus promete estar com você.

O Espírito Santo capacita você para cumprir este mandamento (At 1:8).

Você é capaz.

Jesus diz: "Assim como o Pai me enviou, eu os envio" (Jo 20:21). **Quando dá passos de obediência, Deus o equipa com tudo que você precisa para cumprir Sua vontade.** Quando está compartilhando, o Espírito Santo lhe dá força e palavras.[1] Nesse processo, Ele aumenta sua fé – santifica você – através do ato de fazer discípulos.

Como fazemos discípulos? Vamos ler o pedido de oração de Jesus: "A colheita é grande, mas os trabalhadores são poucos. Portanto, peçam ao Senhor da colheita que mande trabalhadores para a sua colheita" (Lc 10:2). Jesus usou o significado simbólico da colheita para explicar quando as pessoas estão prontas para serem reunidas na família de Deus. Como um campo pronto para a colheita, as pessoas ficam maduras para o Evangelho. Assim, pedimos a Deus, o Senhor da colheita (Mt 9:38), que nos envie trabalhadores da colheita e O acompanhamos quando nos envia. A formação de discípulos geralmente segue um processo de colheita em quatro partes:[2]

1. **Semear** sementes do Evangelho com <u>oração</u>. Como Jesus pediu, comece com uma oração. Quando oramos, lançamos sementes do Evangelho que dão vida. Vamos para os campos, para os lugares onde as pessoas estão longe de Deus (do outro lado da rua ou do outro lado do mundo).

---

1 Mt 10:19; Lc 12:12; At 1:8; 2Cor 5:20.

2 Os movimentos de plantio de igrejas em todo o mundo seguem um processo semelhante, denominado Campos de Formação.

2. **Regar** essas sementes com a História de Deus – o Evangelho. Quando compartilhamos a História de Deus e nossa história como Sua testemunha, as sementes do Evangelho são nutridas na vida das pessoas.

3. **Cultivar** as sementes germinadas com a luz da Palavra de Deus. Conforme os novos convertidos vão aprendendo com você, ajude-os a orar e estudar a Bíblia por si mesmos, para que possam crescer fortes.

4. **Colher** os campos, reunindo crentes para formar a igreja. Como crentes, estamos reunidos para encorajar uns aos outros, fazer discípulos e pertencer a uma comunidade. Treinamos novos trabalhadores para serem enviados a novos campos para semear e regar as sementes do Evangelho na vida de outras pessoas. Esse comissionamento inicia o processo de fazer discípulos mais uma vez.

Agora, vamos pegar as ferramentas que aprendemos nesta jornada de fé e ver como elas se encaixam no processo de fazer discípulos – processo que se divide em quatro partes:

1. **Semeie** sementes do Evangelho com oração.
   a. Crie um **mapa de relacionamento** com as pessoas da sua vida que estão longe de Deus (Apêndice). Ore e planeje oportunidades para compartilhar o amor de Jesus.
   b. Ore pelos outros, ore com autoridade, ore e jejue pelo despertar espiritual (Semana 6).

2. **Regue** essas sementes com a História de Deus – o Evangelho.
   a. Compartilhe a História de Deus misturando os ingredientes do **Pão do Evangelho** (Dia 18).
   b. Inicie conversas espirituais usando a abordagem **Ouça, Aprenda, Ame, Senhor** (Dia 18).
   c. Compartilhe sua história usando o guia "**Compartilhando sua história**" (Dia 18).

3. **Cultive** as sementes germinadas em reunião semanal com um grupo pequeno, para capacitação e apoio.
    a. Reúna de três a cinco novos crentes usando o formato **"Reuniões semanais"** (Dia 17).
    b. Ensine seus irmãos e irmãs a obedecerem aos ensinamentos de Jesus (Semanas 3 a 7).
    c. Use um plano de leitura da Bíblia para **estudarem a Bíblia juntos** (Dia 33).

4. **Faça a colheita** dos campos, reunindo crentes para formar a igreja e liberando-os para se tornarem discípulos que fazem discípulos.
    a. Reúnam-se como uma família de fé para adoração, Ceia do Senhor, serviço e capacitação (Dias 12 e 43).
    b. Ensine seus irmãos e irmãs a usarem seus dons espirituais para servir a Jesus e aos outros (Dia 46).
    c. Incentive-os a irem juntos para novos campos usando a ferramenta **Ouça, Aprenda, Ame, Senhor** (Apêndice). Revise-a semanalmente, para oração e para verificarem se estão no caminho certo (ver Lc 10:1-11).

Como saber se a abordagem para fazer discípulos é eficaz?

A evidência são as vidas transformadas. Você sempre pode melhorar o processo ou as ferramentas listadas acima, mas saiba que somente Deus é quem cultiva Sua colheita de crentes (1Cor 3:6-7). Podemos não ser capazes de discipular a todos, mas podemos discipular uma pessoa. Em seguida, incentive-a a discipular outra pessoa e aceite um novo aluno. Você pode fazer discípulos mesmo que seja um novo crente.

Pense no que aconteceria se você discipulasse uma pessoa por ano. E que, no ano seguinte, essa pessoa começasse também a discipular uma pessoa a cada ano. Depois, todos os que foram discipulados continuariam fazendo um novo discípulo todo ano. Em trinta anos, se esse ciclo continuasse, mais de um bilhão de pessoas viriam para a fé em Cristo! Pense nisso. Deus pode mudar sua família, sua cidade e sua nação através de você!

Deixe a Bíblia falar:
Lucas 10:1-11; Romanos 10:9-17 (opcional: Atos 17-20)

Deixe sua mente refletir:
1. Você conhece alguém que precisa ou deseja ser discipulado? Peça ao Espírito Santo para levá-lo a dois ou três novos crentes para que você forme um grupo de reuniões semanais e comece a fazer discípulos.

2. Examine Lucas 10:1-11 e descubra todas as coisas que devemos e não devemos fazer, baseadas nas instruções de Jesus aos discípulos antes de enviá-los para fazer a colheita. Que instruções deixaram uma impressão em você?

3. Complete ou revise a ferramenta **Ouça, Aprenda, Ame, Senhor** no Apêndice. Revise-a regularmente com seu grupo (1Pd 3:15).

Deixe sua alma orar:
Pai, obrigado por me confiares o Teu ministério de reconciliação. Cria oportunidades para que eu possa apresentar as pessoas a Cristo. Ajuda-me a compartilhar o amor de Jesus, seguir o exemplo de Jesus e ensinar Sua Palavra a todos aqueles que colocas em minha vida. Eu quero ser um discípulo que faz discípulos, por meio do Teu poder, somente para a Tua glória... Em nome de Jesus, amém.

Deixe seu coração obedecer:
(O que Deus está levando você a compreender, valorizar ou fazer?)

Cresça no Espírito
– Suporte

Meus irmãos, considerem motivo de grande alegria o
fato de passarem por diversas provações, pois vocês
sabem que a prova da sua fé produz perseverança. E a
perseverança deve ter ação completa, a fim de que vocês
sejam maduros e íntegros, sem lhes faltar coisa alguma.
Tiago 1:2-4

Você e eu podemos ser tentados a pensar que, se levarmos uma
vida boa, receberemos bênçãos materiais e o mundo será atraído
para Jesus. É bem possível que o mundo inteiro seguisse Jesus se
Ele fizesse nossos problemas desaparecerem e a nossa riqueza
aumentar, mas, nesse caso, o cristianismo talvez não mais existisse.
No lugar dele, provavelmente teríamos uma terrível idolatria –
pessoas que viriam a Cristo pelo que Ele *dá*, não por quem Ele *é*.
Porém, nosso testemunho é quase sempre mais poderoso quando
parece que tudo o que temos é sofrimento, mas ainda podemos
dizer: "Jesus é o bastante".

Abraçar totalmente essa verdade requer fé e, às vezes, que
tenhamos a experiência de Deus nos segurando, nos ajudando
e nos transformando durante as provações. É a maneira como
respondemos a essas dificuldades que define nosso caráter e
determina se crescemos ou desmoronamos. Podemos escolher a
raiva ou a alegria, o controle com os punhos cerrados ou a rendição
com as mãos abertas. **Nossa resposta às provações revela o tipo de**

relacionamento que temos com Jesus. Assim como o Espírito Santo nos amadurece quando servimos e compartilhamos, Ele também nos amadurece através do sofrimento.

A tribulação produz perseverança; a perseverança, um caráter aprovado; e o caráter aprovado, esperança. E a esperança não nos decepciona, porque Deus derramou seu amor em nossos corações, por meio do Espírito Santo. (Rm 5:3-5).

Você notou que Deus derrama amor em nosso coração por meio do Espírito Santo? Esse amor nos ajuda a atravessar o sofrimento. É também um amor que flui de nós para os outros, porque não apenas nos faz crescer no caráter de Cristo, mas também atrai outros a Ele. Nada é mais poderoso do que ver uma pessoa sofrendo com dignidade e alegria quando ela tem a esperança em Cristo.

Devemos reconhecer que existem sofrimentos que são resultado do pecado; nossas más escolhas têm consequências. Mas, hoje, vamos nos concentrar no sofrimento que é obra do inimigo. Jesus disse: "O ladrão vem apenas para furtar, matar e destruir; Eu vim para que tenham vida, e a tenham plenamente" (Jo 10:10). O sofrimento por si só é maligno e é usado *por* Satanás para roubar, matar e destruir, mas **Jesus trava guerra contra o sofrimento e atua para cessá-lo ou aliviá-lo – em qualquer caso, Ele *sempre* usa o sofrimento para o bem.**

Você se lembra de José (Dia 15)? Ele foi vendido como escravo e preso por engano. E disse aos irmãos: "Vocês planejaram o mal contra mim, mas Deus o tornou em bem, para que hoje fosse *preservada a vida de muitos*" (Gn 50:20, grifo nosso). A salvação veio para muitos como resultado do sofrimento e das severas provações de José. Não importa o quão doloroso seja o seu sofrimento, "sabemos que Deus age em *todas* as coisas para o *bem daqueles que o amam*, dos que foram chamados de acordo com o seu propósito" (Rm 8:28, GRIFO NOSSO). *Todas as coisas* – as boas, as ruins e as intermediárias – são *usadas por Deus para o bem daqueles que O amam.* Isso significa que, **às vezes, nosso maior bem *não* é nosso conforto imediato.** O versículo 29 explica: "Pois aqueles que de antemão conheceu, também os predestinou para serem *conformes à imagem de seu*

Filho" (Rm 8:29, grifo nosso). Quando lemos esses dois versículos juntos, podemos concluir com segurança que nosso maior bem é nos tornarmos semelhantes a Cristo. Jesus nos adverte:

> Se o mundo os odeia, tenham em mente que antes odiou a mim. Se vocês pertencessem ao mundo, ele os amaria como se fossem dele. Todavia, vocês não são do mundo, mas eu os escolhi, tirando-os do mundo; por isso o mundo os odeia. Lembrem-se das palavras que eu lhes disse: nenhum escravo é maior do que o seu Senhor. Se me perseguiram, também perseguirão vocês. Se obedeceram à minha palavra, também obedecerão à de vocês. (Jo 15:18-20).

Podemos esperar hostilidade e discriminação em relação aos crentes por sua fé em Cristo.[1] Países com governos que veem Jesus como uma ameaça ao seu poder, ou onde a religião está ligada à identidade cultural, maltratam terrivelmente os cristãos. Esses governos quase sempre negam aos crentes as liberdades humanas fundamentais. Não devemos nos surpreender, então, quando somos perseguidos ou nos pedem para orarmos por uma igreja que está sendo perseguida. "Todos os que desejam viver piedosamente em Cristo Jesus serão perseguidos" (2Tm 3:12).

Portanto, agora que sabemos o que esperar, como podemos viver de maneira vitoriosa durante a perseguição? Nós a suportamos permanecendo em Cristo, nosso compassivo Salvador que sofreu perseguição *por* nós e ainda sofre *conosco*. Quando Jesus confrontou Saulo (mais tarde conhecido como apóstolo Paulo) por perseguir os crentes, perguntou: "Saulo, Saulo, por que você me persegue?" (At 9:4). Jesus não se identificou como "Jesus, o Senhor daqueles a quem você persegue". Não, Ele disse: "Eu sou Jesus, *a quem você persegue*" (At 9:5, GRIFO NOSSO). Jesus considera a perseguição aos crentes como algo pessoal. Quando permanecemos nEle e Ele em nós, Ele não apenas nos observa suportar a perseguição; Ele a suporta conosco. **A intimidade com Cristo é uma das maiores bênçãos da perseguição.** Ao sofrermos perseguição, podemos abraçar Jesus e saber que somos abençoados.[2]

---

1 At 14:22; 1Pd 4:12.
2 Mt 5:11-12; 2Cor 4:15-18; 1Pd 4:14, 16.

Até o dia em que estaremos em Sua presença e todas as lágrimas serão enxugadas (Ap 21:4), precisamos de um plano para responder ao sofrimento e à perseguição. Vamos olhar para a Palavra de Deus:

1. **Clame a Deus.** Davi declarou: "Na minha aflição clamei ao Senhor; gritei por socorro ao meu Deus. Do seu templo ele ouviu a minha voz; meu grito chegou à sua presença, aos seus ouvidos" (Sl 18:6). Davi ainda disse: "Ó Senhor, eu clamo a ti; vem depressa! Ouve quando peço tua ajuda" (Sl 141:1, NVT). Até mesmo Jesus clamou a Deus do Getsêmani. Deus pode controlar sua raiva, suas lágrimas. Confie nEle para ajudá-lo. Paulo escreveu que experimentou um sofrimento avassalador, a ponto de sentir-se perto da morte, e que, nesses momentos, clamou a Deus, que o resgatou (2Cor 1:8-9). Dependa de Deus. Ele vai cuidar de você. Ele lhe dará o que você precisa e mostrará aonde ir (Mt 10:16-23).

2. **Viva um dia de cada vez.** Jesus adverte que não devemos nos precipitar ficando preocupados com o futuro, quando cada dia já tem problemas suficientes (Mt 6:34). Logo antes de dizer isso, Ele também dá a chave para viver sem inquietações: "Busquem, pois, em primeiro lugar o Reino de Deus e a sua justiça, e todas essas coisas lhes serão acrescentadas" (Mt 6:33). Buscando o Reino de Deus em *primeiro lugar*, podemos olhar para a vida através da perspectiva do reino e definir nossas prioridades lá, e não neste mundo complicado. Quando desenvolvemos esse olhar, focamos menos no que está faltando e nos concentramos mais no que Deus *está* fazendo e em como Ele *está* atendendo às nossas necessidades. À medida que nossas perspectivas mudam, podemos ver um propósito maior nas provações: elas podem produzir a perseverança de que precisamos em tempos difíceis, e Deus pode receber glória porque Seu poder funciona melhor em nossa fraqueza (2Cor 12:9).

3. **Mantenha-se firme.** Amigo, amiga, "Estejam vigilantes. Permaneçam firmes na fé. Sejam corajosos. Sejam fortes" (1Cor 16:13, NVT). A única maneira de nos mantermos firmes na fé com sucesso é escolhermos permanecer em Jesus e receber Sua força (Jo 15).

Podemos orar pedindo a Deus que transforme nossas circunstâncias de vida, nos dê sabedoria e seja tudo que precisamos em nossas dificuldades. Podemos orar assim: "O Senhor é o meu rochedo, e o meu lugar forte, e o meu libertador; o meu Deus, a minha fortaleza, em quem confio" (Sl 18:2, ARC). Confiar em Deus e entregar a Ele todas as aflições nos ajuda a permanecer firmes. Podemos nos lembrar dos muitos exemplos da fidelidade de Deus revelados em Sua Palavra e em nossa própria vida (pedras memoriais). "Mantenham-se firmes, e que nada os abale. Sejam sempre dedicados à obra do Senhor, pois vocês sabem que, no Senhor, o trabalho de vocês não será inútil" (1Cor 15:58).

4. **Receba e compartilhe o conforto de Deus.** Ele usa Sua Palavra para ministrar às partes mais profundas de nossa alma. O livro de Salmos está repleto de belos exemplos de como Deus vem até aqueles que estão magoados e com o coração partido (Sl 34:18). Ele também *nos* usa para nos aproximarmos uns dos outros, para oferecermos apoio prático e tangível uns aos outros – uma visita oportuna, uma refeição quente, um abraço encorajador de empatia. Ao recebermos conforto dEle e de outros crentes, somos fortalecidos e capacitados para sermos uma bênção na vida de outros.

> Ele nos encoraja em todas as nossas aflições, para que, com o encorajamento que recebemos de Deus, possamos encorajar outros quando eles passarem por aflições. Pois, quanto mais sofrimento por Cristo suportarmos, mais encorajamento será derramado sobre nós por meio de Cristo. (2Cor 1:4-5, NVT).

Nossas experiências dolorosas nos ajudam a ter empatia por aqueles que sofrem. Quando precisarmos de ajuda, não tenhamos medo de ser vulneráveis e *recebê-la*. Conforme aprendemos ao longo desta jornada, Jesus nos projetou para sermos um único corpo, trabalhando juntos e apoiando uns aos outros (1Cor 12:12-27). Quando confortamos as pessoas com o conforto que recebemos, nosso conforto se multiplica e a glória é de Deus.

5. **Ame seus inimigos.** Nós perdoamos como fomos perdoados. Jesus perdoou Seus algozes, mesmo pendurado, sangrando na cruz. Ele ensinou: "Vocês ouviram o que foi dito: 'Ame o seu próximo e odeie o seu inimigo'. Mas eu lhes digo: Amem os seus inimigos e orem por aqueles que os perseguem" (Mt 5:43-44). Lembre-se de que já fomos inimigos de Deus e Ele ainda nos amou (Rm 5:8). Ele quer resgatar nossos perseguidores tanto quanto a nós. Somos todos feitos à Sua imagem. **Você será um canal do amor de Deus para seus inimigos?**

Pouco antes de sua morte, Estêvão pediu a Deus que perdoasse seus perseguidores, incluindo Saulo, que perseguiu os crentes e aprovou sua execução (At 7-8). Em pouco tempo, Deus respondeu à oração de Estêvão e resgatou Saulo, também conhecido como Paulo. Um homem que havia feito tanto mal aos crentes foi transformado pelo amor de Cristo e feito apóstolo (At 8-9; 13). Paulo sofreu muita perseguição por sua fé e, por fim, levou um de *seus* perseguidores – um carcereiro – a Cristo (At 16). Amigo, amiga, libere qualquer amargura e pensamentos de vingança e ore por aqueles que o perseguem. Deus tem um plano para eles e quer resgatá-los com o mesmo braço estendido de amor que usou para resgatar você (Is 59:1).

Enquanto esperamos nosso lar celestial, lembre-se de que Jesus é digno de todas as provações que possamos suportar na terra por segui-Lo. Podemos confiar nEle quando diz: "Neste mundo vocês terão aflições; contudo, tenham ânimo! Eu venci o mundo" (Jo 16:33).

A vida é curta e o sofrimento é temporário, mas Jesus está *sempre* com você (Mt 28:20). Continue correndo – *persevere* – para a glória de Deus (Hb 12:1-3). "O Deus de toda a graça, que os chamou para a sua glória eterna em Cristo Jesus, depois de terem sofrido durante pouco de tempo, os restaurará, os confirmará, lhes dará forças e os porá sobre firmes alicerces" (1Pd 5:10). O Espírito Santo o fortalecerá para suportar o sofrimento na terra até que receba sua recompensa no céu. Enquanto isso, o Espírito está fazendo você crescer à semelhança de Cristo, recriando-o e restaurando-o como portador da imagem de Deus. Isso é *sempre* bom.

Deixe a Bíblia falar:
Hebreus 11:1-12:3 (opcional: Atos 21-24)

Deixe sua mente refletir:
1. Leia Hebreus 11:32-40. O que ajudou essas pessoas fiéis a perseverarem apesar das circunstâncias? Como você acha que elas foram fortalecidas?

2. A perseguição assume muitas formas. Pode ser a perda de um emprego. Podem ser vizinhos que fogem de você por causa de sua fé. Ou, como temos visto na Bíblia e em eventos atuais, pode ser um tratamento hostil e até mesmo a morte. Descreva uma ocasião em que foi perseguido por seguir Jesus. Como você respondeu? O que o manteve focado em Jesus e não nas circunstâncias da vida?

3. Em que momento você viu Deus transformar o mal em bem na sua vida?

Deixe sua alma orar:
Pai, eu Te agradeço porque Cristo carrega meus fardos e tem empatia pelo meu sofrimento. Fortalece-me para suportar o sofrimento para a Tua glória. Ajuda-me a confiar em Ti, a receber e compartilhar Teu conforto, a amar meus inimigos e a permanecer firme. Tu és digno... Em nome de Jesus, amém.

Deixe seu coração obedecer:
(O que Deus está levando você a compreender, valorizar ou fazer?)

Desperte, vigie, trabalhe – Jesus Cristo está voltando

Fiquem atentos! Vigiem! Vocês não
sabem quando virá esse tempo.
Marcos 13:33

Vamos começar hoje com a melhor notícia de todas: **Jesus está voltando para nos buscar**. Uma das promessas mais magníficas, pela qual ansiamos como crentes, é o Seu retorno. O sofrimento e a perseguição que podemos enfrentar agora não vão durar para sempre. A História de Deus, incluindo a sua verdadeira história, tem um final maravilhoso. Jesus disse aos Seus discípulos na noite anterior à Sua crucificação: "e, quando tudo estiver pronto, virei buscá-los, para que estejam sempre comigo, onde eu estiver" (Jo 14:3, NVT). Essa promessa nos dá esperança e nos encoraja a viver de forma a estarmos prontos para encontrá-Lo.

De acordo com a Palavra de Deus, estamos vivendo os últimos dias. O apóstolo Paulo escreveu: "Chegou a hora de vocês despertarem do sono, porque agora a nossa salvação está mais próxima do que quando cremos" (Rm 13:11). Ninguém sabe o dia exato em que Jesus voltará (Mc 13:32), *mas* sabemos que o nosso tempo aqui é limitado. Mesmo que você viva cem anos, isso é apenas um sopro em comparação com a eternidade. O que devemos fazer com o tempo que nos resta? "O fim de todas as coisas está próximo. Portanto, sejam criteriosos e sóbrios; dediquem-se à oração" (1Pd 4:7). Fique alerta, refletindo na Palavra de Deus e orando.

Se permanecermos espiritualmente alertas, reconheceremos ensinamentos falsos sobre Jesus. O Senhor nos adverte que, nos últimos dias, veremos um aumento no número de falsos mestres; eles alegarão falar por Cristo, embora sejam Seus inimigos. Distorcerão a Palavra de Deus e enganarão a muitos:

> *Será que todas as religiões levam a Deus?*
> Não. É verdade que todas as pessoas enfrentarão o único Deus verdadeiro quando morrerem – quer O tenham adorado ou negado. (Veja o Dia 6.) Mas nem todas as pessoas vão para o céu para viver em um relacionamento perfeito e amoroso com Deus. Quando estivermos diante dEle, somente aqueles que foram perdoados de seus pecados, que permaneceram firmes na fé e revestidos da justiça de Jesus Cristo, entrarão no céu. Aqueles que seguiram a autojustiça e as religiões não entrarão.

- "Pois virá o tempo em que não suportarão a sã doutrina; pelo contrário, sentindo coceira nos ouvidos, segundo os seus próprios desejos juntarão mestres para si mesmos. Eles se recusarão a dar ouvidos à verdade, voltando-se para os mitos" (2Tm 4:3-4).

- "Cuidado com os falsos profetas. Eles vêm a vocês vestidos de peles de ovelhas, mas por dentro são lobos devoradores" (Mt 7:15).

- "Pois tais homens são falsos apóstolos, obreiros enganosos, fingindo-se apóstolos de Cristo. Isto não é de admirar, pois o próprio Satanás se disfarça de anjo de luz. Portanto, não é surpresa que os seus servos finjam que são servos da justiça. O fim deles será o que as suas ações merecem" (2Cor 11:13-15).

A única maneira de reconhecer e rejeitar os falsos ensinamentos é comparando-os com o que é verdadeiro. **Podemos evitá-los estudando a Palavra de Deus.** Podemos ser como os bereanos, que testaram todas as palavras de Paulo, cotejando-as com as Escrituras para confirmar sua veracidade (At 17:11). A Bíblia revela muitos sinais de engano que veremos nos últimos dias. Ela é específica sobre o que devemos rejeitar:

1. **Rejeite qualquer ensinamento que desvalorize Jesus e Sua cruz.** "Mas todo espírito que não confessa a Jesus não procede de Deus. Esse é o espírito do anticristo, acerca do qual vocês ouviram que está vindo, e agora já está no mundo" (1Jo 4:3). A palavra *anticristo* significa "contra Cristo". Os ensinamentos influenciados pelo espírito do anticristo deturpam a verdade sobre a pessoa e a obra de Cristo. **Jesus Cristo é Deus e a única fonte de salvação.** "Não há salvação em nenhum outro, pois, debaixo do céu, não há nenhum outro nome dado aos homens pelo qual devamos ser salvos" (At 4:12). **Lembre-se de que se houvesse qualquer outra maneira de nos salvar, Jesus *não* precisaria ter morrido na cruz.** Algumas pessoas ensinam falsamente que devemos acrescentar nossas obras à obra de Jesus na cruz para sermos salvos. Vamos recordar as últimas palavras dEle ditas na cruz: "*Está* consumado", significando que nosso pecado, nossa dívida, foi totalmente paga (Jo 19:30, grifo nosso). Obedecemos a Deus pela abundância de nosso amor por Ele, não para ganhar a salvação. Qualquer ensinamento que *nega* que Jesus é Deus, que Ele é o único caminho, ou que Sua obra na cruz é suficiente, é falso. Só Jesus é supremo:

> O Filho é a imagem do Deus invisível... por meio dele, todas as coisas foram criadas... Ele existia antes de todas as coisas e mantém tudo em harmonia. Ele é a cabeça do corpo, que é a igreja; Ele é o princípio, supremo sobre os que ressuscitam dos mortos; portanto, ele é primeiro em tudo. (Cl 1:15-18).

2. **Rejeite qualquer ensinamento que glorifique pessoas ou líderes humanos.** Jesus deu sinais detalhados do fim dos tempos (Mt 24). Ele advertiu que os falsos mestres glorificariam a si mesmos e realizariam maravilhas para enganar as pessoas (Mt 24:24). Nós *todos* nascemos pecadores (Sl 51:5), totalmente dependentes de Deus (Jo 15:5; At 17:25). Cuidado com qualquer ensinamento que transforme líderes humanos, mesmo os piedosos, em salvadores. Paulo corrigiu desta forma os crentes que foram tentados:

> Porque ainda são carnais... Pois quando alguém diz: "Eu sou de Paulo", e outro: "Eu sou de Apolo", não estão sendo mundanos? Afinal de contas,

quem é Apolo? Quem é Paulo? Apenas servos por meio dos quais vocês vieram a crer, conforme o ministério que o Senhor atribuiu a cada um. Eu plantei, Apolo regou, mas Deus é quem fazia crescer; de modo que nem o que planta nem o que rega são alguma coisa, mas unicamente Deus, que efetua o crescimento. (1Cor 3:3-7).

Devemos não apenas evitar glorificar os líderes, mas também fugir dos líderes que glorificam a si mesmos. Se eles não estão liderando como servos, exemplo que Jesus deu a todos, não estão liderando de maneira que agrada a Deus. E o Senhor os humilhará (Mt 23:12).

3. **Rejeite qualquer ensinamento que prometa conforto, riqueza e saúde mundanas.** Existe o falso ensinamento que leva os crentes a *usarem Deus* e não a *confiarem nEle*. Nesse caso, com frequência afirmam que, por meio de discurso positivo ou doações financeiras, os crentes podem alcançar bênçãos monetárias exorbitantes e completo bem-estar físico de forma instantânea. Esse falso ensinamento enfoca o dom em vez do Doador, o aqui e agora em detrimento da eternidade, causando grande confusão.

Deus quer curar você? Sim, e Ele o faz espiritual e fisicamente. "Ele enxugará dos seus olhos toda lágrima. Não haverá mais morte, nem tristeza, nem choro, nem dor" (Ap 21:4). Podemos pedir-Lhe cura física e acreditar que Ele vai curar. Mas *precisamos confiar no tempo de Deus*, quer a cura aconteça nesta vida, quer na eternidade. A menos que Jesus volte antes disso, todos nós que hoje estamos vivos morreremos de causas físicas. Mas, por fim, seremos curados no céu.

Deus quer suprir suas necessidades? Sim, a Bíblia oferece muitos exemplos da provisão de Deus para nós. Como qualquer bom pai, Ele deseja que peçamos a Ele para atender às nossas necessidades. "Dá-nos hoje o nosso pão de cada dia" (Mt 6:11). Ele sabe o que é melhor para nós, porém, mais uma vez, *confiamos em Seu tempo* e em Seus caminhos para responder às nossas necessidades. Lembre-se do Salmo 23 (Dia 22), "O Senhor é o meu pastor; de nada terei falta" (v. 1).

Quando as orações pedindo cura ou provisão parecem sem resposta, os falsos mestres quase sempre atribuem o problema à falta de fé ou de doação financeira do crente. Eles falham em apontar Jesus e Seus ensinamentos como o exemplo e a direção que devemos seguir. Jesus disse para acumularmos tesouros *celestiais* e nos alertou contra o interesse nos prazeres terrestres.[1] Se formos curados e nossas necessidades forem atendidas, glorificamos a Deus! Se não, confiamos que Ele está agindo para o nosso bem (Dia 48). Continue a orar e permaneça em Jesus.

4. **Rejeite qualquer ensinamento que exija obediência a regras estritas não encontradas na Palavra de Deus.** Alguns crentes exigem adesão a tradições não bíblicas para lhes provar que estão salvas. Em geral, acreditam que as tradições da igreja são iguais ou maiores do que a autoridade da Bíblia. Como aprendemos no Dia 31, apenas a Bíblia é a Palavra de Deus inspirada (2Tm 3:16). Jesus repreendeu as pessoas por introduzirem suas próprias regras nos mandamentos de Deus (Mt 23:4; Mc 7:1-23). Paulo nos alertou contra a atenção no desempenho externo ao invés da mudança interior do coração:

> Já que vocês morreram com Cristo para os princípios elementares deste mundo, por que é que vocês, então, como se ainda pertencessem a ele, se submetem a regras: "Não manuseie!" "Não prove!" "Não toque!"? Todas essas coisas estão destinadas a perecer pelo uso, pois se baseiam em mandamentos e ensinos humanos. Essas regras têm, de fato, aparência de sabedoria, com sua pretensa religiosidade, falsa humildade e severidade com o corpo, mas não têm valor algum para refrear os impulsos da carne. (Cl 2:20-23).

Seguir regras extras não nos torna mais santos; seguir Jesus, sim. "Foi para a liberdade que Cristo nos libertou. Portanto, permaneçam firmes e não se deixem submeter novamente a um jugo de escravidão" (Gl 5:1). Chega de escravidão à atividade legalista que honra as pessoas, não a Deus. Agora somos "escravos de Cristo, fazendo de coração a vontade de Deus" (Ef 6:6).

---

1 Mt 6:19-24; Lc 12:33-34; 18:24; 1Tm 6:9; 1Jo 2:15-17.

5. Rejeite qualquer ensinamento que desculpe o pecado. Ensinamentos que permitem pecado intencional e contínuo zombam do sacrifício de Jesus para nos resgatar do pecado. Esses falsos mestres com palavras de vaidosa arrogância e provocando os desejos libertinos da carne, seduzem os que estão quase conseguindo fugir... Prometendo-lhes liberdade, eles mesmos são escravos da corrupção, pois o "homem é escravo daquilo que o domina". (2Pd 2:18-19). Jesus não nos libertou do pecado para que pudéssemos continuar pecando. "Continuaremos pecando para que a graça aumente? De maneira nenhuma! Nós, os que morremos para o pecado, como podemos continuar vivendo nele?" (Rm 6:1-2). A salvação não é um evento único, que nos salvou do inferno, mas uma vida inteira de transformação como novas criaturas em Cristo, livres das amarras do pecado. Não vivemos da mesma forma que vivíamos antes de Jesus nos salvar. O livro de Hebreus nos alerta contra uma vida cristã descuidada. "Como escaparemos nós, se negligenciarmos tão grande salvação?" (Hb 2:3). Somos transformados por Jesus, e essa mudança afeta todos os aspectos de nossa vida. "Irmãos, vocês foram chamados para a liberdade. Mas não usem a liberdade para dar ocasião à vontade da carne; pelo contrário, sirvam uns aos outros mediante o amor" (Gl 5:13).

Amigo, amiga, anime-se. Deus nomeou líderes humildes em todo o mundo que reconhecem Jesus como Senhor, ensinam de acordo com as Escrituras, e encorajam o comportamento justo. **O Espírito Santo – o Espírito da Verdade – nos guiará e nos protegerá dos falsos ensinamentos.** Ele vai nos ajudar a compartilhar a verdade de Deus com os outros e fazê-lo *com amor*. Quando for a hora certa, Jesus voltará. Esteja alerta, tome cuidado com falsos ensinamentos e sirva a Jesus com zelo, até que Ele retorne ou chame você de volta para casa no céu. Sua fidelidade será recompensada quando ouvir as palavras mais preciosas de nosso Senhor e Rei: "Muito bem, servo bom e fiel!" (Mt 25:23).

Deixe a Bíblia falar:

Mateus 24; 2 Pedro 2:1-3 (opcional: Atos 25-28)

Deixe sua mente refletir:

1. Reveja a lista que detalha como você pode rejeitar falsos
    mestres. O que salta aos seus olhos nessa lista? Como você
    pode se preparar para rejeitar os falsos mestres?

2. Na sua opinião, por que alguns falsos mestres são tão populares
    nas culturas de hoje? Por que as pessoas têm dificuldade de
    crer na mensagem do Evangelho e confiar em Jesus?

3. O que pode ajudar você a reconhecer o verdadeiro
    ensinamento da Palavra de Deus em oposição aos falsos
    ensinamentos daqueles que podem perguntar, como a serpente
    em Gênesis 3:1: "Deus realmente disse...?" (NVT).

Deixe sua alma orar:

Pai, acorda-me. Ancora-me na Tua Palavra para que eu não seja
enganado por falsos ensinamentos. Ajuda-me a apontar a verdade
aos outros e fazê-lo com amor. Quando eu me sentir cansado,
fortalece-me com a Tua graça, para a Tua glória. Quando Tu
voltares, que me encontres fiel, para que eu possa ouvir Tuas
preciosas palavras: "Muito bem"... Em nome de Jesus, amém.

Deixe seu coração obedecer:

(O que Deus está levando você a compreender, valorizar ou fazer?)

Celebre sua verdadeira história

Então celebrem a Festa da Colheita em homenagem
ao Senhor, seu Deus. Levem uma oferta voluntária
proporcional às bênçãos que receberam dele. Será um
tempo de celebração diante do Senhor, seu Deus.
Deuteronômio 16:10-11

Vamos voltar no tempo aos dias logo após Jesus ter ressuscitado dos mortos, regressando à cidade onde tudo aconteceu.

Cinquenta dias após o primeiro fim de semana de Páscoa, festividades, comidas e estrangeiros encheram Jerusalém. Há centenas de anos, os judeus celebravam a Festa das Semanas (ou Colheita) nesse período do ano (Lv 23:9-20). Cada dia contado até o Dia 50 aumentava a expectativa deles por esse feriado de colheita de ação de graças. As casas eram decoradas com flores. Pães especiais repousavam na mesa de cada família. As pessoas carregavam ofertas de grãos pelas ruas. Touros e cabras, cordeiros e carneiros pastavam em meio à multidão. Uma procissão de peregrinos judeus, vindos de terras distantes, marchava até Jerusalém. Para onde iam todas essas pessoas – jovens e velhos, ricos e pobres, nativos e estrangeiros? Elas estavam indo ao templo para uma assembleia sagrada.

Em vez de se juntarem à alegre celebração, os seguidores de Jesus – homens e mulheres – estavam escondidos e de mãos vazias (At 1:12-14). Que oferta eles tinham para a reunião sagrada? Poucas semanas antes – depois de lamentarem a perda de seu Amigo, seu Líder, seu Rei – o coração deles explodiu de alegria quando viram Jesus vivo novamente. Eles comeram, riram, choraram e conversaram com o Jesus ressuscitado. Pura alegria. Mas depois de quarenta dias, Ele partiu de novo. Dessa vez, Jesus ascendeu direto ao céu bem diante dos olhos deles e lhes disse que esperassem por um dom poderoso – o Espírito Santo (At 1:4-8). Porém, esperar é difícil. Eles se encaravam, vazios e inseguros, enquanto um desfile de pessoas passava diante da porta da casa. Ao contrário do resto de Jerusalém, eles não tinham nenhum presente para ofertar a Deus naquele dia.

O quinquagésimo dia sagrado deles, o Dia 50, foi especial de outra maneira. Mais de 1500 anos antes, os israelitas que fugiam chegaram ao Monte Sinai, onde Moisés se encontrou com Deus. Cinquenta dias após a primeira Páscoa no Egito, Deus deu a Moisés os Dez Mandamentos. Essas leis não eram apenas regras que mostravam como a vida funcionava melhor, e sim um presente para todos nós, porque revelaram nosso pecado (Rm 7:7) *e nossa necessidade de um Salvador.*

O Dia 50 teve imenso significado – presentes *de* Deus e presentes *para* Deus – mas muitas coisas tinham mudado para os discípulos quando esse dia chegou:

- Os discípulos sabiam que o Salvador – o presente prometido – tinha vindo. *A Lei e a mensagem dos profetas tinham sido cumpridas.*
- Os discípulos testemunharam a História de Deus, mas estavam *incertos demais para confirmar esse fato.*
- Os discípulos sabiam esperar. *Eles não sabiam os horários, datas ou detalhes.*

Finalmente, a espera chegou ao fim e foi muito recompensadora. Naquele domingo glorioso, o Espírito Santo encheu toda a casa onde eles estavam escondidos, *assim como Jesus tinha prometido.*

De repente, veio do céu um som como o de um poderoso vendaval e encheu a casa onde estavam sentados. Então surgiu algo semelhante a chamas ou línguas de fogo que pousaram sobre cada um deles. Todos ficaram cheios do Espírito Santo e começaram a falar em outras línguas, conforme o Espírito os habilitava. (At 2:2-4).

Os discípulos saíram como um relâmpago da sala. Uma multidão, vinda de todas as partes, começou a ouvir os discípulos falarem, e ficaram maravilhados: "e todos nós ouvimos estas pessoas falarem em nossa própria língua sobre as coisas maravilhosas que Deus fez!" (At 2:11, NVT). Os discípulos não podiam guardar o Espírito Santo para si mesmos porque Ele não pode ser guardado em uma sala, em uma parte de nossa vida ou em um dia da semana. Ele *encheu* os discípulos e fluiu através deles para alcançar o mundo. Cinquenta dias após a Páscoa/Sexta-feira Santa, quando Jesus nos deu tudo de Si, o Espírito Santo Se derramou *sobre todos* (At 2:17). Homens e mulheres. Velhos e jovens. Ninguém foi deixado de fora. Nenhuma tribo, nação ou grupo foi considerado indesejável. Jesus, e agora o Espírito Santo, veio para todos. O apóstolo Pedro falou à multidão com ousadia e citou o profeta Joel:

> "Nos últimos dias", diz Deus: "derramarei do meu Espírito sobre todos os povos. Os seus filhos e as suas filhas profetizarão, os jovens terão visões, os velhos terão sonhos. Sobre os meus servos e as minhas servas derramarei do meu Espírito naqueles dias, e eles profetizarão... E todo aquele que invocar o nome do Senhor será salvo!" (At 2:17-18, 21).

Mais conhecido como Pentecostes, este Dia 50 marcou o nascimento da igreja. Enquanto os discípulos proclamavam o Evangelho em diferentes línguas, pessoas das diferentes nações, divinamente reunidas, responderam – uma safra de três mil almas foi salva naquele feriado da colheita (At 2:41). Esses novos crentes mudariam o mundo ao retornarem para sua terra natal e compartilharem a Verdadeira História de Deus. Tudo porque o presente de aniversário do Espírito Santo capacitou os crentes a compartilharem o novo presente do nascimento de Jesus (Jo 3:3). Sabemos que isto é verdade:

- Todos os crentes têm **dons espirituais** para compartilhar a Verdadeira História de Deus.
- Todos os crentes **trabalham juntos** para promover a Verdadeira História de Deus.

- Todos os crentes, em **todas as fases da vida,** têm um papel importante na Verdadeira História de Deus.
- Todos os crentes são **transformados** pela Verdadeira História de Deus e trazem **mudanças** para o mundo!

Uma bela troca aconteceu: a lei de Deus, antes escrita na pedra, seria escrita nos corações (Jr 31:31-33). No lugar da oferta da colheita feita a Deus, Jesus – o Senhor da colheita – nos deu o Espírito Santo. O Pentecostes proporcionou um novo tipo de celebração para a nova igreja. Aqueles discípulos cumpriram sua parte na História de Deus. É a sua vez de fazer o mesmo.

Hoje é o *seu* Dia 50!

No calendário do reino, sua hora chegou. Deus designou este tempo e lugar para você conhecê-Lo e conhecer sua parte na História dEle (At 17:26-27). Da mesma forma que o Pentecostes concedeu uma nova revelação aos apóstolos, este estudo ofereceu uma nova revelação a você. Quanto mais o Espírito Santo o enche para que se conforme à imagem de Deus, você pode se libertar de qualquer coisa que o impeça de ser tudo o que Ele o chamou para ser. **Você pode se deleitar nAquele que é bom, adorável, sábio, puro, belo, heroico e verdadeiro.**

É hora de comemorar! É hora de agradecer a Deus pelo que Ele fez em você e por meio de você nestas últimas sete semanas! Vamos parar um momento para relembrar tudo o que Ele fez por você a cada semana.

Semana 1: A História de Deus

Você é parte da História de Deus. Sabe como tudo começou (criação), como tudo se corrompeu (pecado), como tudo pôde ser resgatado (Jesus), e como tudo vai acabar (recriação).

Semana 2: A sua história

Você é um filho de Deus escolhido, perdoado, adorador, adotado, abraçado e santo. Sua nova vida tem significado e propósito. Você é muito amado por Deus.

Semana 3: Seu propósito divino

Você entende o que Deus o criou para fazer *com* Ele. Seu propósito afeta o céu e glorifica a Deus, conforme você O ama, ama os outros e faz discípulos.

Semana 4: Sua amizade permanente

Você é chamado de amigo de Deus. Conhece os planos dEle e permanece em Jesus. Você descansa e recebe tudo de que precisa da Videira Verdadeira, sua Fonte abundante. Sabe como resistir à tentação e Deus dá frutos por seu intermédio.

Semana 5: Seu estudo bíblico, que transforma a vida

Você sabe que Deus inspirou a escrita da Bíblia e fez uma viagem por ela. Sabe como estudá-la, memorizá-la e como usá-la para vencer a batalha contra o inimigo.

Semana 6: Sua poderosa vida de oração

Você sabe que Deus adora falar com você e alinhar seu coração ao dEle. Sabe como jejuar e orar, remover obstáculos, orar pelos outros e desbloquear a paz sobrenatural.

Semana 7: Seu Conselheiro Espiritual

Você aprendeu como ser cheio do Espírito Santo, para Ele libertá-lo das garras do pecado, fazê-lo crescer em piedade, ajudar a fazer discípulos, para protegê-lo de falsos ensinamentos e confortá-lo no sofrimento.

Você conseguiu! Não desistiu! Você pode não querer comemorar, mas deveria. Com Deus, você deu passos difíceis e sagrados nesta jornada de fé para descobrir sua verdadeira história. Como os discípulos no Pentecostes, você mudou. Agora, está sendo chamado para trazer mudanças ao mundo.

No Dia 1, você escreveu como tinha sido sua história até agora com Deus. Reserve alguns minutos para registrar como ela se desenrolou ao longo desta jornada de fé de 50 dias. Compare as duas. Como você cresceu em seu relacionamento com Deus?

Olhe para trás em sua jornada de fé e saiba que esse caminho é o que Deus tinha em mente o tempo todo. Deus o escolheu e o colocou exatamente onde você está "para um momento como este" (Est 4:14). Ele está tecendo sua história – e ela é linda. Seu novo capítulo começa agora.

Amigo, amiga, nossa jornada de fé de 50 dias está chegando ao fim e quero agradecer a você por responder ao chamado de Deus para descobrir *sua verdadeira história*. Foi uma honra caminhar com você. Oro pelas bênçãos de Deus sobre sua vida, para que seu amor cresça com conhecimento e você ande em justiça para a glória de Deus (Fl 1:9-11). Um dia, quando estivermos todos juntos no céu, vou parabenizá-lo enquanto nosso Rei Jesus apresenta você sem culpa:

Àquele que é poderoso para impedi-los de cair e para apresentá-los diante da sua glória sem mácula e com grande alegria, ao único Deus, nosso Salvador, sejam glória, majestade, poder e autoridade, mediante Jesus Cristo, nosso Senhor, antes de todos os tempos, agora e para todo o sempre! Amém. (Jd 1:24-25).

Deixe a Bíblia falar:

Efésios 3:14-21 (opcional: Livro de Rute – geralmente lido em Shavuot [Pentecostes], esta curta história oferece esperança e redenção e revela o plano de resgate de Deus com o tema da colheita).

Deixe sua mente refletir:

1. Pense em sua vida em Cristo e descreva os motivos que você tem para comemorar. O que o deixou mais grato em sua jornada de 50 dias?

2. Responda às perguntas para discussão da Semana 7.

Deixe sua alma orar:

Pai, obrigado pelo Senhor. Obrigado por enviares Teu Filho, Jesus, e por derramares Teu Espírito no mundo. Obrigado por me escreveres em Tua Verdadeira História. Ajuda-me a permanecer em Jesus e ser cheio do Espírito, para Tua glória somente. "Meu futuro está nas tuas mãos" (Sl 31:15)... Em nome de Jesus, amém.

Deixe seu coração obedecer:

(O que Deus está levando você a compreender, valorizar ou fazer?)

Vamos continuar amigos:

Acesse www.yourtruestorybook.com para nos informar que você completou este estudo bíblico. Queremos comemorar e presenteá-lo com vídeos, materiais para você baixar e muito mais. **Você receberá um certificado de conclusão e nossas orações**. Obrigada.

SEMANA 7 – PERGUNTAS PARA DISCUSSÃO:
**Revise as lições desta semana e responda às
perguntas abaixo. Compartilhe suas respostas com
seus amigos durante a reunião semanal.**

1. Jesus disse aos Seus discípulos que seria bom deixá-los e voltar
   para o céu, porque, em Sua ausência, enviaria o Espírito Santo. Por
   que o Espírito Santo é tão valioso? Como Ele ajuda os crentes?

2. Como o Espírito Santo pode nos fazer crescer por meio do
   serviço? Compartilhe um exemplo, se tiver um. Que atitude
   devemos ter ao servir? Há alguém a quem você acha difícil servir?
   Como pode mostrar a essa pessoa o amor de Deus essa semana?

3. Leia Romanos 8:28-29. Como Deus pode trazer o bem mesmo
   em nossas dificuldades? Como isso pode encorajá-lo a
   perseverar em meio ao sofrimento?

4. Você já se deparou com falsos ensinamentos? E como soube
   que eram falsos? Como pode manter a motivação enquanto vive
   sua história com Deus?

5. **A repetição é a chave do aprendizado. Pergunte a Deus quem
   você pode convidar para fazer este estudo novamente.** Existe
   um novo crente, ou alguém buscando a Deus, a quem você
   poderia discipular usando esta ferramenta?

Agradecimentos

Os livros são escritos em *comunidade e Sua Verdadeira História* não é exceção. Pela graça de Deus e com muitas orações, crentes de diversas tradições cristãs contribuíram para esta jornada de fé.

Antes de escrever uma única palavra, nossa equipe do ministério de oração abriu o caminho com suas orações poderosas. Amo vocês, Christy Price, Missy Blanton, Hilary Windsor, Linda Reppert, Diane Engelhardt, Paddy Creveling, Cynthia Webb, Jenny Krishnarao, Riann Boyd e Melanie Gauthier.

Sou imensamente grata à Mary Ann Wilmer, por seu trabalho árduo e esforço amoroso para ajudar a lançar este projeto com êxito. Muito obrigada ao Dr. Archie England, Danita Brooks, Kim Driggers, Tara Krishnarao e Wayne Hastings & Co., que nos ajudaram a concluir com sucesso.

Muito obrigada à equipe e aos apoiadores da All In Ministries International, por testarem os materiais, em especial à Glenn Reese, Kelley Hastings, Christy Price, Erin Crider e Amy Tiede, que fizeram a revisão inicial. Agradecimentos especiais à Chets Creek Church, pelo seu incentivo e ajuda.

À minha família, sou grata por seu amor e apoio incondicional. (Mãe, obrigada por tudo.) Meus filhos, sobrinhas e sobrinhos foram minha inspiração. Passo esta jornada de fé para vocês, como um bastão, a fim de que façam sua corrida de Hebreus 12:1-3. Nunca desistam. Jesus é digno de tudo.

Ao meu melhor amigo, Brett, sua maneira de ver nosso casamento como um "co-chamado" tornou esta jornada de fé possível de várias maneiras. É a honra da minha vida ser sua esposa. Amo muito você.

Mais do que tudo, sou eternamente grata a Deus – nosso Autor – por escrever nossa verdadeira história. Que Ele receba toda a glória do fruto desta obra.

> Não a nós, Senhor, nenhuma glória para nós, mas sim
> ao teu nome, por teu amor e por tua fidelidade.
> Salmo 115:1

ESBOÇO DE ENCONTROS SEMANAIS

Para desenvolver relacionamentos autênticos no contexto da formação de discípulos, considere usar a abordagem abaixo em seus grupos semanais reduzidos.* Divida seu tempo nas seguintes três partes e convide o Espírito Santo para assumir:

PASSADO

Preocupação:

- O que o deixou grato esta semana?
- O que está lhe causando preocupação?

Oração/Adoração:

Uma pessoa ora e convida Deus para liderar este momento juntos.

Verificação mútua:

Reveja as metas estabelecidas na semana anterior e verifiquem com cuidado se estão no caminho certo.

Missão:

Reveja a missão/visão do grupo (por exemplo, "Desfrutar de Deus e exaltá-Lo" ou "Ser um discípulo que faz discípulos").

PRESENTE

Lição:

Leia uma passagem das Escrituras duas vezes em traduções diferentes, se disponíveis.

Pergunte:

- O que aprendemos sobre Deus?
- O que você aprendeu sobre as pessoas?
- O que Deus quer que saibamos, valorizemos ou façamos?

(De vez em quando, considere usar este tempo para aprender uma ferramenta de capacitação para fazer discípulos, por exemplo, como dar seu testemunho ou como compartilhar o Evangelho. Pratique essas ferramentas dentro do seu grupo antes de prosseguir.)

FUTURO

Defina metas:

Convide todos a orar em silêncio, perguntando a Deus como devemos responder.

Responda:

- Como você pode agir de acordo com o que aprendeu?
- Quem você vai treinar com esta passagem?
- Com quem você vai compartilhar o Evangelho?

Registre e compartilhe metas:

Cada pessoa registra seus objetivos em um diário/telefone. Compartilhe as metas com o grupo.

Comissão:

Uma pessoa encerra com uma oração.

*Adaptado da abordagem #NoPlaceLeft 3/3rds.

Apêndice

Ferramentas para compartilhar sua fé.

Passos para compartilhar a História de Deus usando os Três Círculos.

1. **Desenhe um círculo à esquerda com um coração dentro dele:** explique o amor e o plano de Deus para nossa vida.
2. **Desenhe um círculo à direita com a seta do pecado:** explique como todos nós escolhemos seguir nosso próprio caminho em vez de confiar em Deus. Isso se chama pecado e cria rupturas nos relacionamentos, a começar pela nossa relação com Deus.
3. **Desenhe três setas** distanciando-se de Deus, acima do círculo de ruptura. Explique que cada flecha representa maneiras pelas quais as pessoas tentam consertar sua ruptura – com realizações, posses, religião, tentativa de ser bom ou vícios. E que somente um relacionamento com Deus pode restaurá-las.
4. **Desenhe um círculo na parte inferior:** explique como Deus enviou Seu único Filho, Jesus (**desenhe a seta para baixo**), para receber nossa punição pelo pecado morrendo na cruz (desenhar cruz). Jesus ressuscitou dos mortos (**desenhe a seta para cima**), derrotando a morte e provando ao mundo que Ele é Deus, nosso Salvador.
5. **Desenhe uma flecha partindo do círculo de ruptura em direção ao círculo de Jesus:** explique que, quando deixamos de seguir nosso próprio caminho (nos arrependemos) e seguimos Jesus como nosso Líder (**desenhe a coroa acima do círculo**), nosso relacionamento com Deus é restaurado (**puxe a flecha de volta para Deus**).

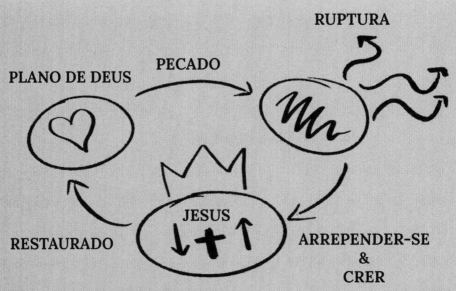

Ouça

Crie um **mapa de relacionamento** com as pessoas que você conhece e que estão longe de Deus.

1. Ore pedindo discernimento do Espírito Santo e escreva seu nome no centro.

2. Desenhe círculos de conexão para pessoas que você conhece e que estão longe de Deus. Acrescente círculos conforme necessário.

3. Para cada uma dessas pessoas, acrescente círculos com as pessoas que elas conhecem e que também estão longe de Deus (cônjuge/colegas de trabalho).

4. Ore por seus conhecidos e por aqueles que eles podem alcançar. Em João 17:20, Jesus orou por aqueles que viriam a crer por meio de outros. Vamos orar da mesma maneira.

Você

Aprenda

Conheça a história da pessoa e no que ela acredita. Ouça para criar uma conexão a fim de **compartilhar sua história de Deus.**

* Você tem alguma crença espiritual?
* Você acredita em Deus?
* Quem você acha que Jesus é?
* Alguém já compartilhou o Evangelho com você antes?

Crie sua história de Deus e pratique compartilhá-la em 15–20 segundos. Aqui está uma sugestão:

"Houve um tempo na minha vida em que eu era/estava...

_____

(Insira duas palavras/frases que descrevam sua vida antes de Jesus.)

"Então, fui perdoado por Jesus e escolhi segui-Lo."

"Minha vida mudou. Agora eu..."

_____

(Insira duas palavras/frases que descrevam sua vida depois que conheceu Jesus.)

Pergunte: "Você tem uma história assim?"

Ame

Compartilhe a História de Deus e inclua os quatro ingredientes do Pão do Evangelho: amor, pecado, Jesus, arrependimento e fé.

Pratique desenhar os Três Círculos da História de Deus:

Pergunte: Existe alguma coisa impedindo você de receber o perdão de Deus e de seguir Jesus como o Líder da sua vida?

Compartilhe os elementos da oração: Acredite, Perdoe, Ajude.

Senhor

Seu compromisso com Jesus.

Como uma nova pessoa em Cristo, eu _____, sou um embaixador de Jesus e Ele tem autoridade sobre toda a minha vida (2Cor 5:17-21).

Permanecendo em Jesus, vou obedecer ao Seu mandamento de fazer discípulos, sabendo que Ele está sempre comigo e que o Espírito Santo vai me auxiliar (Jo 15; Mt 28:18-20; At 1:8).

- Vou orar pelas pessoas que estão no meu mapa de relacionamento

  (Insira horários/dias em que você vai orar, por exemplo, de manhã ou às segundas-feiras.)

- Vou compartilhar a História de Deus com alguém do meu mapa de relacionamento

  (Insira a frequência com que vai compartilhar, por exemplo, uma vez por semana ou por mês.)

- Vou discipular um crente para ser um fazedor de discípulos

  (Insira a frequência e o método de discipulado, por exemplo, ligações semanais.)

_____

(Assinatura e data)

Corte e dobre este papel e guarde-o na sua Bíblia. Revise-o regularmente em suas reuniões semanais. Baixe esta ferramenta em allinmin.org.

Bibliografia

ALCORN, Randy C. *Heaven study guide*. Nashville: LifeWay Press, 2006.

BIBLE, evidence for. *In*: GEISLER, Norman L. *Baker Encyclopedia of Christian Apologetics*. Grand Rapids: Baker Books, 1999. (Baker Reference Library).

BLUE, Ron; GUESS, Karen. *Never enough?*: three keys to financial contentment. Nashville: B&H Publishing Group, 2017.

BRISCOE, Jill. *Here am I, Lord . . . Send somebody else*: how God uses ordinary people to do extraordinary things. Nashville: W Publishing, 2004.

CHAN, Francis; CHAN, Lisa. *You and me forever*: marriage in light of eternity. Singapore: Imprint Edition, 2015.

DANKER, Frederick W. (ed.) *A Greek-English lexicon of the New Testament and other early christian literature*. Chicago: University of Chicago Press, 2000. p. 630.

ELWELL, Walter A. *Evangelical dictionary of theology*. 2nd. ed. Grand Rapids: Baker Academic, 2001.

GANGEL, Kenneth O.; MAX, E. Anders. *John*. Nashville: Holman Reference, 2000. (Holman New Testament Commentary, v. 4).

GEISLER, Norman L. *Systematic theology*: in one volume. Bloomington: Bethany House, 2011.

GREEAR, Jesus D. *Jesus, continued*: why the Spirit inside you is better than Jesus beside you. Grand Rapids: Zondervan, 2014.

GRUDEM, Wayne. *Systematic theology*: an introduction to biblical doctrine. Grand Rapids: Zondervan, 2007.

HABERMAS, Gary R. *The historical Jesus*: ancient evidence for the life of Christ. Joplin: College Press Publishing Company, 1996.

HAUER, Cheryl. God's invitations. *Bridges for Peace*. [s. l.], 21 Nov. 2017. Disponível em: https://www.bridgesforpeace.com/letter/gods-invitations/.

HENDRICKS, Howard G; HENDRICKS, William. *Living by the Book*: the art and science of reading the Bible. Chicago: Moody Press, 2007.

HUGHES, R. Kent. *John*: that you may believe. Wheaton: Crossway Books, 1999.

JONES, Ian. *The Counsel of Heaven on Earth*: foundations for biblical Christian counseling. Nashville: Broadman & Holman, 2006.

KELLER, Timothy. *Walking with God through pain and suffering*. London: Hodder & Stoughton, 2015.

KITCHEN, Kenneth A. *On the reliability of the Old Testament*. Grand Rapids/Cambridge: William B. Eerdmans Publishing Company, 2006.

KOEHLER, Ludwig *et al. The Hebrew and Aramaic lexicon of the Old Testament*. Leiden: EJ Brill, 2000

KROLL, Woodrow Michael. *Facing your final job review*: the judgment seat of Christ, salvation, and eternal rewards. Wheaton: Crossway Books, 2008.

MILLER, Mike; SHARP, Michael. "Worship Leadership" intensive class notes: three stages of worship. *In*: NEW ORLEANS BAPTIST THEOLOGICAL SEMINARY, 2014, New Orleans. *Anais* [...]. New Orleans, May 2014.

MITZVOT. In: RELIGIONFACTS. [S. l.], 22 June 2017. Disponível em: www.religionfacts.com/mitzvot.

MOUNCE, Robert H. Romans: an exegetical and theological exposition of Holy Scripture. Nashville: Broadman & Holman Publishers, 1995. (The New American Commentary, v. 27).

PRATT, Zane. Making disciples in another culture. In: BREAKOUT, SEND CONFERENCE, 2017, Orlando. Anais [...]. Orlando: Diocese of Orlando, 2017.

TOWNS, Elmer L. Fasting for spiritual breakthrough: a guide to nine biblical fasts. Ventura: Regal Books, 1996.

TRIPP, Paul. Why do I need the Bible? Paul Tripp Ministries, [s. l.], 13 May 2019. Disponível em: https://www.paultripp.com/app-read-bible-study/ posts/001whydo-i-need-the-bible.

VINE, William Edwy; UNGER, Merrill F.; WHITE JR., William. Vine's complete expository dictionary of Old and New Testament words. Nashville: Thomas Nelson, 1984.

WALLACE, J. Warner. Cold-case Christianity: a homicide detective investigates the claims of the gospels. Colorado Springs: David C Cook, 2013.

WERSE, Nicholas R. Hezekiah, King of Judah. In: BARRY, John D. et al. (org.) The Lexham Bible Dictionary. Bellingham: Lexham Press, 2016.

WESTMINSTER ASSEMBLY (1643–1652). The Assembly's shorter catechism, with the Scripture proofs in reference: with an appendix on the systematick attention of the young to scriptural knowledge, by Hervey Wilbur. Newburyport: Wm. B. Allen & Co., 1816. 24 p. Rare Book (1643–1652).

WHELCHEL, Hugh. The four-chapter gospel: the grand metanarrative told by the Bible. Institute for Faith, Work & Economics. Tysons, 14 Feb. 2012. Disponível em: https://tifwe.org/the-four-chapter-gospel-the-grand-metanarrative-told-by-thebible/.

WHITACRE, Rodney A. John. Westmont: IVP Academic, 1999. (The IVP New Testament Commentary Series, v. 4).

Sua Verdadeira História é para todas as pessoas, em todos os lugares.

ALL IN MINISTRIES
INTERNATIONAL

All In Ministries International prepara mulheres para fazerem discípulos para Jesus.

Três maneiras de servirmos juntos:

Seja um Instrutor

Você pode levar o treinamento de discipulado de mulheres para a sua cidade ou em missão pelo mundo. Nossos recursos e treinamento on-line irão prepará-lo.

Seja um Parceiro

Você é um missionário ou serve em um ministério de missões humanitárias? Podemos nos unir para alcançar todas as igrejas como o Evangelho completo.

Convide-nos

Nossas conferências e oficinas são customizadas para o seu grupo e levam a mensagem do discipulado global. Os honorários destinam-se a apoiar financeiramente nossas missões.

All In Ministries International Incorporated é uma organização sem fins lucrativos 501c3.

Para saber mais, visite allinmin.org. Mudar o mundo, uma mulher de cada vez.

Nosso presente para você

Você conseguiu! Queremos comemorar e presenteá-lo com vídeos, materiais para baixar e muito mais. Você receberá um certificado de conclusão e nossas orações. Acesse **www.yourtruestorybook.com** para nos informar que completou esta jornada.

Vamos ser amigos

Caminhamos juntos por 50 dias e não queremos dizer adeus.

Conecte-se e compartilhe sua verdadeira história nas nossas redes sociais:

Facebook– www.facebook.com/allinmin
Instagram–@allinministriesinternational
YouTube– All In Ministries International

Para receber ferramentas gratuitas e histórias encorajadoras de todo o mundo, inscreva-se em: Allinmin.org